# Dictionnaire mathématique CEC

Natasha Dufour

LES ÉDITIONS CEC

9001, boul. Louis-H.-La Fontaine, Anjou (Québec) Canada  H1J 2C5
Téléphone : 514 351-6010 • Télécopieur : 514 351-3534

**Direction de l'édition**
Julie Duchesne

**Direction de la production**
Danielle Latendresse

**Direction de la coordination**
Rodolphe Courcy

**Charge de projet**
Sylvie Brousseau

**Révision linguistique**
Patrick Tardy

**Correction d'épreuves**
Katie Delisle

**Réalisation technique
et conception graphique**
Alphatek

**Concept original et couverture**
Catapulte (Josée Lavigne)

**Illustrations**
Yves Boudreau (p. 302)
Stéphan Vallières

**Remerciements**

L'auteure et l'Éditeur tiennent à remercier les personnes suivantes pour leur collaboration au projet.

**Consultants**

Richard Cadieux, enseignant, C. S. des Affluents
Stéphane Brosseau, enseignant, C. S. des Affluents

**Crédits photographiques**

**H** haut    **C** centre    **B** bas
**G** gauche    **D** droite    **FP** Fond de page

**Couverture FP** © Katarzyna Krawiec/ Shutterstock
**HG** © Grafissimo/iStockphoto
**HD** © STILLFX/Shutterstock
**CD** © Dmitry Yashkin/Shutterstock
**BG** © Sinelyov/Shutterstock
**BD** © R-O-M-A/Shutterstock
**1HC** © Stefan Petru Andronache/Shutterstock
**HG** © Marilyn Barbone/Shutterstock
**CG** © vectorlib-com/Shutterstock
**CD** © Dudarev Mikhail/Shutterstock
**B** © Denis and Yulia Pogostins/Shutterstock
**3** © Hector Joseph Lumang/iStockphoto
**34** © Stefan Petru Andronache/Shutterstock
**55** © Alhovik/Shutterstock
**77** Ressources naturelles Canada 2011, gracieuseté de l'Atlas du Canada
**83** © Ivanova Natalia/Shutterstock
**153** © Phil Lewis/Shutterstock
**178G** © Opaschevsky Irina/Shutterstock
**D** © Lee Feldstein/iStockphoto
**216** © Matthew Rambo/iStockphoto
**263** © Oleksiy Mark/Shutterstock
**287B** © iStockphoto
**290C** © Bettmann/Corbis
**291H** © Leonard de Selva/Corbis
**295C** © Stefano Bianchetti/Corbis
**B** © akg-images
**303H** © akg-images
**304B** © Bettmann/Corbis
**305C** © Bettmann/Corbis
**306H** © Bettmann/Corbis
Autres photos : domaine public

*Dictionnaire mathématique CEC*

© 2011, Les Éditions CEC
9001, boul. Louis-H.-La Fontaine
Anjou (Québec)  H1J 2C5

Dépôt légal : 2011
Bibliothèque et Archives nationales du Québec
Bibliothèque et Archives Canada

ISBN 978-2-7617-3394-6

Imprimé au Canada
1   2   3   4   5   15   14   13   12   11

Les Éditions CEC inc. remercient le gouvernement du Québec de l'aide financière accordée à l'édition de cet ouvrage par l'entremise du Programme de crédit d'impôt pour l'édition de livres, administré par la SODEC.

# Table
# des matières

# Présentation

Cet ouvrage de référence en mathématique est destiné aux élèves du secondaire, mais il peut aussi être un outil précieux pour les étudiants des niveaux postsecondaires, les enseignants et les parents.

Il comporte trois sections distinctes, soit la section des *Termes mathématiques,* la section des *Noms propres* et les *Annexes.*

## Les Termes mathématiques

Toutes les notions mathématiques prévues dans le *Programme de formation de l'école québécoise* pour le secondaire sont définies dans cette section.

Les définitions sont claires, concises et rigoureuses. Lorsqu'il y a plus d'une définition pour un même terme, une pastille bleue les différencie.

Un pictogramme indique à quel niveau scolaire la notion est enseignée.

Chaque terme défini est présenté en caractères orangés s'il s'agit d'une entrée principale, et en caractères noirs gras s'il s'agit d'une sous-entrée.

La nature du terme est précisée, de même que son symbole et son unité de mesure, lorsqu'ils existent.

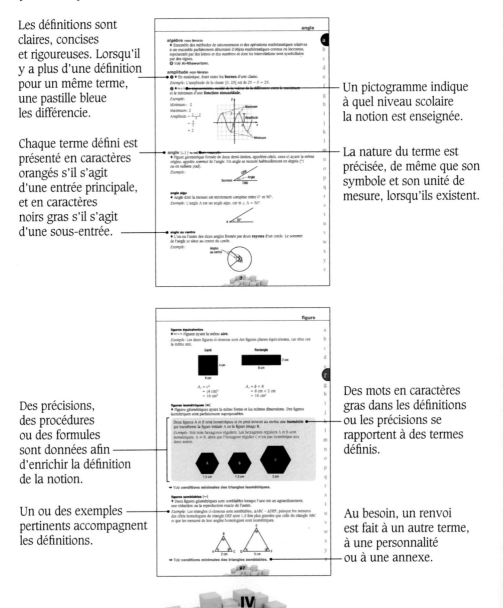

Des précisions, des procédures ou des formules sont données afin d'enrichir la définition de la notion.

Des mots en caractères gras dans les définitions ou les précisions se rapportent à des termes définis.

Un ou des exemples pertinents accompagnent les définitions.

Au besoin, un renvoi est fait à un autre terme, à une personnalité ou à une annexe.

## Les Noms propres

Cette section présente des mathématiciens célèbres, dont l'apport est en lien avec les notions mathématiques à acquérir au secondaire.

Pour chaque mathématicienne et mathématicien, les années de naissance et de décès sont spécifiées.

Des renvois à la section *Termes mathématiques* sont indiqués.

Des formules ou des illustrations facilitent, au besoin, la compréhension des travaux effectués.

La nationalité de la personne est précisée.

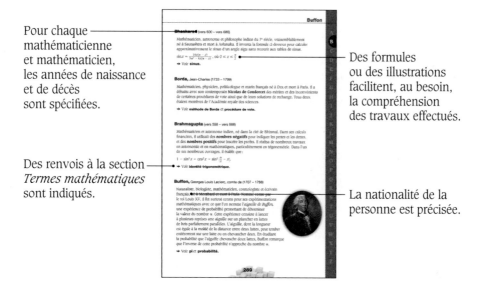

## Les Annexes

Des tableaux et autres outils mathématiques sont regroupés à la fin dans six annexes distinctes.

## Liste des pictogrammes

❶     Nombre de définitions d'un terme

👁     Renvoi à une annexe

➜     Renvoi à un autre terme défini

👤     Renvoi à un mathématicien ou une mathématicienne
présenté dans la section *Noms propres*

[cm]     Unité de mesure représentant un terme défini

[∞]     Symbole ou notation représentant un terme défini

◆     Notion acquise au primaire

◆     Notion acquise au 1$^{er}$ cycle du secondaire

◆     Notion acquise au 2$^e$ cycle du secondaire

◆ CST     Notion acquise au 2$^e$ cycle du secondaire, séquence Culture, société et technique (CST)

◆ SN     Notion acquise au 2$^e$ cycle du secondaire, séquence Sciences naturelles (SN)

◆ TS     Notion acquise au 2$^e$ cycle du secondaire, séquence Technico-sciences (TS)

# Termes
# mathématiques

## abaque nom masculin

Appareil mécanique composé de boules ou de rondelles que l'on déplace sur des tiges afin de représenter des nombres et d'effectuer des opérations arithmétiques élémentaires.

**Abaque chinois**

## abscisse nom féminin

◆ Nombre correspondant à la première **coordonnée** d'un point dans le plan cartésien.

*Exemple:* L'abscisse du point P(-2, 3) est -2.

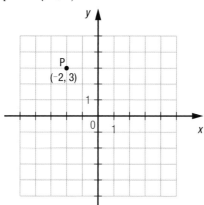

### abscisse à l'origine

◆ Nombre correspondant à la première **coordonnée** de chaque point d'intersection du graphique d'une fonction *f* avec l'**axe des abscisses.**

Il s'agit du ou des points du graphique pour lesquels $f(x) = 0$. Leurs abscisses sont aussi nommées les *zéros* de la fonction *f*.

*Exemple:* Dans le graphique ci-contre, 0 et 4 sont les abscisses à l'origine de la fonction *f*.

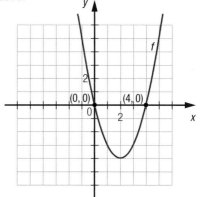

**3**

## accolades [{}] nom féminin

Symbole utilisé pour définir un ensemble ou énumérer une liste d'éléments.

*Exemple:* $A = \{1, 2, 3, 4, 5\}$

## accroissement nom masculin

♦ Changement de valeur d'une variable entre deux points, sur un intervalle donné.

Soit les points $A(x_1, y_1)$ et $B(x_2, y_2)$.
- L'accroissement des **abscisses** de A vers B est $\Delta x = x_2 - x_1$;
- L'accroissement des **ordonnées** de A vers B est $\Delta y = y_2 - y_1$.

*Exemple:* Soit les points $A(1, 2)$ et $B(5, 4)$. L'accroissement des abscisses est de 4 alors que l'accroissement des ordonnées est de 2.

$$\Delta x = x_2 - x_1$$
$$= 5 - 1$$
$$= 4$$
$$\Delta y = y_2 - y_1$$
$$= 4 - 2$$
$$= 2$$

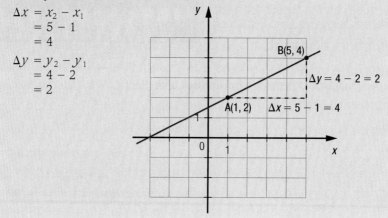

## acutangle adjectif

➡ Voir **triangle acutangle.**

## addition [+] nom féminin

♦ Opération mathématique permettant, à partir de deux nombres ou plus, d'en obtenir un autre appelé *somme*. L'addition consiste à ajouter à un nombre, un ou plusieurs autres nombres.

L'addition s'applique à d'autres objets mathématiques, notamment les vecteurs et les fonctions.

*Exemple:* $14 + 31 + 62 = 107$

## agrandissement nom masculin

♦ Figure se trouvant dans un **rapport de similitude** supérieur à 1 par rapport à une figure semblable.

*Exemple:* La figure A'B'C' est l'agrandissement de la figure ABC dans un rapport de similitude de $\frac{5}{3}$.

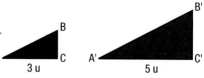

## aigu, aiguë adjectif

➡ Voir **angle aigu.**

**aire** [u²] nom féminin

◆ Mesure de la surface délimitée par une figure ou une courbe. L'aire, *A*, se mesure en unités carrées.

*Exemple :* L'aire de ce rectangle est de 12 unités carrées.

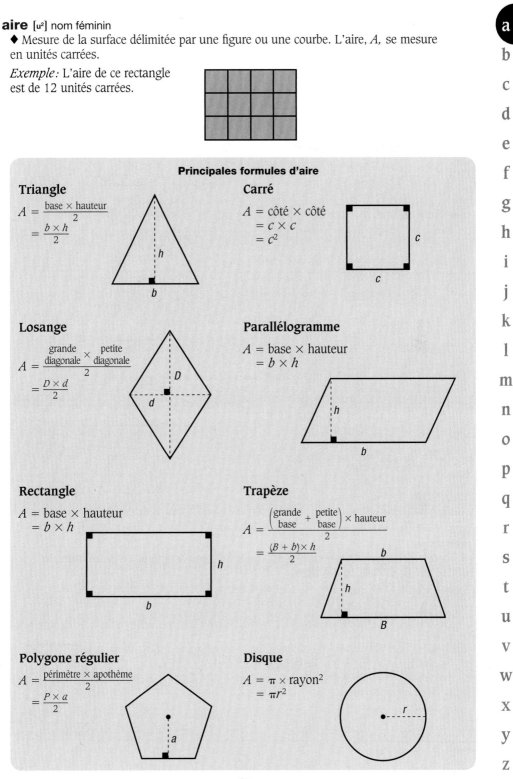

**Principales formules d'aire**

**Triangle**

$$A = \frac{\text{base} \times \text{hauteur}}{2}$$
$$= \frac{b \times h}{2}$$

**Carré**

$$A = \text{côté} \times \text{côté}$$
$$= c \times c$$
$$= c^2$$

**Losange**

$$A = \frac{\text{grande diagonale} \times \text{petite diagonale}}{2}$$
$$= \frac{D \times d}{2}$$

**Parallélogramme**

$$A = \text{base} \times \text{hauteur}$$
$$= b \times h$$

**Rectangle**

$$A = \text{base} \times \text{hauteur}$$
$$= b \times h$$

**Trapèze**

$$A = \frac{\left(\text{grande base} + \text{petite base}\right) \times \text{hauteur}}{2}$$
$$= \frac{(B + b) \times h}{2}$$

**Polygone régulier**

$$A = \frac{\text{périmètre} \times \text{apothème}}{2}$$
$$= \frac{P \times a}{2}$$

**Disque**

$$A = \pi \times \text{rayon}^2$$
$$= \pi r^2$$

**a**

### aire latérale

◆ Somme des aires des faces d'un solide autres que la ou les bases.

- L'aire latérale, $A_L$, d'un cône droit est : $A_L = \dfrac{\text{circonférence de la base} \times \text{apothème}}{2}$
$$= \dfrac{2\pi r \times a}{2}$$

*Exemple :* L'aire latérale du cône droit suivant est :

$A_L = \dfrac{2 \times \pi \times 3 \text{ cm} \times 5 \text{ cm}}{2}$

$= 15\pi \text{ cm}^2 \approx 47{,}12 \text{ cm}^2$

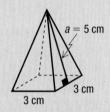

$a = 5$ cm

$r = 3$ cm

- L'aire latérale, $A_L$, d'une pyramide droite est : $A_L = \dfrac{\text{périmètre de la base} \times \text{apothème}}{2}$
$$= \dfrac{P_{base} \times a}{2}$$

*Exemple :* L'aire latérale de la pyramide droite à base carrée suivante est :

$A_L = \dfrac{4 \times 3 \text{ cm} \times 5 \text{ cm}}{2}$

$= 30 \text{ cm}^2$

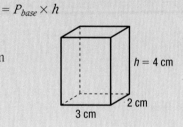

$a = 5$ cm

3 cm

3 cm

- L'aire latérale, $A_L$, d'un prisme droit est : $A_L = \text{périmètre de la base} \times \text{hauteur}$
$$= P_{base} \times h$$

*Exemple :* L'aire latérale du prisme droit à base rectangulaire suivant est :

$A_L = (2 \text{ cm} + 3 \text{ cm} + 2 \text{ cm} + 3 \text{ cm}) \times 4 \text{ cm}$

$= 40 \text{ cm}^2$

$h = 4$ cm

2 cm

3 cm

### aire totale

◆ Somme des aires de toutes les faces d'un solide, soit la somme de l'**aire latérale** et de l'aire de la base ou des bases.

L'aire d'une sphère, qui n'a ni côté, ni base, se calcule ainsi : $A = 4\pi r^2$, où $r$ est le rayon de la sphère.

*Exemple :* L'aire totale, $A_T$, du prisme à base rectangulaire suivant est :

$A_T = \text{aire latérale} + 2 \times \text{aire de la base}$

$= (2 \text{ cm} + 3 \text{ cm} + 2 \text{ cm} + 3 \text{ cm}) \times 4 \text{ cm} + 2 \times 2 \text{ cm} \times 3 \text{ cm}$

$= 40 \text{ cm}^2 + 12 \text{ cm}^2$

$= 52 \text{ cm}^2$

4 cm

2 cm

3 cm

## algèbre nom féminin
♦ Ensemble des méthodes de raisonnement et des opérations mathématiques relatives à un ensemble parfaitement déterminé d'objets mathématiques connus ou inconnus, représentés par des lettres et des nombres et dont les interrelations sont symbolisées par des signes.
🌐 Voir **Al-Khawarizmi.**

## amplitude nom féminin
❶ ♦ En statistique, écart entre les **bornes** d'une classe.
*Exemple:* L'amplitude de la classe [0, 25[ est de 25 − 0 = 25.
❷ ♦ SN et TS En trigonométrie, moitié de la valeur de la différence entre le maximum et le minimum d'une **fonction sinusoïdale.**

*Exemple:*

Minimum: -2

Maximum: 2

Amplitude $= \dfrac{2 - {}^{-}2}{2}$

$= \dfrac{4}{2}$

$= 2$

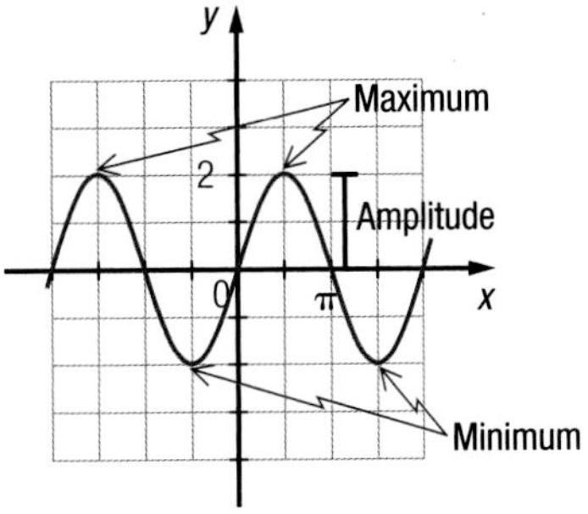

## angle [∠] [° ou rad] nom masculin
♦ Figure géométrique formée de deux demi-droites, appelées *côtés,* ceux-ci ayant la même origine, appelée *sommet* de l'angle. Un angle se mesure habituellement en degrés (°) ou en radians (rad).
*Exemple:*

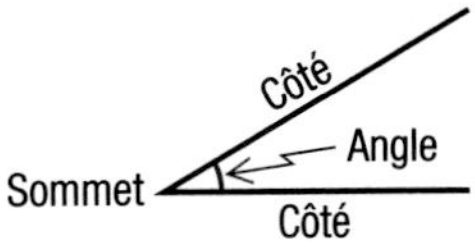

### angle aigu
♦ Angle dont la mesure est strictement comprise entre 0° et 90°.
*Exemple:* L'angle A est un angle aigu, car m ∠ A = 30°.

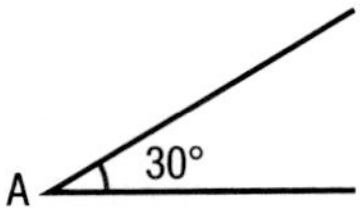

### angle au centre
♦ L'un ou l'autre des deux angles formés par deux **rayons** d'un cercle. Le sommet de l'angle se situe au centre du cercle.
*Exemple:*

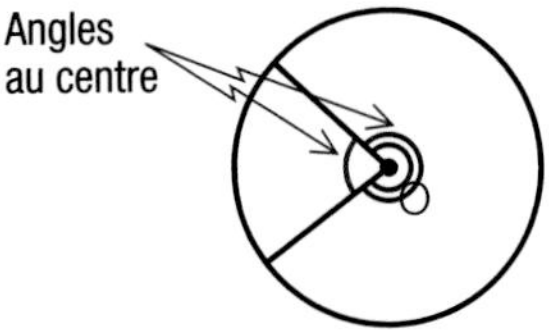

a
b
c
d
e
f
g
h
i
j
k
l
m
n
o
p
q
r
s
t
u
v
w
x
y
z

### angle de dépression

♦ Angle formé par l'horizontale et la ligne de visée lorsque l'objet observé est plus bas que la personne qui observe.

*Exemple :*

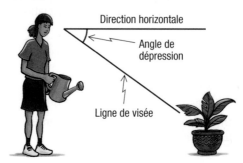

### angle de fuite

♦ Représentation dans le plan d'une figure en trois dimensions selon la **perspective cavalière.** C'est un angle de 30° ou de 45° formé par l'axe associé à la largeur et l'axe associé à la profondeur.

*Exemple :*

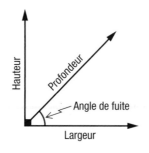

### angle d'élévation

♦ Angle formé par l'horizontale et la ligne de visée lorsque l'objet observé est plus haut que la personne qui observe.

*Exemple :*

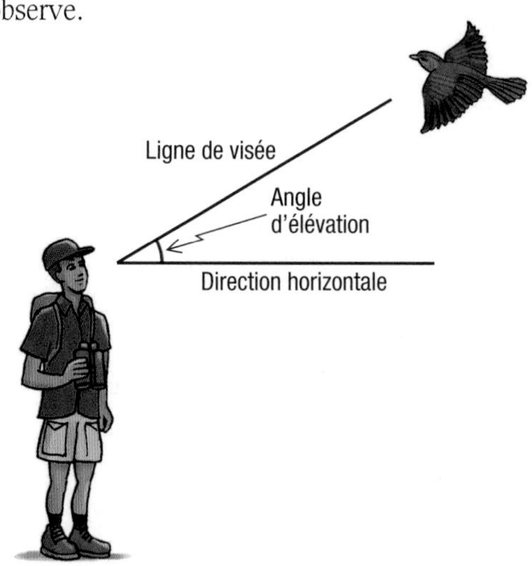

**angle droit [∟]**

♦ Angle mesurant 90°.

*Exemple:* L'angle A est un angle droit, car m ∠ A = 90°.

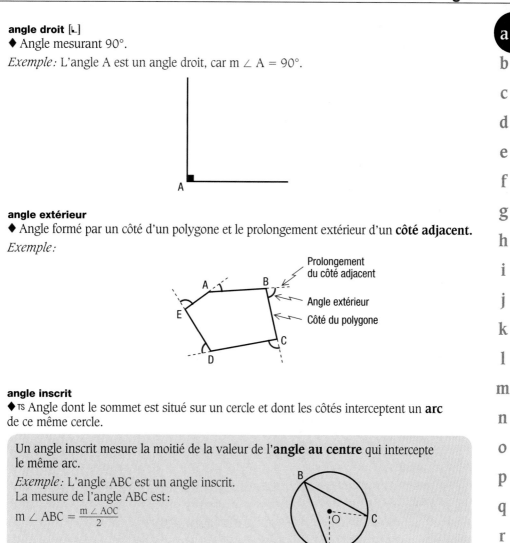

**angle extérieur**

♦ Angle formé par un côté d'un polygone et le prolongement extérieur d'un **côté adjacent**.

*Exemple:*

Prolongement
du côté adjacent

Angle extérieur

Côté du polygone

**angle inscrit**

♦ ᵀˢ Angle dont le sommet est situé sur un cercle et dont les côtés interceptent un **arc** de ce même cercle.

Un angle inscrit mesure la moitié de la valeur de l'**angle au centre** qui intercepte le même arc.

*Exemple:* L'angle ABC est un angle inscrit.
La mesure de l'angle ABC est:

$$m \angle ABC = \frac{m \angle AOC}{2}$$

**angle intérieur**

♦ Angle formé par deux côtés consécutifs d'un **polygone** et situé à l'intérieur de ce polygone.

*Exemple:* La figure ABC est un polygone. $\overline{AB}$, $\overline{BC}$ et $\overline{AC}$ sont les **côtés** de ce polygone.
A, B et C sont ses **sommets.** ∠ BAC ou ∠ A, ∠ ABC ou ∠ B et ∠ ACB ou ∠ C sont les angles intérieurs de ce polygone.

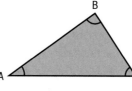

a
b
c
d
e
f
g
h
i
j
k
l
m
n
o
p
q
r
s
t
u
v
w
x
y
z

**angle nul**
♦ Angle mesurant 0°. Un angle nul est formé de deux demi-droites confondues.

*Exemple:* L'angle A est un angle nul, car m ∠ A = 0°.

A •————————————

**angle obtus**
♦ Angle dont la mesure est strictement comprise entre 90° et 180°.

*Exemple:* L'angle A est un angle obtus, car m ∠ A = 145°.

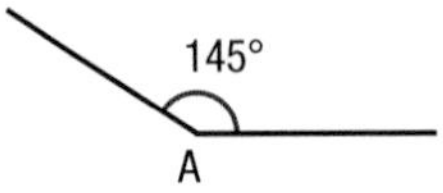

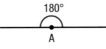

**angle plat**
♦ Angle mesurant 180°.

*Exemple:* L'angle A est un angle plat, car m ∠ A = 180°.

**angle plein**
♦ Angle mesurant 360°.

*Exemple:* L'angle A est un angle plein, car m ∠ A = 360°.

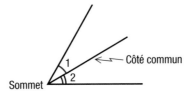

**angles adjacents**
♦ Paire d'angles ayant le même sommet, un côté commun et situés de part et d'autre du côté commun.

*Exemple:* Les angles 1 et 2 sont adjacents.

**angles alternes-externes**
♦ Deux angles n'ayant pas le même sommet, situés de part et d'autre d'une sécante et à l'extérieur de deux autres droites. Lorsque la **sécante** coupe deux droites parallèles, les angles alternes-externes sont **isométriques.**

*Exemple:* Les angles 1 et 3, ainsi que les angles 2 et 4, sont des angles alternes-externes.

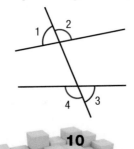

### angles alternes-internes

♦ Deux angles n'ayant pas le même sommet, situés de part et d'autre d'une sécante et à l'intérieur de deux autres droites. Lorsque la **sécante** coupe deux droites parallèles, les angles alternes-internes sont **isométriques.**

*Exemple:* Les angles 1 et 3, ainsi que les angles 2 et 4 sont des angles alternes-internes.

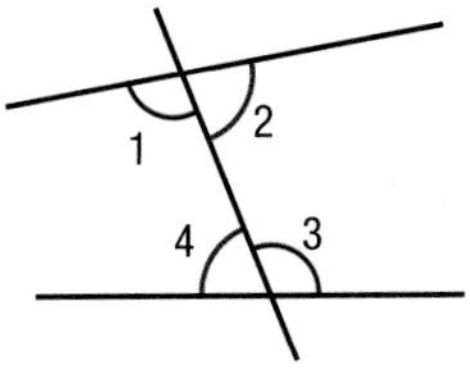

### angles complémentaires

♦ Paire d'angles dont la somme des mesures est 90°.

*Exemple:* La somme des mesures des angles ABC et CBD est de $57° + 33° = 90°$.

Les angles ABC et CBD sont donc complémentaires.

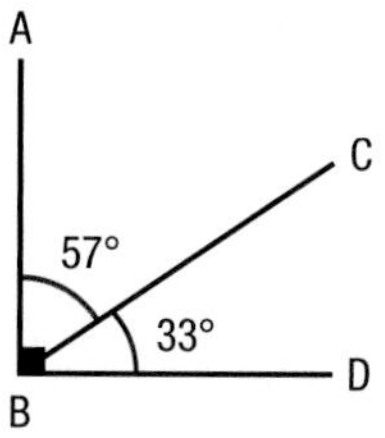

### angles consécutifs

♦ Deux ou plusieurs angles qui se suivent dans une figure fermée.

*Exemple:* Les angles ABC et BCD sont consécutifs dans le parallélogramme ci-dessous.

### angles correspondants

♦ Deux angles n'ayant pas le même sommet, situés du même côté d'une **sécante,** l'un à l'intérieur et l'autre à l'extérieur de deux autres droites. Lorsque la sécante coupe deux droites parallèles, les angles correspondants sont **isométriques.**

*Exemple:* Les angles 1 et 5, 2 et 6, 3 et 7, ainsi que 4 et 8 sont des angles correspondants.

**11**

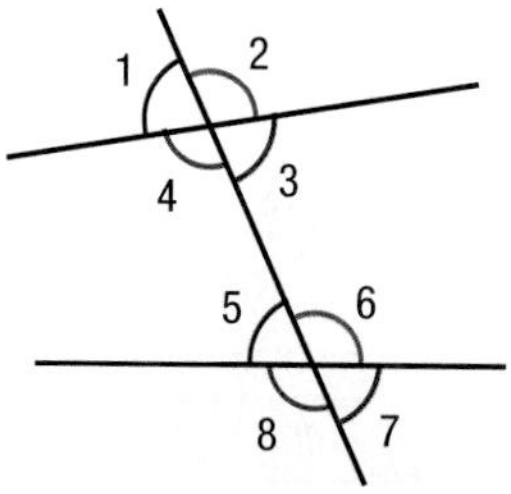

a
b
c
d
e
f
g
h
i
j
k
l
m
n
o
p
q
r
s
t
u
v
w
x
y
z

### angles opposés par le sommet
♦ Paire d'angles ayant le même sommet et dont les côtés de l'un sont les prolongements des côtés de l'autre. Les angles opposés par le sommet sont **isométriques.**

*Exemple :*

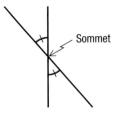

### angles supplémentaires
♦ Paire d'angles dont la somme des mesures est 180°.

*Exemple :* La somme des mesures des angles ABC et CBD est de $35° + 145° = 180°$.

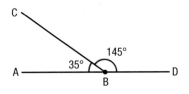

### angle trigonométrique
♦ SN et TS **Angle au centre** résultant de la rotation de la partie positive de l'axe des abscisses dans le **cercle trigonométrique.** Cet angle est positif dans le sens de rotation antihoraire, et négatif dans le sens de rotation horaire. Les coordonnées du **point trigonométrique** correspondant à un angle trigonométrique θ sont (cos θ, sin θ), où θ est généralement exprimé en radians.

*Exemple :*

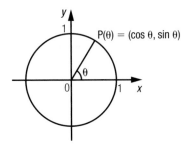

**apex** nom masculin
♦ Sommet d'un cône, d'une pyramide ou sommet opposé à la base d'un triangle.

*Exemple :*

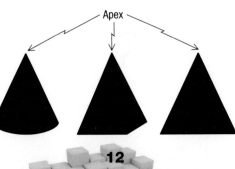

### apothème nom masculin

#### apothème d'un cône circulaire droit

♦ Segment ou mesure d'un segment reliant l'**apex** à un point quelconque du cercle de base.

*Exemple :*

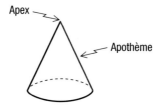

#### apothème d'une pyramide régulière

♦ Segment ou mesure d'un segment abaissé perpendiculairement de l'**apex** sur un des côtés du polygone formant la base de cette pyramide. Il correspond à la hauteur du triangle formant une face latérale.

*Exemple :*

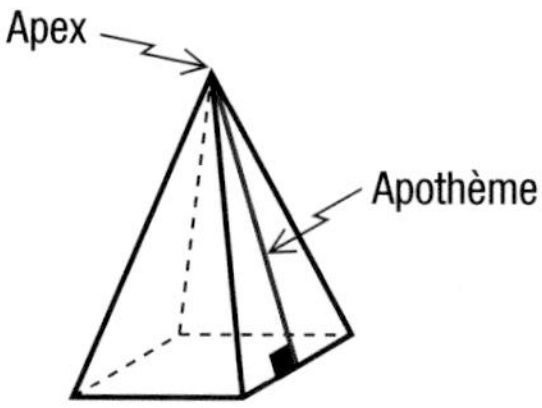

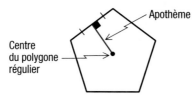

#### apothème d'un polygone régulier

♦ Segment perpendiculaire ou mesure du segment perpendiculaire mené du centre d'un polygone régulier au milieu d'un des côtés de ce polygone.

*Exemple :*

### approximation [≈] nom féminin

♦ Une approximation est une valeur qui s'approche du résultat attendu.

*Exemple :* Une approximation du nombre π est d'environ 3,14. On écrit donc π ≈ 3,14.

a

### arbre nom masculin
◆ csт **Graphe connexe** ne comportant aucun **cycle.**

*Exemples :* 1) Le graphe suivant est un arbre.

2) Le graphe suivant n'est pas un arbre puisque A-B-C-D-A est un cycle simple.

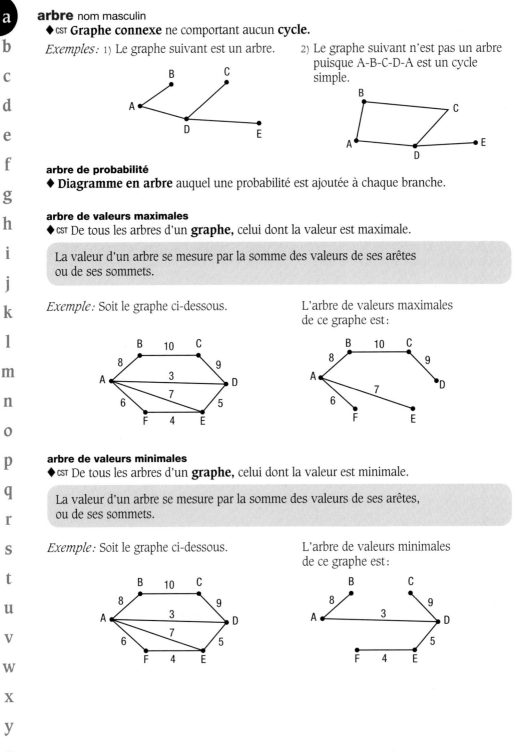

### arbre de probabilité
◆ **Diagramme en arbre** auquel une probabilité est ajoutée à chaque branche.

### arbre de valeurs maximales
◆ csт De tous les arbres d'un **graphe,** celui dont la valeur est maximale.

> La valeur d'un arbre se mesure par la somme des valeurs de ses arêtes ou de ses sommets.

*Exemple :* Soit le graphe ci-dessous.

L'arbre de valeurs maximales de ce graphe est :

### arbre de valeurs minimales
◆ csт De tous les arbres d'un **graphe,** celui dont la valeur est minimale.

> La valeur d'un arbre se mesure par la somme des valeurs de ses arêtes, ou de ses sommets.

*Exemple :* Soit le graphe ci-dessous.

L'arbre de valeurs minimales de ce graphe est :

**arc** nom masculin

❶ ♦ [Ꭺ⏜Ᏼ] Portion de cercle délimitée par deux points.

*Exemple:* L'arc de cercle délimité par les points A et B et passant par le point P est noté $\overset{\frown}{APB}$.

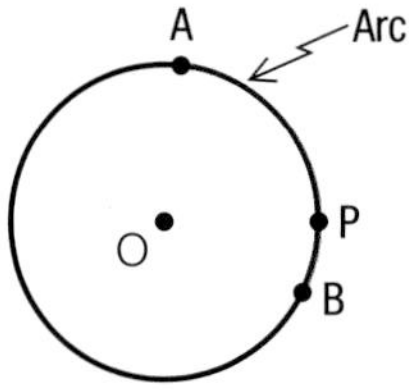

❷ ♦ CST [A-B] Arête d'un **graphe orienté.** Nommé selon les sommets qu'il unit, le premier étant le sommet de départ et le deuxième, le sommet d'arrivée.

*Exemples:* 1) Dans le graphe ci-dessous, A-B est un arc de même que A-D, D-A, C-A, D-C, et D-D.
2) Dans le graphe ci dessous, les arcs A-D et D-A unissent les mêmes sommets, mais ont un sens différent.

**arc cosinus** [arc cos ou cos⁻¹] [° ou rad] nom masculin

❶ ♦ Mesure d'un angle calculée dans un triangle rectangle à partir de la valeur du rapport de la mesure du **côté adjacent** à cet angle et de la mesure de l'**hypoténuse.**

$$\text{Mesure d'un angle} = \text{arc cos} \left( \frac{\text{Mesure du côté adjacent à l'angle}}{\text{Mesure de l'hypoténuse}} \right)$$

*Exemple:* Mesure de l'angle A = arc cos $\left( \frac{3}{5} \right)$
m ∠ A ≈ 53,13°

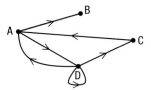

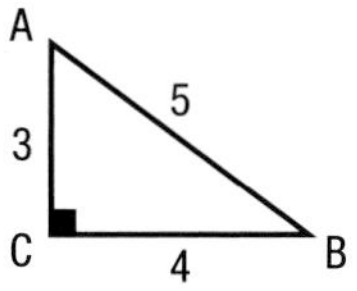

❷ ♦ TS et SN L'arc cosinus d'un nombre $x \in [-1, 1]$ est un nombre réel dont le **cosinus** est $x$.

**arc sinus** [arc sin ou sin⁻¹] [° ou rad] nom masculin

❶ ♦ Mesure d'un angle calculée dans un triangle rectangle à partir de la valeur du rapport de la mesure du **côté opposé** à cet angle et de la mesure de l'**hypoténuse.**

$$\text{Mesure d'un angle} = \text{arc sin} \left( \frac{\text{Mesure du côté opposé à l'angle}}{\text{Mesure de l'hypoténuse}} \right)$$

*Exemple:* Mesure de l'angle A = arc sin $\left( \frac{4}{5} \right)$
m ∠ A ≈ 53,13°

❷ ♦ TS et SN L'arc sinus d'un nombre $x \in [-1, 1]$ est un nombre réel dont le **sinus** est $x$.

a

**arc tangente** [arc tan ou tan⁻¹] [° ou rad] nom masculin

❶ ◆ Mesure d'un angle calculée dans un triangle rectangle à partir de la valeur du rapport de la mesure du **côté opposé** à cet angle et de la mesure du **côté adjacent** à cet angle.

$$\text{Mesure d'un angle} = \text{arc tan}\left(\frac{\text{Mesure du côté opposé à l'angle}}{\text{Mesure du côté adjacent à l'angle}}\right)$$

*Exemple :* Mesure de l'angle A = arc tan $\left(\frac{4}{3}\right)$

$$\text{m} \angle \text{A} \approx 53,13°$$

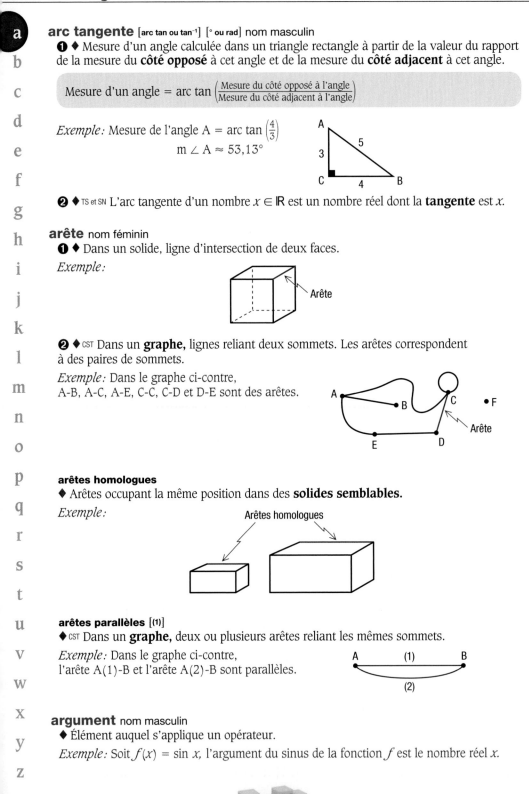

❷ ◆ TS et SN L'arc tangente d'un nombre $x \in \mathbb{R}$ est un nombre réel dont la **tangente** est $x$.

**arête** nom féminin

❶ ◆ Dans un solide, ligne d'intersection de deux faces.

*Exemple :*

Arête

❷ ◆ CST Dans un **graphe,** lignes reliant deux sommets. Les arêtes correspondent à des paires de sommets.

*Exemple :* Dans le graphe ci-contre,
A-B, A-C, A-E, C-C, C-D et D-E sont des arêtes.

Arête

**arêtes homologues**

◆ Arêtes occupant la même position dans des **solides semblables.**

*Exemple :*

Arêtes homologues

**arêtes parallèles** [(1)]

◆ CST Dans un **graphe,** deux ou plusieurs arêtes reliant les mêmes sommets.

*Exemple :* Dans le graphe ci-contre,
l'arête A(1)-B et l'arête A(2)-B sont parallèles.

**argument** nom masculin

◆ Élément auquel s'applique un opérateur.

*Exemple :* Soit $f(x) = \sin x$, l'argument du sinus de la fonction $f$ est le nombre réel $x$.

### arrangement nom masculin

◆ Disposition ordonnée d'un certain nombre d'éléments d'un ensemble de *n* éléments. Deux arrangements se distinguent par l'ordre de disposition de leurs éléments et le nombre d'éléments qu'ils contiennent.

*Exemple:* On choisit au hasard deux nombres dans l'ensemble A = {2, 4, 6, 8, 10}. (2, 6), (4, 8) et (8, 4) sont trois arrangements possibles de l'ensemble A.

### arrondir verbe transitif

◆ Donner une **approximation** d'un nombre alors que sa valeur exacte ou une valeur plus précise est connue.

> Pour arrondir un nombre:
> - remplacer par des zéros tous les chiffres à la droite de la position donnée, si le chiffre placé immédiatement à la droite de la position donnée est 0, 1, 2, 3 ou 4;
>
>   *Exemple:* 342 arrondi à la dizaine près est 340.
> - additionner 1 au chiffre de la position donnée et remplacer par des zéros tous les chiffres à droite de cette position, si le chiffre placé immédiatement à la droite de la position donnée est 5, 6, 7, 8 ou 9.
>
>   *Exemple:* 12 883 arrondi à la centaine près est 12 900.

### associativité nom féminin

◆ Propriété d'une opération, telles que l'addition ou la multiplication, permettant de modifier l'ordre des calculs sans en changer le résultat. La **réunion** et l'**intersection** des ensembles sont, elles aussi, des opérations associatives. Toutefois, ni la soustraction, ni la division, ne sont des opérations associatives.

*Exemples:* 1) $(3,2 + 5,1) + 4,3 = 3,2 + (5,1 + 4,3)$
2) $(^-3 \times 2) \times {}^-6 = ^-3 \times (2 \times {}^-6)$

### asymptote nom féminin

◆ Droite de laquelle une courbe se rapproche de plus en plus.

> - La distance d'un point d'une courbe à son ou à l'une de ses asymptotes tend vers zéro à mesure qu'un point de cette courbe tend vers l'infini.
> - Dans le cas de la fonction $f(x) = \frac{1}{x} \sin x$ où $x > 0$, la droite $y = 0$ est une asymptote bien qu'elle touche la courbe.

*Exemple:* Dans le graphique ci-dessous, la droite $y = {}^-2$ est une asymptote de la fonction *f*.

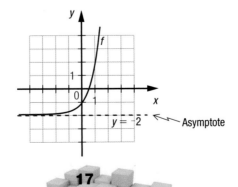

a
b
c
d
e
f
g
h
i
j
k
l
m
n
o
p
q
r
s
t
u
v
w
x
y
z

**axe** nom masculin

**axe de réflexion**

♦ Droite par rapport à laquelle s'effectue une **réflexion.**

*Exemple:* Dans la figure ci-contre, la droite *d*
est l'axe de réflexion entre la figure initiale ABC
et la figure image A'B'C'.

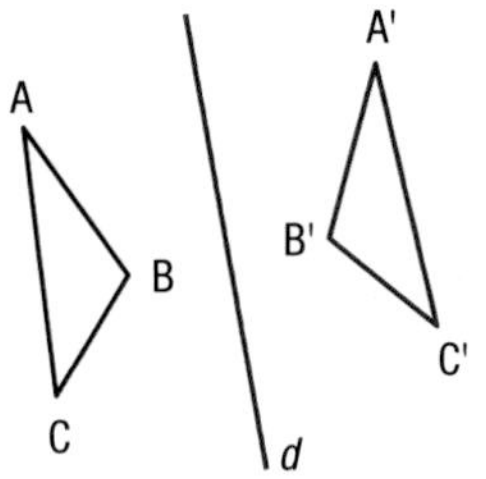

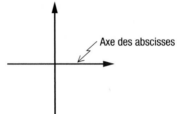

**axe des abscisses**

♦ Droite graduée horizontale permettant de déterminer l'abscisse d'un point dans le plan cartésien. L'axe des abscisses est aussi appelé *axe des x* ou *axe horizontal.*

*Exemple:*

Axe des abscisses

**axe des ordonnées**

♦ Droite graduée verticale permettant de déterminer l'ordonnée d'un point dans le plan cartésien. L'axe des ordonnées est aussi appelé *axe des y* ou *axe vertical.*

*Exemple:*

Axe des ordonnées

**axe de symétrie**

♦ Axe de réflexion d'une **figure symétrique,** c'est-à-dire d'une figure qui est sa propre image par réflexion.

*Exemple:*

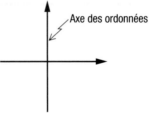

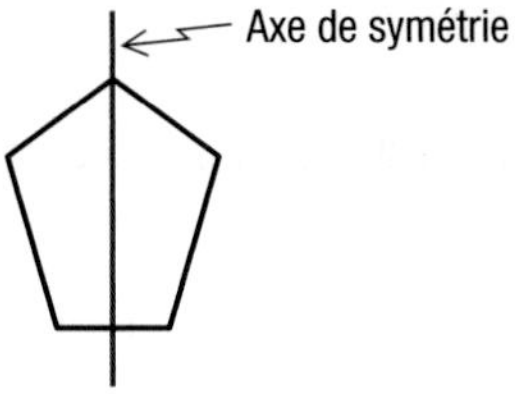

Axe de symétrie

**axiome** nom masculin

♦ sn et ts Énoncé non démontré, mais dont on convient, considéré acceptable par tout le monde et pris pour évident.

*Exemple:* Dans un plan, il passe par deux points distincts une et une seule droite.

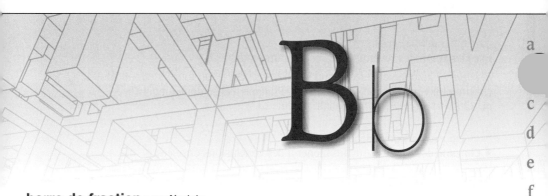

## barre de fraction nom féminin

♦ Barre séparant le **numérateur** du **dénominateur** dans l'écriture d'un nombre sous forme de fraction. La barre de fraction indique une division.

*Exemple :* $\frac{3}{5}$ ←— Barre de fraction     $\frac{3}{5} = 3 \div 5$

## base nom féminin

♦ Côté inférieur d'une figure plane, face inférieure d'un solide ou faces parallèles d'un solide.

*Exemple :*

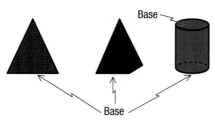

## base de numération

♦ Nombre entier fixe, choisi dans le but de représenter des nombres réels. Dans notre **système de numération** dont la base est dix, la valeur associée à un chiffre dépend de la position de ce chiffre. Chaque position vaut dix fois la valeur de la position située immédiatement à sa droite.

*Exemples :* 1) $526 = 5 \times 10^2 + 2 \times 10^1 + 6 \times 10^0$

2) $1,53 = 1 \times 10^0 + 5 \times 10^{-1} + 3 \times 10^{-2}$

## base dix

♦ Base de la numération décimale. Moyen de représenter les nombres avec dix chiffres : 0, 1, 2, 3, 4, 5, 6, 7, 8 et 9. C'est le système décimal que nous utilisons dans la vie courante.

## base d'une exponentiation

♦ Nombre affecté d'un **exposant.**

*Exemple :* Dans l'expression $4^3 = 64$, le nombre 4 est la base.

## base rationnelle

♦ Base d'un exposant qui est un **nombre rationnel,** c'est-à-dire un nombre pouvant être écrit sous la forme $\frac{a}{b}$, où $a$ et $b$ sont des nombres entiers, et $b$ est différent de 0.

*Exemple :* Dans l'égalité $\left(\frac{3}{5}\right)^2 = \frac{9}{25}$, $\frac{3}{5}$ est une base rationnelle.

a
**b**
c
d
e
f
g
h
i
j
k
l
m
n
o
p
q
r
s
t
u
v
w
x
y
z

**bénéfice** nom masculin

Excédent entre les revenus et les coûts d'un produit.

*Exemple:* Philippe vend des chandails. Il les achète à son fournisseur au coût de 15 $ chacun et il vend chaque chandail 22 $. Philippe réalise donc un bénéfice de 22 $ − 15 $ = 7 $ par chandail vendu.

**biais** (source de) nom masculin

♦ Chacune des causes pouvant mener à des conclusions erronées.

**billiard** nom masculin

Correspond à mille billions, soit $10^{15}$ (1 000 000 000 000 000).

**billion** nom masculin

En français, un billion correspond à un million de millions, ou mille milliards, soit $10^{12}$ (1 000 000 000 000).

En anglais, *one billion* correspond à mille millions, ou un milliard, soit $10^9$ (1 000 000 000).

**binaire** adjectif

Qui utilise un **système de numération** en base deux. Deux chiffres sont possibles: 0 et 1.

- Pour effectuer un changement de **base dix** à base deux:
  1. diviser le nombre en base dix par 2;
  2. le reste, 0 ou 1, sera le chiffre qui occupera la position de droite dans le nombre écrit en base deux;
     - si le quotient est supérieur ou égal à 2, recommencer l'étape 1. Le reste occupera alors la position immédiatement à gauche du premier reste;
     - si le quotient est inférieur à 2, alors ce nombre sera le chiffre le plus à gauche dans le nombre écrit en base deux.

  *Exemple:* Le nombre 42 en base dix s'écrit en base deux:
  $42 = 21 \times 2 + 0$
  $21 = 10 \times 2 + 1$
  $10 = 5 \times 2 + 0$
  $5 = 2 \times 2 + 1$
  $2 = 1 \times 2 + 0$
  $1 = 0 \times 2 + 1$
  L'écriture de 42 en base dix est donc 101 010 en base deux.

- Pour effectuer un changement de base deux à base dix:
  1. décomposer le nombre en utilisant les puissances de 2, le chiffre de droite étant un multiple de $2^0$.

  *Exemple:* Le nombre 11 011 en base deux s'écrit en base dix:
  $1 \times 2^4 + 1 \times 2^3 + 0 \times 2^2 + 1 \times 2^1 + 1 \times 2^0 = 27$

- La base deux est principalement utilisée en informatique, tout comme la base hexadécimale (base seize) dont les chiffres sont:
  0, 1, 2, 3, 4, 5, 6, 7, 8, 9, A, B, C, D, E et F.

### binôme nom masculin
♦ **Polynôme** ayant deux **termes.**

*Exemple:* $3x^2 + 8x$

### bipoint nom masculin
Couple de points du plan cartésien. Le premier point est l'origine, le second est l'extrémité du bipoint. Un bipoint (A, B) peut être schématisé par une flèche allant du point A au point B.

🕮 Voir **Bellavitis,** Giusto.

*Exemple:* Le bipoint (A, B) est représenté dans le plan cartésien ci-contre.

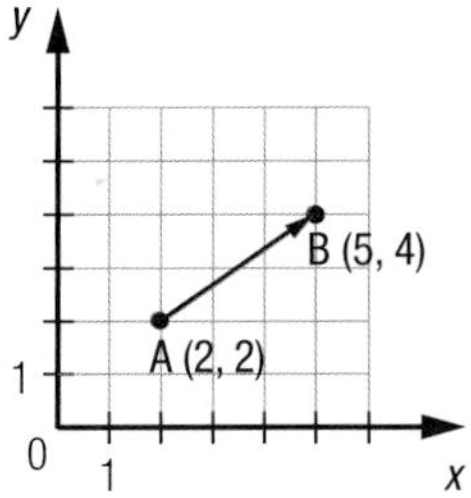

### bissectrice nom féminin
♦ Droite ou demi-droite qui partage un angle en deux angles **isométriques.** La bissectrice est aussi un **axe de symétrie** de l'angle.

Chacun des points appartenant à la bissectrice a comme particularité d'être à la même distance des deux côtés composant l'angle.

*Exemple:*

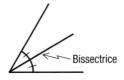

Bissectrice

### borne nom féminin
♦ Limite inférieure ou limite supérieure d'une **classe** ou d'un **intervalle.**

*Exemple:* [0, 10[
La borne inférieure de cette classe est 0 alors que la borne supérieure est 10.

### boucle nom féminin
♦ CST Dans un **graphe, arête** qui relie un sommet à lui-même.

*Exemple:* Dans le graphe ci-contre, l'arête C-C est une boucle.

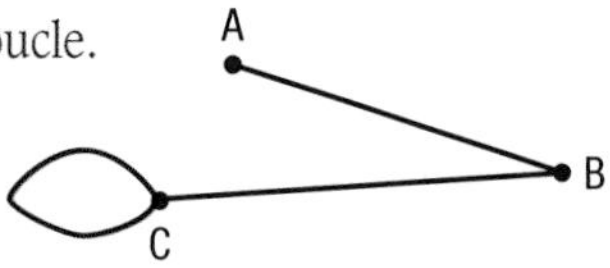

### boule nom féminin
♦ Portion d'espace limitée par une sphère.

*Exemple:*

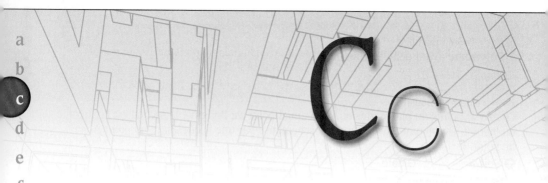

**calcul** nom masculin

◆ Démarche consistant à effectuer une suite d'opérations mathématiques à partir de nombres, d'expressions algébriques, de matrices ou de vecteurs donnés, en vue d'obtenir un résultat.

**calcul mental**

◆ Calcul effectué seulement avec l'esprit, sans recours à une calculatrice, à un papier et un crayon ou à tout autre support.

**canonique** adjectif

➜ Voir **forme canonique.**

**capacité** [cm³, m³, l, ml, etc.] nom féminin

◆ Volume de la matière liquide contenue dans un solide ou un récipient.

*Exemple:*
La capacité de ce contenant est de 2 litres.

**capital** nom masculin

Montant investi dans un placement.

**caractère** nom masculin

◆ Trait qui caractérise, qui distingue un objet statistique dans son ensemble.

**caractère de divisibilité**

➜ Voir **critère de divisibilité.**

**caractère qualitatif**

◆ Caractère non quantitatif dont les données recueillies sont, par exemple, des mots ou des codes.

*Exemple:* La couleur des yeux est un caractère qualitatif.

**caractère quantitatif continu**

◆ Caractère dont les données recueillies sont des nombres pouvant prendre toutes les valeurs possibles d'un intervalle de nombres réels.

*Exemple:* La taille et la masse sont des caractères quantitatifs continus.

**caractère quantitatif discret**
♦ Caractère dont les données recueillies sont des nombres ne pouvant pas prendre toutes les valeurs possibles d'un intervalle de nombres réels.

*Exemple:* Le nombre d'enfants par famille est un caractère quantitatif discret.

**carré** nom masculin
♦ Quadrilatère dont tous les côtés sont isométriques et tous les angles sont droits.

*Exemple:*

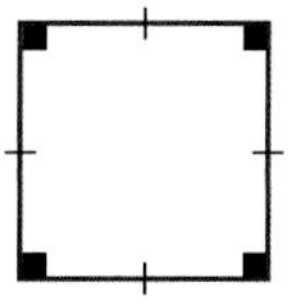

**carré de** nom masculin
♦ Produit de deux facteurs égaux.

*Exemples:*
1) 3 au carré s'écrit $3^2$ et est égal à $3 \times 3$. Donc $3^2 = 3 \times 3 = 9$, 9 est donc le carré de 3.
2) 6,25 est le carré de 2,5.

> Le carré d'un nombre naturel est appelé *carré parfait.*
>
> *Exemple:* 25 est un carré parfait, car $25 = 5^2$. 1, 4, 9, 16, 36, 49, 64, 81 et 100 sont d'autres exemples de carrés parfaits.

**carré magique**
Tableau formé de nombres entiers disposés en carré. Ces nombres sont choisis de telle sorte que la somme des nombres de chaque colonne, de chaque rangée et des deux diagonales est toujours la même.

*Exemple:*

Somme = 15

| 2 | 7 | 6 | → Somme = 15 |
| 9 | 5 | 1 | → Somme = 15 |
| 4 | 3 | 8 | → Somme = 15 |

Somme = 15    Somme = 15

**cathète** nom féminin
♦ Chaque côté de l'angle droit d'un triangle rectangle.

*Exemple:*

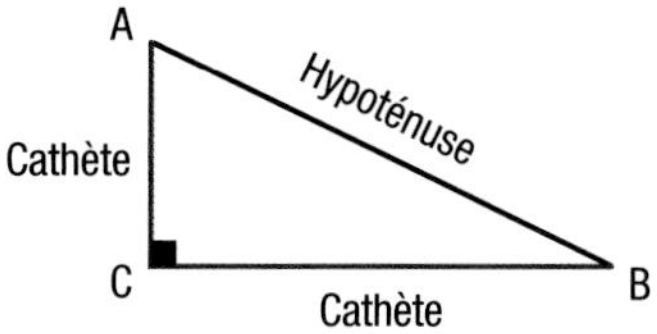

A — Cathète — C — Cathète — B — Hypoténuse

**centaine** nom féminin

◆ Groupe de cent unités. Dans la notation décimale d'un nombre, la centaine est la troisième position située immédiatement à gauche de la virgule.

*Exemple :* Dans le nombre 3 284, le chiffre 2 occupe la position des centaines et il y a 32 centaines.

**centaine de mille** nom féminin

◆ Groupe de cent mille (100 000) unités. Dans la notation décimale d'un nombre, la centaine de mille est la sixième position située immédiatement à gauche de la virgule.

**centième** adjectif et nom masculin

❶ ◆ Partie d'un nombre divisé en cent parties égales et pouvant s'écrire $\frac{1}{100}$ ou 0,01.

*Exemple :* Dans le nombre 21,056, le chiffre 5 occupe la position des centièmes.

❷ Deuxième position à droite de la virgule dans la notation décimale d'un nombre réel.

**centilitre** [cl] nom masculin

Unité de mesure de capacité égale à un centième $\left(\frac{1}{100} \text{ ou } 0{,}01\right)$ de litre.

**centimètre** [cm] nom masculin

◆ Unité de mesure de longueur égale à un centième $\left(\frac{1}{100} \text{ ou } 0{,}01\right)$ de mètre.

**centimètre carré** [cm²]

◆ Unité d'aire égale à celle d'un carré de 1 cm de côté.

*Exemple :* L'aire de cette figure est de 1 cm².

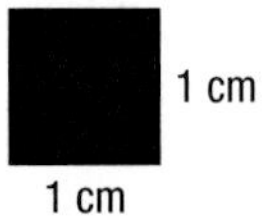

1 cm
1 cm

**centimètre cube** [cm³]

◆ Unité de volume égale à celui d'un cube de 1 cm de côté.

*Exemple :* Le volume de ce solide est de 1 cm³.

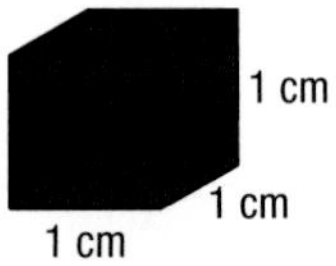

1 cm
1 cm
1 cm

**centre** nom masculin

◆ Point situé à égale distance de tous les points d'un cercle ou de certains points particuliers, habituellement les sommets, d'une figure.

*Exemple :* Les centres des figures ci-dessous sont situés à égale distance des sommets de ces figures.

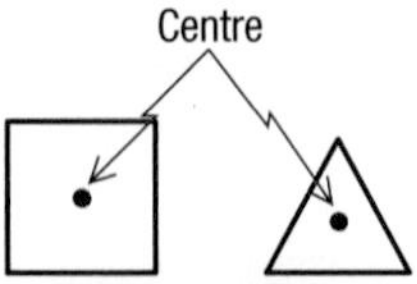

Centre

### centre de gravité

◆ Dans un triangle, point d'intersection des trois médianes. Dans un parallélogramme, point d'intersection des diagonales.

*Exemples:*

1)
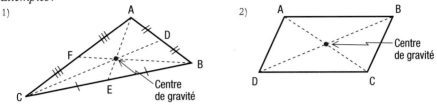

2)
*Centre de gravité*

### cercle nom masculin

◆ Courbe plane dont tous les points sont situés à égale distance d'un même point appelé *centre*.

*Exemple:* Cercle de centre O.

➡ Voir **corde, rayon** et **diamètre**.

- ◆ SN et TS Le cercle, comme lieu géométrique, est une courbe plane formée de tous les points situés à égale distance d'un même point appelé *centre*.
- ◆ SN et TS L'équation d'un cercle centré à l'origine s'écrit sous la forme $x^2 + y^2 = r^2$, où $r$ est le *rayon,* alors que l'équation du même cercle ayant subi une translation s'écrit sous la forme $(x - h)^2 + (y - k)^2 = r^2$, où $(h, k)$ est le nouveau centre de ce cercle.

*Exemples:*

1) L'équation du cercle ci-dessous, centré à l'origine, est:
$x^2 + y^2 = 16$.

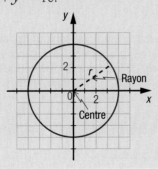

2) L'équation du cercle ci-dessous est:
$(x - 1)^2 + (y + 1)^2 = 16$
et son centre est $(1, -1)$.

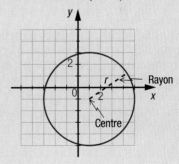

### cercle circonscrit

Cercle passant par tous les sommets d'un polygone.

*Exemples:*

a
b
c
d
e
f
g
h
i
j
k
l
m
n
o
p
q
r
s
t
u
v
w
x
y
z

### cercle inscrit
Cercle tangent à tous les côtés d'un polygone.

*Exemples:*

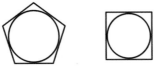

### cercle trigonométrique
♦ SN et TS Cercle du plan cartésien centré à l'origine et dont le rayon est de 1 unité. Les coordonnées de chaque point du cercle, appelé *point trigonométrique* $P(\theta)$, sont $(\cos\theta, \sin\theta)$, où $\theta$ est la mesure de l'angle trigonométrique, habituellement exprimée en radians.

*Exemple:*

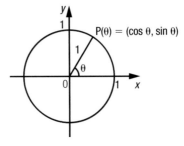

### cerf-volant nom masculin
Quadrilatère convexe ayant deux paires de côtés adjacents isométriques.

*Exemple:*

### chaîne nom féminin
♦ CST Dans un graphe, chemin passant d'un sommet à un autre en suivant des arêtes. La longueur d'une chaîne est égale au nombre d'arêtes parcourues; la distance entre deux sommets A et B, notée $d(A, B)$, est la longueur de la chaîne la plus courte reliant ces deux sommets.

*Exemple:* Dans le graphe ci-dessous:
- C-A-B et A-B-D-E-D-C sont des chaînes,
- la longueur de la chaîne C-A-B est 2, alors que la longueur de la chaîne A-B-D-E-D-C est 5;
- $d(B, E) = 1$ et $d(E, A) = 2$.

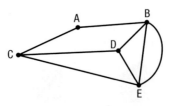

**chaîne de valeur minimale**

◆ cst Chaîne ayant la plus petite valeur parmi celles reliant deux sommets donnés, appelés *sommet initial* et *sommet final*.

*Exemple:* Dans le graphe ci-contre, si l'on choisit A comme sommet initial et F comme sommet final, la chaîne de valeur minimale est A-B-C-E-F et sa valeur est 11.

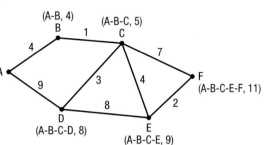

**chaîne eulérienne**

◆ cst Chaîne empruntant une et une seule fois chacune des arêtes d'un **graphe connexe** donné.

*Exemple:* Dans le graphe ci-dessous, E-B-C-D-E-A-D est une chaîne eulérienne.

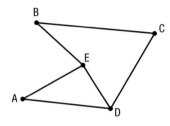

**chaîne hamiltonienne**

◆ cst **Chaîne simple** passant une et une seule fois par chacun des sommets d'un **graphe connexe** donné.

*Exemple:* Dans le graphe ci-dessous, D-E-C-A-B est une chaîne hamiltonienne.

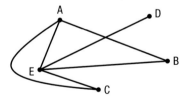

**chaîne simple**

◆ cst Chaîne sans répétition d'arêtes.

*Exemple:* Dans le graphe ci-dessous, A-B-C-D et F-E-C-B-A-D-C sont des chaînes simples.

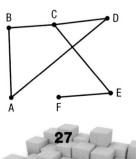

a b c d e f g h i j k l m n o p q r s t u v w x y z

a
b
c
d
e
f
g
h
i
j
k
l
m
n
o
p
q
r
s
t
u
v
w
x
y
z

**chance** nom féminin
♦ Probabilité de réalisation d'un événement.

### chances contre
♦ Rapport du nombre de résultats défavorables possibles au nombre de résultats favorables possibles.

$$\text{Chances contre} = \frac{\text{nombre de résultats défavorables possibles}}{\text{nombre de résultats favorables possibles}}$$

*Exemple:* Les chances contre d'une équipe de baseball sont de $5:1$. Cela signifie que cette équipe a 5 chances de perdre et 1 chance de gagner.

### chances pour
♦ Rapport du nombre de résultats favorables possibles au nombre de résultats défavorables possibles.

$$\text{Chances pour} = \frac{\text{nombre de résultats favorables possibles}}{\text{nombre de résultats défavorables possibles}}$$

*Exemple:* Les chances pour une victoire de Judith au tennis sont de $4:3$. Cela signifie que Judith a 4 chances de gagner et 3 chances de perdre.

## changement de base nom masculin
♦ Calcul de l'expression d'un nombre donné, exprimé dans une certaine base de numération, dans une **base de numération** différente.

Le changement de base le plus fréquent consiste à passer du système décimal (base dix) au système binaire (base deux).
➜ Voir l'exemple de **binaire.**

## changement d'échelle nom masculin
♦ Dans le plan cartésien, transformation définie par la règle $(x, y) \mapsto (ax, by)$ où a et b sont des constantes non nulles. D'après les valeurs de a et de b, un changement d'échelle peut correspondre à une **homothétie,** à une **dilatation** ou à une **contraction.**

Un changement d'échelle horizontal est une transformation définie par la règle $(x, y) \mapsto (ax, y)$ alors qu'un changement d'échelle vertical est une transformation définie par la règle $(x, y) \mapsto (x, by)$.

*Exemple:* Le triangle A'B'C' est l'image du triangle ABC par l'homothétie $h$ dont le centre est l'origine et définie par la règle $(x, y) \mapsto (2x, 2y)$.

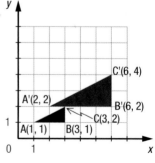

**chemin** nom masculin

♦ CST Dans un **graphe orienté,** suite d'arcs consécutifs, répétés ou non.

> Deux arcs sont dits consécutifs si le sommet final de l'un est le sommet initial de l'autre.

*Exemple :* Dans le graphe orienté ci-contre,
F-D-E est un chemin.

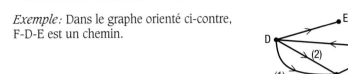

**chemin critique**

♦ CST Dans un **graphe, chemin simple** de valeur maximale utilisé pour déterminer
le temps minimal requis pour réaliser une tâche composée de plusieurs étapes.
Pour représenter une telle situation, on doit tenir compte des étapes préalables à d'autres
et de celles réalisables simultanément.

*Exemple :* Préparation d'un gâteau

| Étape | Description | Temps de réalisation (min) | Étapes préalables |
|-------|-------------|----------------------------|-------------------|
| A | Préparer le plan de travail | 5 | Aucune |
| B | Préchauffer le four | 2 | A |
| C | Beurrer un moule | 5 | A |
| D | Mélanger tous les ingrédients | 15 | A |
| E | Verser le mélange dans le moule | 4 | C et D |
| F | Faire cuire le tout au four | 24 | B et E |
| G | Sortir le gâteau du four | 0 | F |

Il est possible de représenter l'ensemble des étapes de la préparation de ce gâteau
par le graphe ci-dessous.

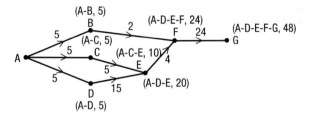

Dans ce graphe :
- chaque sommet correspond à une étape ;
- les chemins parallèles correspondent à des étapes réalisables simultanément ;
- le nombre inscrit sur chaque arc correspond au temps de réalisation de l'étape à l'origine
  de l'arc ;
- le calcul du temps minimal requis pour préparer ce gâteau consiste à évaluer la valeur
  du chemin critique correspondant à cette situation.

Il faut au minimum 48 minutes pour préparer ce gâteau, car le chemin critique est
A-D-E-F-G.

### chemin simple

♦ cst Suite d'arcs consécutifs sans répétition d'arcs.

*Exemple:* Dans le graphe orienté ci-contre,
F-D-E est un chemin simple.

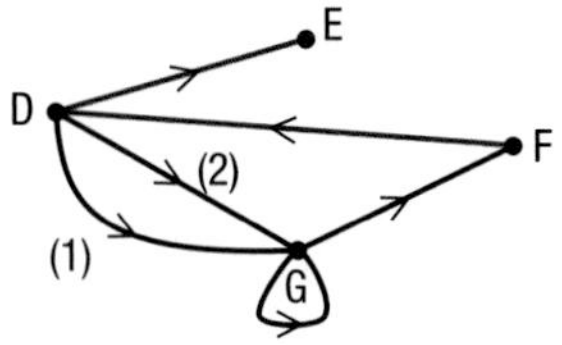

### chiffre nom masculin

♦ Caractère utilisé dans l'écriture des nombres. Les chiffres du système de numération décimal sont 0, 1, 2, 3, 4, 5, 6, 7, 8 et 9.

### circonférence nom féminin

❶ ♦ Ligne formant un cercle.

*Exemple:*

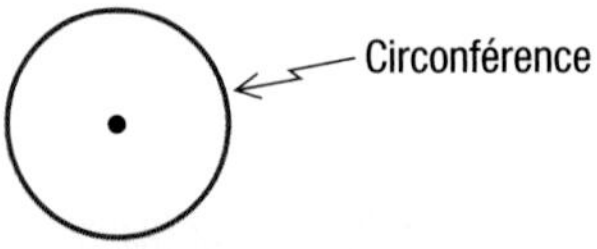

— Circonférence

❷ ♦ Longueur ou périmètre d'un cercle.

Si $C$ est la circonférence, $d$ le diamètre et $r$ le rayon, alors $C = \pi d$ ou $C = 2\pi r$.

*Exemple:* Soit le cercle de centre O dont le rayon mesure 2 cm.
$C = 2\pi r$
$= 2\pi \times 2$ cm
$= 4\pi$ cm $\approx 12,57$ cm

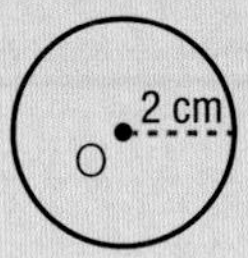

2 cm

O

### circonscrit, circonscrite adjectif

➔ Voir **figure circonscrite** et **cercle circonscrit**.

### circuit nom masculin

♦ cst Dans un **graphe orienté,** chemin débutant et finissant au même sommet.

*Exemple:* Dans le graphe orienté ci-contre,
G-D(2)-F-E-D-F-G et G-D(2)-F-G
sont des circuits.

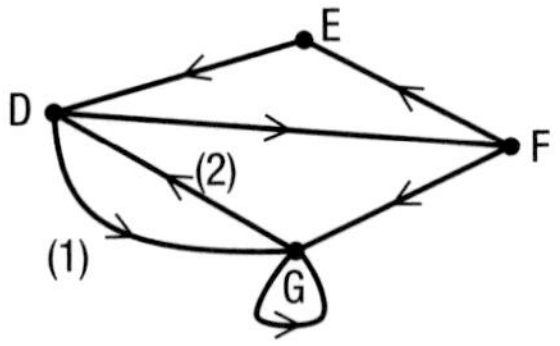

### circuit simple

♦ cst Chemin débutant et finissant au même sommet, sans répétition d'**arcs**.

*Exemple:* Dans le graphe orienté ci-contre,
G-F-D(2)-G est un circuit simple.

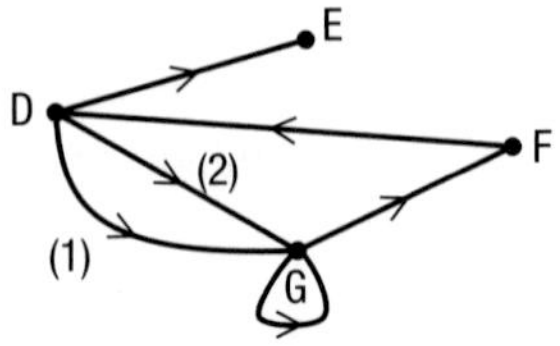

**classe** nom féminin
♦ En statistique, intervalle de la forme [borne inférieure, borne supérieure[.

### classe médiane
♦ Classe comportant la **médiane.** Le milieu de la classe médiane donne une estimation de la valeur de la médiane.

*Exemple :* Voici un tableau de distribution de données groupées en classes.

**Taille des élèves du groupe A**

| Taille (cm) | Effectif |
|---|---|
| [150, 155[ | 3 |
| [155, 160[ | 5 |
| [160, 165[ | 8 |
| [165, 170[ | 14 |
| Total | 30 |

Médiane ≈ 162,5 cm → [160, 165[

La classe médiane est [160, 165[.

### classe modale
♦ Classe ayant l'effectif le plus élevé. Le milieu de la classe modale donne une estimation de la valeur du mode.

*Exemple :* Voici un tableau de distribution de données groupées en classes.

**Taille des élèves du groupe A**

| Taille (cm) | Effectif |
|---|---|
| [150, 155[ | 3 |
| [155, 160[ | 5 |
| [160, 165[ | 8 |
| [165, 170[ | 14 |
| Total | 30 |

Mode ≈ 167,5 cm → [165, 170[

La classe modale est [165, 170[.

**classement** nom masculin
Répartition d'un ensemble d'éléments selon des caractéristiques ou des critères prédéfinis.

**codomaine** [codom] nom masculin
♦ Ensemble dans lequel une fonction prend ses valeurs. On convient souvent que le codomaine, aussi appelé *image,* est l'ensemble des valeurs prises par la **variable dépendante.**

*Exemple :* Dans le graphique ci-contre, codom($f$) = [-2, +∞[.

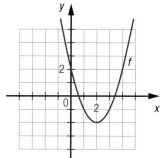

**coefficient** nom masculin

♦ Facteur multiplicateur. Il est d'usage de le placer devant la ou les variables d'un terme.

*Exemple :* Dans l'expression algébrique $x^2 + 4xy - 8y$, 1, 4 et $^-8$ sont respectivement les coefficients du premier, du deuxième et du troisième termes. Le coefficient 1 est habituellement sous-entendu.

### coefficient de corrélation [r]

♦ Le coefficient de corrélation, noté $r$, est un nombre réel servant à quantifier l'intensité de la relation entre deux variables. La valeur de ce coefficient se situe dans l'intervalle $[-1, 1]$.

* Le tableau suivant permet de qualifier l'intensité du lien selon la valeur du coefficient de corrélation $r$.

| Valeur du coefficient $r$ | Intensité du lien entre les deux variables |
|---|---|
| Près de 0 | Nulle |
| Près de $-0,5$ ou $0,5$ | Faible |
| Près de $-0,75$ ou $0,75$ | Moyenne |
| Près de $-0,87$ ou $0,87$ | Forte |
| Près de $-1$ ou 1 | Très forte |
| Égale à $-1$ ou 1 | Parfaite |

* Pour approximer le coefficient de corrélation linéaire d'une distribution à deux variables, on peut, entre autres, utiliser la méthode d'estimation graphique suivante.

1. Représenter la situation par un nuage de points ;
2. Tracer une droite représentative de la majorité des points ;
3. Construire sur le nuage de points le rectangle de plus petites dimensions englobant tous les points significatifs et dont deux des côtés sont parallèles à la droite ;
4. Approximer le coefficient de corrélation linéaire à l'aide de la formule suivante :

$$r = \pm\left(1 - \frac{p}{g}\right),$$ où $p$ est la mesure du petit côté du rectangle et $g$,

la mesure du grand côté du rectangle.

*Exemple :* Soit la distribution ci-contre.

$$r = 1 - \frac{12 \text{ mm}}{41 \text{ mm}}$$

$$\approx 0,71$$

L'intensité du lien unissant les deux variables est moyenne.

Note : La valeur de $r$ est positive, car la pente de la droite tracée est positive.

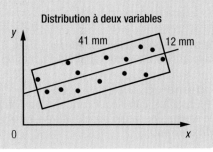

**Distribution à deux variables**

### coefficient de proportionnalité

♦ Lors de la comparaison de suites proportionnelles, nombre par lequel il faut multiplier chaque terme de la première suite pour obtenir dans le même ordre les termes de la deuxième suite.

*Exemple :*
Première suite :   **1,   3,   5,   7,   9,   11,   13**
Deuxième suite : **4,   12,   20,   28,   36,   44,   52** $\big\rbrace \times 4$

Le coefficient de proportionnalité est 4.

## colinéarité nom féminin

◆ TS et SN Propriété de deux vecteurs colinéaires, c'est-à-dire ayant la même direction.

## collecte de données nom féminin

◆ Action de recueillir des données destinées à l'étude statistique.

> Les procédés utilisés pour la collecte de données sont, entre autres :
> - l'entrevue téléphonique ;
> - le questionnaire écrit ;
> - l'entrevue en personne ;
> - l'observation directe ;
> - l'observation documentaire ;
> - l'utilisation d'instruments mécaniques ou électroniques.

## colonne nom féminin

Alignement vertical des entrées dans un tableau.

*Exemple :*

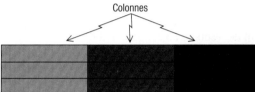

Colonnes

## combinaison nom féminin

◆ Choix d'un certain nombre d'éléments d'un ensemble donné. Une combinaison correspond à un sous-ensemble d'éléments non ordonnés dans un ensemble.

> Soit $k$ et $n$, deux nombres entiers positifs et non nuls. Le nombre de combinaisons C de $k$ éléments d'un ensemble à $n$ éléments, noté $\binom{n}{k}$ *ou* $C_n^k$ se calcule de ainsi :
> $$C_n^k = \frac{n!}{k!\,(n-k)!}$$
>
> *Exemple :* Soit $n = 10$ et $k = 3$, $C_{10}^3 = \frac{10!}{3!\,(7)!}$
> $$= \frac{10 \times 9 \times 8 \times 7 \times 6 \times 5 \times 4 \times 3 \times 2 \times 1}{3 \times 2 \times 1 \times 7 \times 6 \times 5 \times 4 \times 3 \times 2 \times 1}$$
> $$= 120$$
>
> Il y a 120 combinaisons possibles et distinctes formées de 3 éléments tirés d'un ensemble de 10 éléments.

### combinaison linéaire

◆ SN et TS Décomposition d'un **vecteur** en une somme de deux ou plusieurs autres vecteurs éventuellement exprimés sous forme de produit d'un vecteur par un scalaire.

*Exemples :*

1) Soit les vecteurs $\vec{u} = (1, 4)$, $\vec{v} = (2, 3)$ et $\vec{w} = (7, 18)$. Il est possible de trouver deux nombres, $k_1$ et $k_2$, tels que $\vec{w} = k_1\vec{u} + k_2\vec{v}$, où $k_1$ et $k_2 \in \mathbb{R}$.

   Si $(7, 18) = k_1(1, 4) + k_2(2, 3)$, on a :
   $7 = 1k_1 + 2k_2$,
   $18 = 4k_1 + 3k_2$ ;
   En résolvant le système d'équation ci-dessus, on trouve que $k_1 = 3$ et $k_2 = 2$, donc $\vec{w} = 3\vec{u} + 2\vec{v}$. Ainsi, $\vec{w}$ est une combinaison linéaire de $\vec{u}$ et $\vec{v}$.

2) En mettant bout à bout un certain nombre de chacun des vecteurs $u$ et $v$, il est possible d'obtenir le vecteur $w$ sous la forme d'une combinaison linéaire de $\vec{u}$ et de $\vec{v}$.

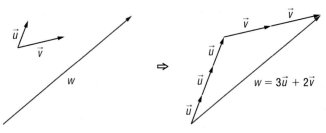

## commutativité nom féminin

♦ Propriété d'une opération telle que l'addition ou la multiplication permettant de modifier l'ordre des termes sans changer le résultat.

*Exemples :* 1) $3 + 5 = 5 + 3$
2) $n \times m = m \times n$

## comparaison (méthode de) nom féminin

♦ Méthode permettant de résoudre algébriquement des systèmes d'équations se ramenant à la forme $y = ax + b$.

Cette méthode consiste à :

| | |
|---|---|
| 1. former une équation avec les deux membres de droite de chacune des équations ; | *Exemple :* Soit le système suivant.<br>$y = -100x + 450$<br>$y = -50x + 200$<br>On obtient l'équation suivante :<br>$-100x + 450 = -50x + 200.$ |
| 2. résoudre l'équation obtenue ; | $-100x + 450 = -50x + 200$<br>$-50x = -250$<br>$x = 5$ |
| 3. remplacer la valeur obtenue pour $x$ dans l'une des équations de départ afin de déterminer la valeur de $y$ ; | $y = -100(5) + 450$<br>$y = -50$ |
| 4. valider la solution en substituant 5 à $x$, puis -50 à $y$ dans chaque équation de départ, et s'assurer que les égalités sont bien obtenues. | $-50 = -100(5) + 450$<br>$-50 = -50(5) + 200$ |

## compas nom masculin

Instrument servant à tracer des cercles, à mesurer des angles et à reporter des longueurs.

## complémentaire adjectif

❶ ➤ Voir **angles complémentaires.**

❷ ♦ Étant donné un ensemble de référence U, l'ensemble complémentaire au sous-ensemble A de U est le sous-ensemble A'. Il est formé de tous les éléments de U qui n'appartiennent pas à A.

- L'intersection des résultats possibles des ensembles A et A' correspond à l'ensemble vide $(A \cap A' = \varnothing)$.
- La réunion des résultats possibles des ensembles A et A' correspond à l'ensemble de référence U $(A \cup A' = U)$.

❸ ♦ En probabilité, deux événements sont dits complémentaires s'ils sont incompatibles et si la **réunion** des résultats possibles des deux événements correspond à l'univers des résultats possibles. Si $A \cap B = \varnothing$ et que $A \cup B = \Omega$, alors les événements A et B sont complémentaires.

## complétion de carré nom féminin

♦ SN et TS Méthode servant à factoriser une expression algébrique de la forme $ax^2 + bx + c$, où $a \neq 0$.

Cette méthode consiste à :

| | |
|---|---|
| 1. écrire l'expression algébrique sous la forme $a\left(x^2 + \frac{bx}{a} + \frac{c}{a}\right)$ si $a \neq 1$ ; | *Exemple :* $4x^2 + 24x + 20$<br>$= 4(x^2 + 6x + 5)$ |
| 2. établir un carré parfait en ajoutant, puis en soustrayant au trinôme le nombre $\left(\frac{b}{2a}\right)^2$ ; | Puisque $\frac{b}{a} = 6$, $\left(\frac{b}{2a}\right)^2 = \left(\frac{6}{2}\right)^2 = 9$,<br>on obtient alors :<br>$4(x^2 + 6x + 5) = 4(x^2 + 6x + 9 - 9 + 5)$<br>$= 4(x^2 + 6x + 9 - 4)$ |
| 3. calculer une différence de deux carrés en factorisant le **trinôme carré parfait** obtenu ; | $= 4((x + 3)^2 - 4)$ |
| 4. factoriser la différence des deux carrés. | $= 4((x + 3) - 2)((x + 3) + 2)$<br>$= 4(x + 1)(x + 5)$ |

## composante nom féminin

♦ SN et TS **Projection** d'un vecteur sur l'axe des $x$ ou sur l'axe des $y$. La composante horizontale d'un vecteur correspond à un vecteur de la forme $(a, 0)$, où a représente la variation des $x$, alors que la composante verticale d'un vecteur correspond à un vecteur de la forme $(0, b)$, où b représente la variation des $y$.

Soit un vecteur représenté par une flèche d'origine $(x_1, y_1)$ et d'extrémité $(x_2, y_2)$.
– La composante horizontale de ce vecteur est le vecteur $(a, 0)$, où $a = x_2 - x_1$.
– La composante verticale de ce vecteur est le vecteur $(0, b)$, où $b = y_2 - y_1$.

**composition de fonctions** [∘] nom féminin

◆ Application d'une fonction à une autre fonction. La composée de la fonction $f$ suivie de la fonction $g$ se note $g \circ f$ ou $g(f(x))$.

La règle de $g \circ f$ s'obtient en substituant à la variable indépendante de la fonction $g$ l'expression représentant la variable dépendante de la fonction $f$.

*Exemple:* Si $f(x) = 3x + 4$ et $g(x) = 5x$, alors
$$g(f(x)) = g(3x + 4)$$
$$= 5(3x + 4)$$
$$= 15x + 20.$$

**concentration** nom féminin

◆ En statistique, intensité du groupement des données autour de la moyenne.
Plus la dispersion des données est petite, plus les données sont dites concentrées.

**concentrique** adjectif

Qui a le même centre.

*Exemple:* Cercles concentriques.

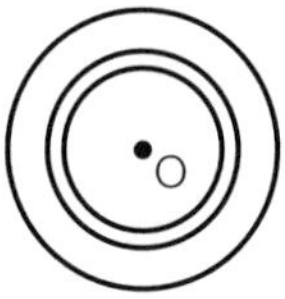

**conclusion** nom féminin

◆ Résultat d'un raisonnement.

**conditions minimales des triangles isométriques** nom féminin

◆ Caractéristiques minimales permettant d'affirmer que deux triangles sont isométriques.

Les énoncés ci-dessous présentent les conditions minimales permettant d'affirmer que deux triangles sont isométriques.

**1. Deux triangles ayant leurs côtés homologues isométriques sont isométriques** (CCC pour Côté-Côté-Côté).

*Exemple:* $\overline{AC} \cong \overline{DE}$
$\overline{AB} \cong \overline{DF}$
$\overline{BC} \cong \overline{FE}$
Donc, $\triangle ABC \cong \triangle DFE$.

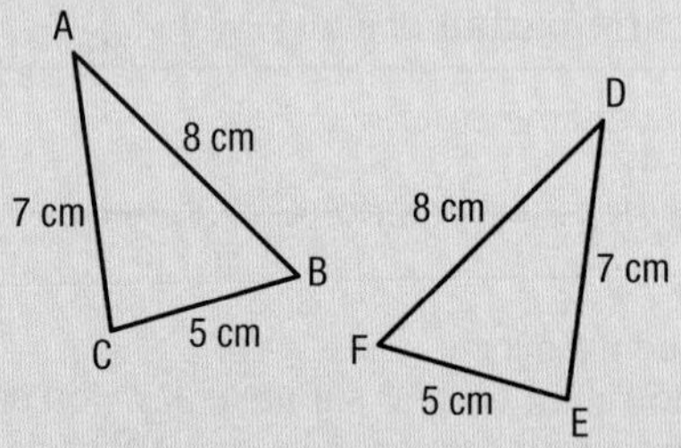

**2. Deux triangles ayant un côté isométrique compris entre des angles homologues isométriques sont isométriques** (ACA pour Angle-Côté-Angle).

*Exemple:* $\angle B \cong \angle E$
$\overline{BC} \cong \overline{EF}$
$\angle C \cong \angle F$
Donc, $\triangle ABC \cong \triangle DEF$.

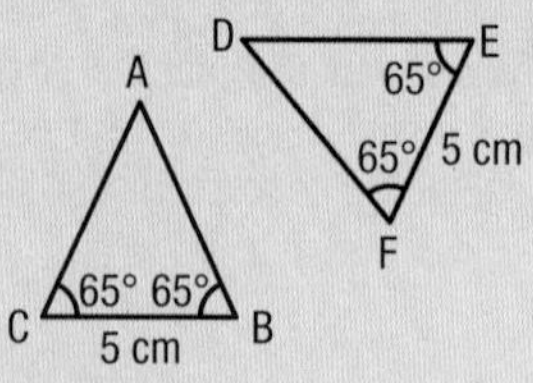

**3. Deux triangles ayant un angle isométrique compris entre des côtés homologues isométriques sont isométriques** (CAC pour Côté-Angle-Côté).

*Exemple:* $\overline{AC} \cong \overline{DF}$
$\angle C \cong \angle F$
$\overline{BC} \cong \overline{EF}$
Donc, $\triangle ABC \cong \triangle DEF$.

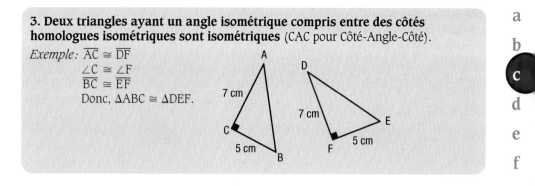

## conditions minimales des triangles semblables nom féminin

◆ Caractéristiques minimales permettant d'affirmer que deux triangles sont semblables.

Les énoncés géométriques ci-dessous présentent les conditions minimales permettant d'affirmer que deux triangles sont semblables.

**1. Deux triangles ayant deux angles homologues isométriques sont semblables** (AA pour Angle-Angle).

*Exemple:* $\angle A \cong \angle D$
$\angle B \cong \angle E$
Donc, $\triangle ABC \sim \triangle DEF$.

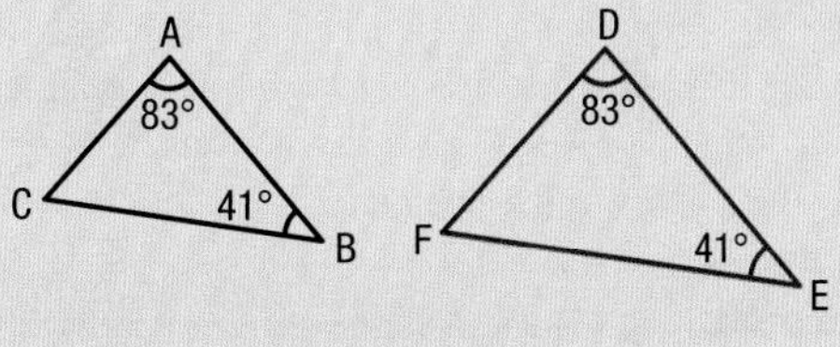

**2. Deux triangles ayant un angle isométrique compris entre des côtés homologues de longueurs proportionnelles sont semblables** (CAC pour Côté-Angle-Côté).

*Exemple:* $\dfrac{m\overline{AC}}{m\overline{FE}} = \dfrac{4 \text{ cm}}{2 \text{ cm}} = 2$
$\dfrac{m\overline{BC}}{m\overline{DE}} = \dfrac{2,4 \text{ cm}}{1,2 \text{ cm}} = 2$
$\angle C \cong \angle E$
Donc, $\triangle ABC \sim \triangle FDE$.

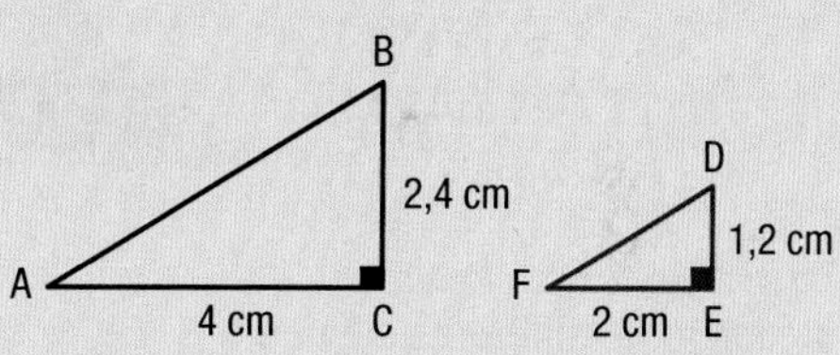

**3. Deux triangles sont semblables si les mesures de leurs côtés homologues sont proportionnelles** (CCC pour Côté-Côté-Côté).

*Exemple:* $\dfrac{m\overline{AB}}{m\overline{DE}} = \dfrac{5 \text{ cm}}{2 \text{ cm}} = 2,5$
$\dfrac{m\overline{BC}}{m\overline{EF}} = \dfrac{5,5 \text{ cm}}{2,2 \text{ cm}} = 2,5$
$\dfrac{m\overline{AC}}{m\overline{DF}} = \dfrac{8,5 \text{ cm}}{3,4 \text{ cm}} = 2,5$
Donc, $\triangle ABC \sim \triangle DEF$.

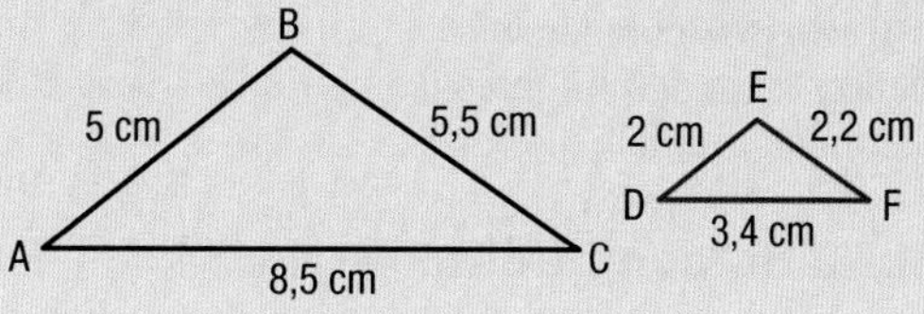

a b c d e f g h i j k l m n o p q r s t u v w x y z

a
b
c
d
e
f
g
h
i
j
k
l
m
n
o
p
q
r
s
t
u
v
w
x
y
z

### cône nom masculin

♦ Solide constitué de deux faces : un disque, ou base, et un secteur, la face latérale.

La face latérale d'un cône est générée par tous les segments possibles reliant l'**apex,** (un point extérieur au plan de la base) à chacun des points constituant le contour de la base.

*Exemples :* 1)

Face latérale
Base

2)

Face latérale
Base

### cône de révolution

Solide ayant la forme de deux cônes circulaires droits opposés par le sommet. Ce cône est appelé ainsi, car il peut être généré par la rotation d'une droite autour d'un axe.

*Exemple :*

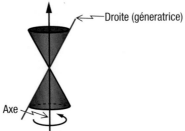

Droite (géneratrice)

Axe

### cône droit

♦ Cône dont le sommet, appelé **apex,** se situe sur la droite perpendiculaire au plan de la base et passant par son centre.

*Exemple :*

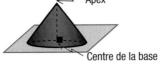

Apex

Centre de la base

### configuration nom féminin

Arrangement de différents éléments.

*Exemple :* Ci-contre, la configuration d'une classe présentant un arrangement des pupitres.

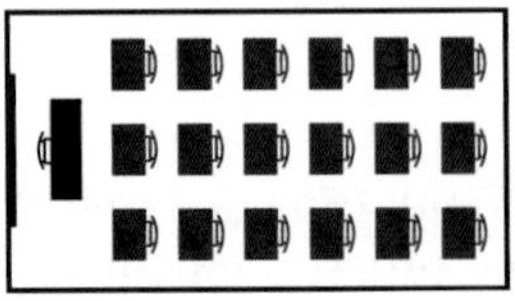

### congruence nom féminin

Relation entre deux figures isométriques, c'est-à-dire de mêmes dimensions et de même forme.

### congruent, congruente [≅] adjectif

♦ Qui a la même forme et les mêmes dimensions qu'une autre figure géométrique, et pouvant coïncider avec elle par isométrie directe.

*Exemple :* Les triangles ABC et A'B'C' sont congruents à la suite de la translation $t$ définie par la règle $(x, y) \mapsto (x + 3, y + 2)$.
$\Delta ABC \cong \Delta A'B'C'$

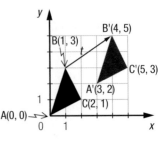

**conique** nom féminin

♦ SN et TS Courbe définie par l'intersection d'un plan et d'une surface conique.

> Le point, la droite, le cercle, l'ellipse, la parabole et l'hyperbole sont des sections coniques appelées simplement *coniques*.

*Exemples*: Voici des exemples de coniques.

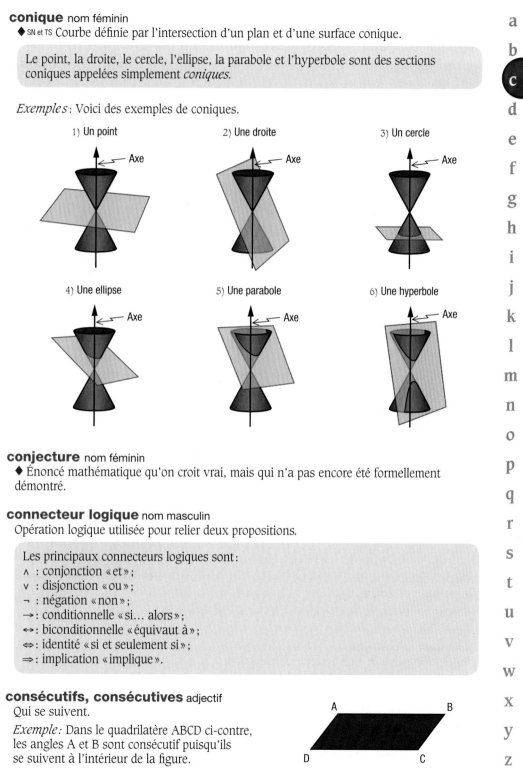

1) Un point
2) Une droite
3) Un cercle
4) Une ellipse
5) Une parabole
6) Une hyperbole

**conjecture** nom féminin

♦ Énoncé mathématique qu'on croit vrai, mais qui n'a pas encore été formellement démontré.

**connecteur logique** nom masculin

Opération logique utilisée pour relier deux propositions.

> Les principaux connecteurs logiques sont :
> ∧ : conjonction « et » ;
> ∨ : disjonction « ou » ;
> ¬ : négation « non » ;
> → : conditionnelle « si... alors » ;
> ↔ : biconditionnelle « équivaut à » ;
> ⇔ : identité « si et seulement si » ;
> ⇒ : implication « implique ».

**consécutifs, consécutives** adjectif

Qui se suivent.

*Exemple :* Dans le quadrilatère ABCD ci-contre, les angles A et B sont consécutif puisqu'ils se suivent à l'intérieur de la figure.

### constante nom féminin

♦ Valeur invariable, contrairement aux variables ou aux **paramètres.**

*Exemple:* Dans l'expression algébrique $3x + 8$, le coefficient 3 et le terme 8 sont des constantes.

### constante de Neper [e]

♦ SN et TS Constante qui est un **nombre irrationnel** noté $e$ et dont la valeur est $2,718\,281\,828\,459...$; elle est la base des logarithmes naturels.
🄰 Voir **Napier,** John.

### contraction nom féminin

♦ Réduction d'une figure par un **changement d'échelle** soit horizontal (contraction horizontale), soit vertical (contraction verticale).

*Exemple:* Dans le graphique ci-contre, le triangle image A'B'C' correspond à une contraction horizontale du triangle initial ABC.

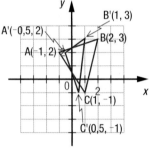

### contrainte nom féminin

♦ Restriction imposée à une ou des variables, et se traduisant par une équation ou une inéquation.

*Exemple:* Soit $x$ le nombre d'heures consacrées par Martine à l'étude des mathématiques par semaine et $y$ le nombre d'heures consacrées au français. Martine veut étudier les mathématiques au moins 2 heures par semaine et veut consacrer au plus 10 heures par semaine aux mathématiques et au français afin de se laisser du temps pour les autres matières. Les contraintes de cette situation sont $x \geq 2$, $x + y \leq 10$, $x \geq 0$ et $y \geq 0$. On peut représenter ces contraintes dans le graphique ci-contre.

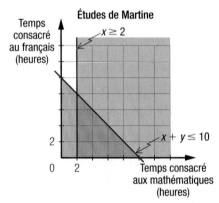

### contrainte de positivité

♦ Contrainte ajoutée à un système d'inéquations, car, dans la plupart des situations réelles, les variables ne peuvent être inférieures à 0. Ainsi, dans une situation faisant intervenir les variables $x$ et $y$, les contraintes de positivité sont $x \geq 0$ et $y \geq 0$.

*Exemple:* On veut optimiser le profit d'une entreprise fabriquant deux types de chaises. Soit $x$ le nombre de chaises du premier type et $y$ le nombre de chaises du deuxième type. On doit imposer les contraintes de positivité $x \geq 0$ et $y \geq 0$, car il est impossible de fabriquer un nombre de chaises négatif.

**contre-exemple** nom masculin

♦ SN et TS Exemple qui réfute une conjecture.

**conversion d'unités de mesure** nom féminin

♦ Passage d'une mesure exprimée dans une unité en une mesure équivalente exprimée dans une autre unité.

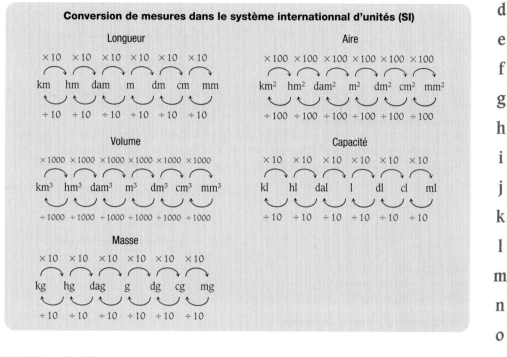

**Conversion de mesures dans le système internationnal d'unités (SI)**

**Longueur**

$\times 10$  $\times 10$  $\times 10$  $\times 10$  $\times 10$  $\times 10$

km  hm  dam  m  dm  cm  mm

$\div 10$  $\div 10$  $\div 10$  $\div 10$  $\div 10$  $\div 10$

**Aire**

$\times 100$  $\times 100$  $\times 100$  $\times 100$  $\times 100$  $\times 100$

km² hm² dam² m² dm² cm² mm²

$\div 100$  $\div 100$  $\div 100$  $\div 100$  $\div 100$  $\div 100$

**Volume**

$\times 1000$  $\times 1000$  $\times 1000$  $\times 1000$  $\times 1000$  $\times 1000$

km³ hm³ dam³ m³ dm³ cm³ mm³

$\div 1000$  $\div 1000$  $\div 1000$  $\div 1000$  $\div 1000$  $\div 1000$

**Capacité**

$\times 10$  $\times 10$  $\times 10$  $\times 10$  $\times 10$  $\times 10$

kl  hl  dal  l  dl  cl  ml

$\div 10$  $\div 10$  $\div 10$  $\div 10$  $\div 10$  $\div 10$

**Masse**

$\times 10$  $\times 10$  $\times 10$  $\times 10$  $\times 10$  $\times 10$

kg  hg  dag  g  dg  cg  mg

$\div 10$  $\div 10$  $\div 10$  $\div 10$  $\div 10$  $\div 10$

**convexe** adjectif

❶ ♦ Un polygone est dit convexe lorsqu'un segment de droite qui relie deux sommets non consécutifs est entièrement contenu à l'intérieur de ce polygone.

❷ Un polyèdre est dit convexe lorsque le segment qui joint deux points quelconques est entièrement inclus dans la portion d'espace délimitée par ce polyèdre.

*Exemples :* 1) Polygone convexe       2) Polyèdre convexe

**coordonnée** nom féminin

♦ Paramètre numérique permettant de localiser un point dans un système de référence donné, comme une droite, un plan ou l'espace.

### coordonnées à l'origine

♦ **Abscisse à l'origine** (aussi appelée *zéro de la fonction*) et **ordonnée à l'origine** (aussi appelée *valeur initiale*).

*Exemple:* Dans le graphique ci-contre, les abscisses à l'origine de la fonction sont -1 et 3, et l'ordonnée à l'origine est -3.

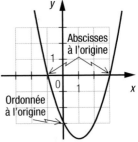

### coordonnées cartésiennes [(x, y)]

♦ Couple de nombres décrivant la position d'un point dans le plan cartésien. Le premier nombre se rapporte à l'axe horizontal du plan et le second, à l'axe vertical.

*Exemple:* Les coordonnées du point P représenté dans le graphique ci-contre sont (-2, 1).

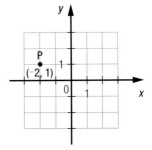

### coordonnées d'un point de partage

♦ Coordonnées d'un point partageant un segment dans un rapport déterminé.

Soit le segment AB dont les extrémités sont $A(x_1, y_1)$ et $B(x_2, y_2)$, et le point P situé à une fraction $\frac{a}{b}$ de la distance entre les points A et B à partir de A. Les coordonnées du point de partage P sont alors: $\left(x_1 + \frac{a}{b} \times \Delta x, y_1 + \frac{a}{b} \times \Delta y\right)$, où $\Delta x = x_2 - x_1$ et $\Delta y = y_2 - y_1$.

*Exemple:* On détermine les coordonnées du point P qui partage le segment AB dont les extrémités sont A(3, 6) et B(-5, -10) dans un rapport 3:1, à partir de A, en effectuant les calculs ci-dessous.

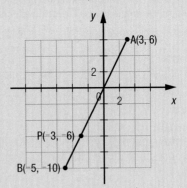

Puisque P est dans un rapport de 3 pour 1 (3:1) à partir de A, cela signifie que P est situé au $\frac{3}{4}$ de AB à partir de A.

$$\left(x_1 + \frac{a}{b} \times \Delta x, y_1 + \frac{a}{b} \times \Delta y\right) = \left(3 + \frac{3}{4} \times (-5 - 3), 6 + \frac{3}{4} \times (-10 - 6)\right)$$
$$= (-3, -6)$$

Les coordonnées du point de partage P sont (-3, -6)

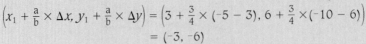

**coordonnées polaires** [($r$, $\theta$)]

Coordonnées d'un point déterminées par une distance et un angle. Les coordonnées polaires d'un point M sont notées ($r$, $\theta$), où $r$ est la distance qui sépare M de l'origine et $\theta$ est la mesure de l'angle qui va de l'axe des $x$ positifs à la demi-droite passant par M et issue de l'origine.

*Exemple:*

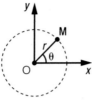

Les coordonnées polaires sont utilisées pour les vecteurs, où $r$ est la norme du vecteur et $\theta$, son orientation.

*Exemple:* Le vecteur ayant pour coordonnées polaires (5, 45°) peut être représenté dans le graphique ci-contre:

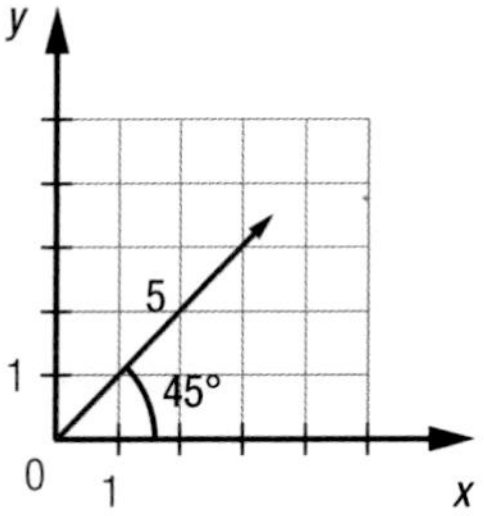

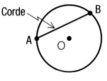

**corde** nom féminin

♦ Segment reliant deux points quelconques d'un cercle. Lorsque la corde passe par le centre du cercle, on l'appelle **diamètre.**

*Exemple:*

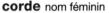

**corollaire** nom masculin

♦ Énoncé résultant directement d'un théorème démontré ou d'une évidence.

**corps rond** nom masculin

♦ Solide limité par au moins une face courbe.

*Exemple:* Le cylindre, le cône et la boule sont des corps ronds.

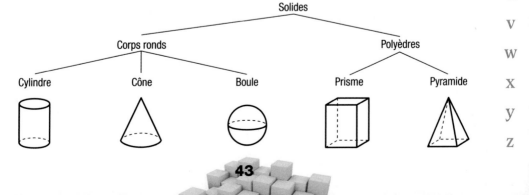

a
b
c
d
e
f
g
h
i
j
k
l
m
n
o
p
q
r
s
t
u
v
w
x
y
z

**corrélation** nom féminin

◆ Lien entre différents caractères quantitatifs d'une distribution. Il est possible de qualifier le type, le sens et l'intensité d'une corrélation entre deux variables. Le type de corrélation correspond au modèle mathématique décrivant le mieux le lien entre les variables.

Une corrélation est dite :

- positive si les valeurs d'une variable augmentent (ou diminuent) lorsque les valeurs de l'autre variable augmentent (ou diminuent), c'est-à-dire si les variables varient dans le même sens.

- négative si les valeurs d'une variable augmentent (ou diminuent) lorsque les valeurs de l'autre variable diminuent (ou augmentent), c'est-à-dire si les variables varient dans le sens contraire.

- nulle, faible, moyenne, forte ou parfaite selon l'intensité du lien entre les variables.

**corrélation linéaire**

◆ Lien, plus ou moins fort, entre deux variables dont le nuage de points se rapproche d'une droite.

La corrélation linéaire est positive ou négative selon la pente de cette droite, c'est-à-dire selon que la pente de la droite est positive ou négative. La forme du nuage de points caractérise cette corrélation ainsi : faible, moyenne, forte ou parfaite. Plus les points sont alignés, plus la corrélation est forte.

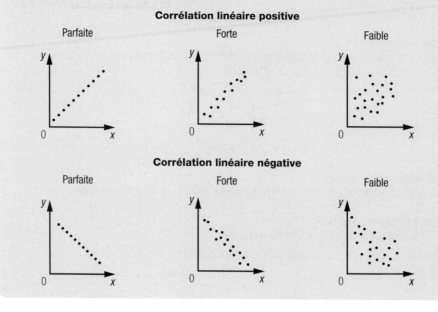

**Corrélation linéaire positive**

Parfaite · Forte · Faible

**Corrélation linéaire négative**

Parfaite · Forte · Faible

### corrélation non linéaire

♦ SN et TS Lien, plus ou moins fort, entre deux variables dont la forme du nuage de points n'est pas une droite, mais une forme s'apparentant à une courbe de fonction connue, autre que linéaire.

*Exemple:* Dans le graphique ci-contre, la corrélation linéaire est nulle. Par contre, il y a une forte corrélation non linéaire, comme le montre la courbe rouge.

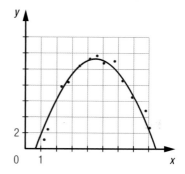

## cosécante [cosec] nom féminin

♦ SN et TS Inverse multiplicatif du **sinus**.

*Exemple:* $\cosec x = \frac{1}{\sin x}$, où $\sin x \neq 0$.

## cosinus [cos] nom masculin

❶ ♦ Dans un triangle rectangle et pour un angle A non droit, rapport trigonométrique entre la mesure de la cathète adjacente à l'angle A et la mesure de l'hypoténuse.

$$\cos A = \frac{\text{mesure de la cathète adjacente à l'angle A}}{\text{mesure de l'hypoténuse}}$$

*Exemple:* Soit le triangle ABC ci-dessous:

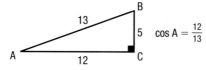

$$\cos A = \frac{12}{13}$$

❷ Dans un cercle de rayon unitaire et pour un angle donné θ, mesure de la projection octhogonale du rayon sur l'axe des abscisses.

*Exemple:*

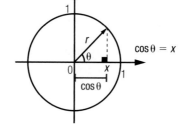

$$\cos \theta = x$$

## cotangente [cot] nom féminin

♦ SN et TS Inverse multiplicatif de la **tangente**.

$$\cot x = \frac{1}{\tan x}, \text{ où } \tan x \neq 0$$

**cote** nom féminin

◆ Distance entre une donnée et la moyenne en nombre d'**écarts types.**

> La cote standard, ou cote Z, d'une donnée est le nombre d'écarts types contenus dans l'écart à la moyenne de cette donnée. On note ce nombre Z et il se calcule de la façon suivante :
> – pour un échantillon $Z = \frac{x_i - \overline{x}}{s}$, où $s$ est l'écart type de l'échantillon et $\overline{x}$, sa moyenne.
> – pour une population $Z = \frac{x_i - \mu}{\sigma}$, où $\sigma$ est l'écart type de la population et $\mu$, sa moyenne.

**côté** nom masculin

❶ ◆ Dans un polygone, segment de droite formant la frontière de ce polygone.

*Exemple :*

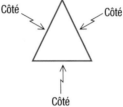

❷ ◆ Pour un angle, les deux demi-droites formant cet angle.

*Exemple :*

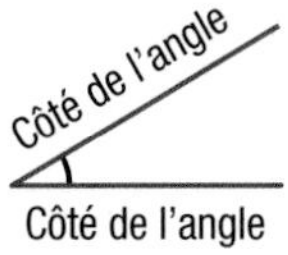

**côté adjacent**

◆ Côté ayant un sommet commun avec un autre côté.

*Exemple :* Dans le quadrilatère ABCD ci-dessous, $\overline{AB}$ et $\overline{AD}$ sont des côtés adjacents.

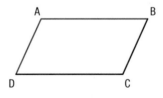

**côté homologue**

◆ Côté correspondant à un autre dans deux figures isométriques ou semblables.

*Exemple :* Dans les triangles semblables ci-dessous, les côtés a et a' sont homologues, comme les côtés b et b' et les côtés c et c'.

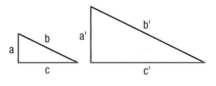

**côté opposé**

❶ ♦ Dans un triangle, côté du triangle ne servant pas à former l'angle dont il est question.

*Exemple :* Dans le triangle ABC ci-contre, le coté BC est opposé à l'angle A.

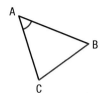

❷ ♦ Dans un quadrilatère, côtés n'ayant aucun sommet commun.

*Exemple :* Dans le quadrilatère ABCD ci-contre, $\overline{AB}$ et $\overline{DC}$ sont des côtés opposés.

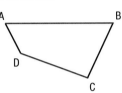

**couple** nom masculin

♦ Disposition ordonnée de deux éléments $x$ et $y$ d'un ensemble formant un nouvel objet. Cet objet est noté $(x, y)$.

*Exemple :* Dans le plan cartésien, les coordonnées d'un point sont données par un couple. Ici, le point P a comme coordonnées le couple (4, 3).

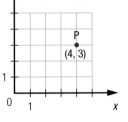

**coupure d'axe** [//] nom féminin

♦ Dans un graphique, saut effectué sur la graduation d'un axe afin d'en augmenter la lisibilité lorsque les valeurs significatives d'une situation donnée sont éloignées du zéro, en tenant compte du pas de graduation requis par la situation. La courbe du graphique ne devant jamais être tracée entre le zéro et la coupure d'axe, celle-ci doit donc être effectuée avant le début de la courbe. Pour effectuer une coupure d'axe, on utilise deux lignes parallèles obliques (//) sur l'axe nécessitant la coupure.

*Exemple :* Le graphique suivant montre l'évolution sur un an d'un placement initial de 10 000 $. Comme il n'y aura aucune valeur sur l'axe des $y$ avant 10 000 $, il convient d'effectuer une coupure sur l'axe des ordonnées.

**Évolution d'un placement au cours d'une année**

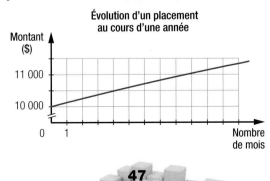

a
b
**c**
d
e
f
g
h
i
j
k
l
m
n
o
p
q
r
s
t
u
v
w
x
y
z

**courbe** nom féminin

♦ Nom utilisé pour définir le graphique de certaines relations ou fonctions. Les droites, les segments, le cercle et les lignes polygonales sont des exemples de courbe.

*Exemple :*

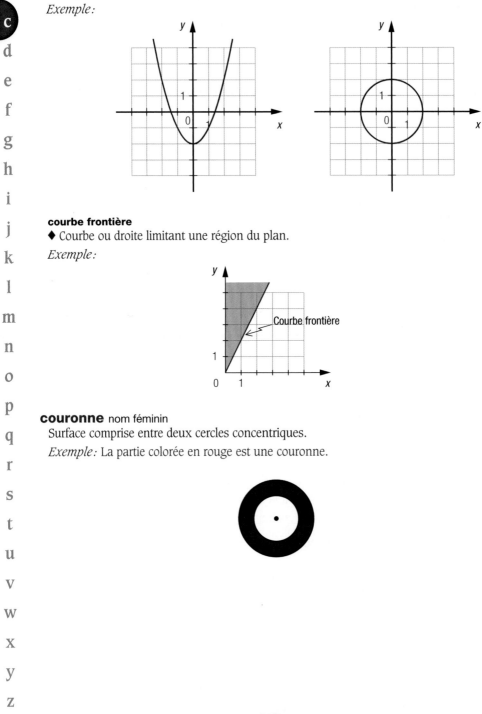

**courbe frontière**

♦ Courbe ou droite limitant une région du plan.

*Exemple :*

**couronne** nom féminin

Surface comprise entre deux cercles concentriques.

*Exemple :* La partie colorée en rouge est une couronne.

### critère de divisibilité nom masculin

◆ Propriété d'un nombre indiquant qu'il est divisible par un autre.

> En base dix, un nombre entier est divisible par :
>
> - 2 si le chiffre de ses unités est pair ;
> - 3 si la somme de ses chiffres est divisible par 3 ;
> - 4 si le nombre formé par ses deux derniers chiffres est divisible par 4 ;
> - 5 si le chiffre de ses unités est 0 ou 5 ;
> - 6 s'il est divisible à la fois par 2 et par 3 ;
> - 9 si la somme de ses chiffres est divisible par 9 ;
> - 10 si le dernier chiffre est 0 ;
> - 12 s'il est divisible à la fois par 3 et par 4 ;
> - 25 si le nombre formé par ses deux derniers chiffres est divisible par 25.

### crochet [ᴵ] nom masculin

Symbole utilisé pour présenter un intervalle. Lorsque le nombre fait partie de l'intervalle, le crochet est orienté vers ce nombre ; dans le cas contraire, le crochet est orienté à l'opposé de ce nombre.

*Exemple :* Pour $\{x \mid 4 \le x \le 8\}$, on écrit $x \in [4, 8]$, alors que pour $\{x \mid 4 < x \le 8\}$, on écrit $x \in \,]4, 8]$.

### croissance nom féminin

◆ Sur un intervalle du domaine, variation positive ou négative de la variable indépendante d'une fonction entraînant, respectivement, une variation positive ou négative de la variable dépendante. Pour un intervalle donné, les variables varient alors dans le même sens.

*Exemple :* Pour $x \in [0, 8]$ la fonction suivante est croissante sur l'intervalle $[0, 4]$ et est strictement croissante sur l'intervalle $[0, 2]$.

### cube nom masculin

◆ Solide possédant six faces carrées.

*Exemple :*

a
b
c
d
e
f
g
h
i
j
k
l
m
n
o
p
q
r
s
t
u
v
w
x
y
z

**cube de** nom masculin

◆ Produit de trois facteurs égaux.

*Exemple :* 2 au cube s'écrit $2^3$ et est égal à $2 \times 2 \times 2$. Donc, $2^3 = 2 \times 2 \times 2 = 8$ ; 8 est le cube de 2.

**cycle** nom masculin

❶ ◆ Période de temps où des phénomènes se déroulent et sont ensuite répétés dans le même ordre de façon continue.

❷ ◆ SN et TS Pour une fonction sinusoïdale, la plus petite portion de la courbe correspondant au motif répété.

*Exemple :* La partie en rouge de la fonction sinusoïdale ci-dessous correspond à un cycle de la fonction.

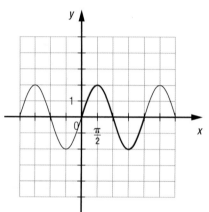

❸ ◆ CST Dans un **graphe, chaîne** commençant et se terminant au même sommet.

*Exemple :* Dans le graphe ci-dessous, A-B-E-A et D-C-E-B-E-A-D sont des cycles.

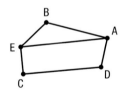

**cycle annuel**

◆ Cycle d'une année.

**cycle élémentaire**

◆ CST Cycle n'empruntant jamais un sommet plus d'une fois.

*Exemple :* Dans le graphe ci-dessous, 2-3-1-2 est un cycle élémentaire.

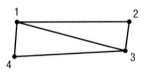

### cycle eulérien

◆ CST **Chaîne eulérienne** commençant et se terminant à un même sommet.

*Exemple:* Dans le graphe ci-contre,
A-B-E-D-C-E-A est un cycle eulérien.

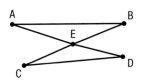

### cycle hamiltonien

◆ CST **Cycle élémentaire** empruntant une et une seule fois chacun des sommets d'un graphe.

*Exemple:* Dans le graphe ci-contre,
A-E-B-C-D-A est un cycle hamiltonien.

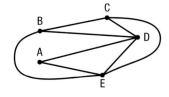

### cycle hebdomadaire

◆ Cycle d'une semaine.

### cycle quotidien

◆ Cycle d'une journée.

### cycle simple

◆ CST Cycle sans répétition d'arêtes.

*Exemple:* Dans le graphe ci-contre,
D-A(1)-B-C-A(2)-D est un cycle simple.

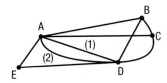

### cylindre nom masculin

❶ ◆ Solide constitué de trois faces: deux disques isométriques, les bases, et un rectangle, la face latérale.

*Exemple:*

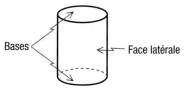

❷ Solide créé à partir d'une droite appelée *génératrice* qui tourne parallèlement à un axe donné. Chaque point de la droite génératrice décrit un cercle.

*Exemple:*

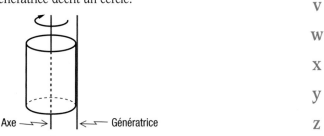

# Dd

### dallage nom masculin
♦ Surface complètement recouverte de figures géométriques sans espace libre et sans superposition des figures.

*Exemples :* 1)    2)

### décagone nom masculin
♦ Polygone à dix côtés.

*Exemples :* 1) Décagone régulier   2) Décagone irrégulier

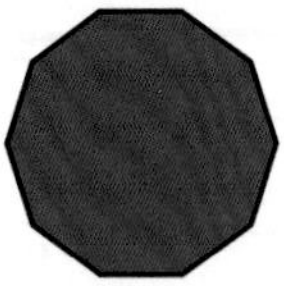

### décalitre [dal] nom masculin
♦ Unité de mesure de capacité égale à 10 litres.

### décilitre [dl] nom masculin
♦ Unité de mesure de capacité égale à un dixième $\left(\frac{1}{10} \text{ ou } 0,1\right)$ de litre.

### décimale nom féminin
♦ Tout chiffre placé à droite de la virgule dans l'expression d'un nombre en base dix.

*Exemple :* Dans 5,641 les décimales sont 6, 4 et 1.

### décimètre [dm] nom masculin
♦ Unité de mesure de longueur égale à un dixième $\left(\frac{1}{10} \text{ ou } 0,1\right)$ de mètre.

### décimètre carré [dm²]
♦ Unité d'aire égale à celle d'un carré de 1 dm de côté.

*Exemple :* L'aire de cette figure est de 1 dm².

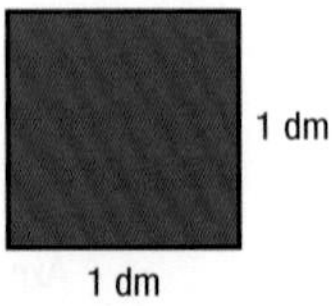

1 dm

1 dm

**décimètre cube** [dm³]

♦ Unité de volume égale à celui d'un cube de 1 dm de côté.

*Exemple:* Le volume de ce solide est de 1 dm³.

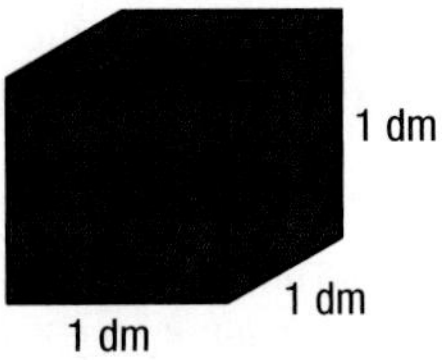

1 dm
1 dm
1 dm

**décomposition** nom féminin

Séparation d'une expression ou d'un objet mathématique (nombre, polynôme, vecteur, graphe, etc.) en ses éléments constituants.

**décomposition d'un nombre**

♦ Représentation d'un nombre sous la forme d'une somme de termes ou d'un produit de termes.

*Exemple:* Le nombre 2 916 peut, entre autres, être décomposé des façons suivantes:

$2\,916 = 2\,000 + 900 + 10 + 6$
$2\,916 = 2 \times 10^3 + 9 \times 10^2 + 1 \times 10^1 + 6 \times 10^0$
$2\,916 = 1\,458 + 1\,458$
$2\,916 = 54 \times 54$
$2\,916 = 2^2 \times 3^6$

**décomposition d'un nombre en facteurs premiers**

♦ Séparation d'un nombre entier uniquement en un produit de ses **facteurs premiers.**

La décompostion d'un nombre en facteurs premiers est unique, sauf en ce qui concerne l'ordre des facteurs.

*Exemple:* $462 = 2 \times 3 \times 7 \times 11$

**décomposition d'un polynôme**

♦ TS et SN Séparation d'un polynôme en un produit de facteurs.

*Exemple:* Le polynôme $x^2 + 8x + 15$ peut s'écrire sous la forme du produit de $(x + 3)$ par $(x + 5)$, car $x^2 + 8x + 15 = (x + 3)(x + 5)$.

a
b
c
d
e
f
g
h
i
j
k
l
m
n
o
p
q
r
s
t
u
v
w
x
y
z

### décomposition d'un vecteur

♦ TS et SN Séparation d'un vecteur $\vec{u}$ en une somme d'au moins deux vecteurs. La plupart du temps, la décomposition se fera à l'aide de deux vecteurs perpendiculaires, soit habituellement à l'aide d'un vecteur horizontal et d'un vecteur vertical. Graphiquement, le vecteur horizontal et le vecteur vertical sont respectivement les **projections orthogonales** du vecteur $\vec{u}$ sur l'axe des abscisses et sur l'axe des ordonnées.

*Exemple:*

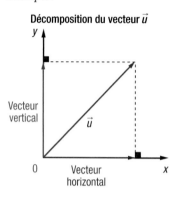

Décomposition du vecteur $\vec{u}$

Soit θ l'angle que fait le vecteur $\vec{u}$ avec le demi-axe horizontal positif. La norme du vecteur horizontal est égale à $\|\vec{u}\| \times \cos\theta$, alors que la norme du vecteur vertical est égale à $\|\vec{u}\| \times \sin\theta$.

*Exemple:*

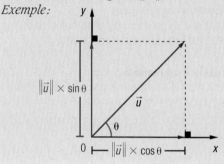

### décroissance nom féminin

♦ Sur un intervalle du domaine d'une fonction, variation positive ou négative de la **variable indépendante** d'une fonction entraînant respectivement une variation négative ou positive de la **variable dépendante.** Pour un intervalle donné, les variables varient alors en sens contraire.

*Exemple:* La fonction ci-contre est décroissante sur l'intervalle [2, 8] et est strictement décroissante sur l'intervalle [4, 8].

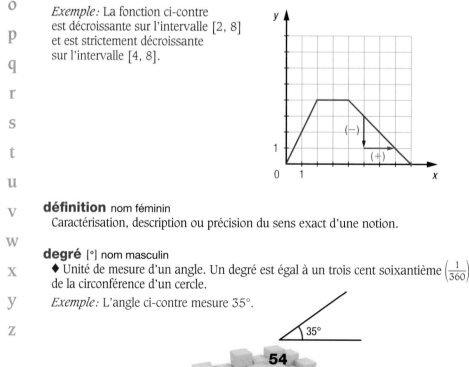

### définition nom féminin

Caractérisation, description ou précision du sens exact d'une notion.

### degré [°] nom masculin

♦ Unité de mesure d'un angle. Un degré est égal à un trois cent soixantième $\left(\frac{1}{360}\right)$ de la circonférence d'un cercle.

*Exemple:* L'angle ci-contre mesure 35°.

### degré Celsius [°C]
♦ Unité de mesure de la température dans le système métrique.

La conversion d'une température en degré Fahrenheit en une température
en degré Celsius s'effectue ainsi :
Soit $F$ la température en degré Fahrenheit et $C$ la température
en degré Celsius, alors $C = \frac{5}{9}(F - 32)$.
*Exemple :* Soit la température de 86 °F à convertir en degré Celsius.
$$C = \frac{5}{9}(86 - 32)$$
$$= 30\,°C$$

### degré d'un monôme
♦ Somme des exposants des variables composant le monôme.
*Exemple :* Le degré du monôme $12x^2y^4z$ est 7, car $2 + 4 + 1 = 7$.

### degré d'un polynôme
♦ Degré du monôme de plus grand degré parmi tous les monômes composant un polynôme.
*Exemple :* Le degré du polynôme $5x^3 + 2x^2y^3 + y^2 + 3$ est 5, car $2x^2y^3$ est le monôme
de plus grand degré de ce polynôme.

### degré d'un sommet
♦ CST Dans un **graphe,** nombre d'**arêtes** ayant une de leurs extrémités à ce sommet.
Si une de ces arêtes a ses deux extrémités à ce sommet, elle doit être comptée deux fois.
*Exemple :* Dans le graphe ci-dessous, les sommets a et c sont de degré 2, les sommets
b et d sont de degré 3 et le sommet e est de degré 0.

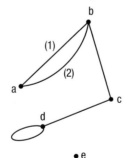

### degré Fahrenheit [°F]
Unité de mesure de la température dans le système impérial.

La conversion d'une température en degré Celsius en une température
en degré Fahrenheit s'effectue ainsi :
Soit $F$ la température en degré Fahrenheit et $C$ la température
en degré Celsius, alors $F = \frac{9}{5}C + 32$.
*Exemple :* Soit la température de 15 °C à convertir en degré Fahrenheit.
$$F = \frac{9}{5}(15) + 32$$
$$= 59\,°F$$

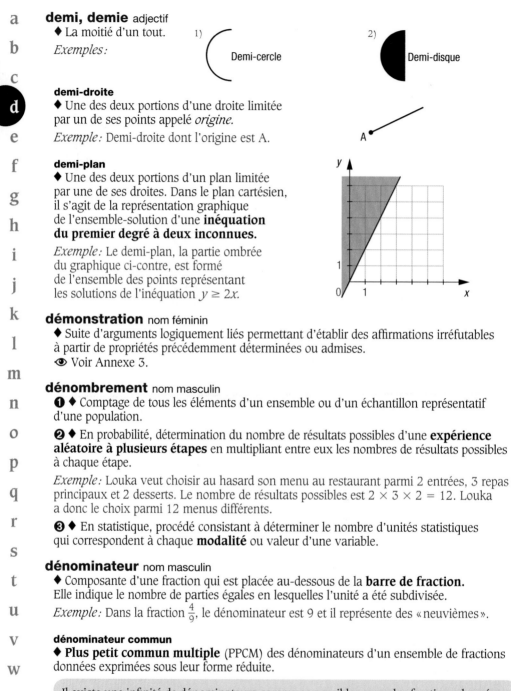

a
b
c
**d**
e
f
g
h
i
j
k
l
m
n
o
p
q
r
s
t
u
v
w
x
y
z

## demi, demie adjectif
♦ La moitié d'un tout.

*Exemples :*

1) Demi-cercle

2) Demi-disque

### demi-droite
♦ Une des deux portions d'une droite limitée par un de ses points appelé *origine*.

*Exemple :* Demi-droite dont l'origine est A.

A

### demi-plan
♦ Une des deux portions d'un plan limitée par une de ses droites. Dans le plan cartésien, il s'agit de la représentation graphique de l'ensemble-solution d'une **inéquation du premier degré à deux inconnues**.

*Exemple :* Le demi-plan, la partie ombrée du graphique ci-contre, est formé de l'ensemble des points représentant les solutions de l'inéquation $y \geq 2x$.

## démonstration nom féminin
♦ Suite d'arguments logiquement liés permettant d'établir des affirmations irréfutables à partir de propriétés précédemment déterminées ou admises.
👁 Voir Annexe 3.

## dénombrement nom masculin
❶ ♦ Comptage de tous les éléments d'un ensemble ou d'un échantillon représentatif d'une population.

❷ ♦ En probabilité, détermination du nombre de résultats possibles d'une **expérience aléatoire à plusieurs étapes** en multipliant entre eux les nombres de résultats possibles à chaque étape.

*Exemple :* Louka veut choisir au hasard son menu au restaurant parmi 2 entrées, 3 repas principaux et 2 desserts. Le nombre de résultats possibles est $2 \times 3 \times 2 = 12$. Louka a donc le choix parmi 12 menus différents.

❸ ♦ En statistique, procédé consistant à déterminer le nombre d'unités statistiques qui correspondent à chaque **modalité** ou valeur d'une variable.

## dénominateur nom masculin
♦ Composante d'une fraction qui est placée au-dessous de la **barre de fraction**. Elle indique le nombre de parties égales en lesquelles l'unité a été subdivisée.

*Exemple :* Dans la fraction $\frac{4}{9}$, le dénominateur est 9 et il représente des « neuvièmes ».

### dénominateur commun
♦ **Plus petit commun multiple** (PPCM) des dénominateurs d'un ensemble de fractions données exprimées sous leur forme réduite.

> Il existe une infinité de dénominateurs communs possibles pour des fractions données, mais il est d'usage, pour faciliter l'addition, la soustraction ou la comparaison de fractions, d'utiliser les PPCM des dénominateurs des fractions exprimées.

*Exemple :* Pour les fractions $\frac{5}{12}$, $\frac{1}{4}$, $\frac{2}{3}$, $\frac{7}{8}$ et $\frac{5}{6}$, le plus petit dénominateur commun possible est 24.

### densité de la population [habitants/km²] nom féminin

Nombre moyen d'habitants par unité de superficie. Elle est généralement mesurée en habitants par kilomètre carré.

### densité des données nom féminin

♦ Caractéristique des données condensées, peu dispersées. Moins les données sont dispersées, plus leur densité est forte et inversement.

### description nom féminin

Énumération des caractéristiques d'une figure, d'un objet, d'une situation ou d'une fonction.
👁 Voir Annexe 3.

### développement d'un nombre nom masculin

♦ Réécriture d'un nombre en une somme de termes.

- Le développement d'un nombre peut être utilisé afin de simplifier un calcul.
  *Exemple:* $835 \div 5$ peut être divisé comme suit.
  $835 \div 5 = (500 \div 5) + (300 \div 5) + (35 \div 5) = 100 + 60 + 7 = 167$
- Dans un système de numération en **base dix,** le développement décimal d'un nombre réel consiste à l'exprimer à l'aide de puissances de 10.
  *Exemple:* $835 = 8 \times 10^2 + 3 \times 10^1 + 5 \times 10^0$

### développement d'un solide nom masculin

♦ Figure plane obtenue par la mise à plat de la surface du solide. Le développement d'un solide impose de relier chaque face à au moins une autre face par une arête commune. Le solide doit être vu comme résultant d'un pliage de la surface développée.

*Exemple:* Développement d'un prisme
à base rectangulaire.

Développement ⟶

### diagonale nom féminin

♦ Segment reliant deux sommets non consécutifs d'un polygone.

*Exemples:*   1)   2)   3)

Diagonale

### diagramme nom masculin

♦ Schéma représentant les données recueillies lors d'une étude statistique.

### diagramme à bandes

♦ Représentation graphique d'une situation faisant intervenir un **caractère qualitatif.**
Il permet de comparer graphiquement l'effectif de chaque modalité. La longueur de chaque
bande donne la valeur de la **modalité** correspondante.

> Les bandes peuvent être représentées à la verticale ou à l'horizontale.

*Exemple:*

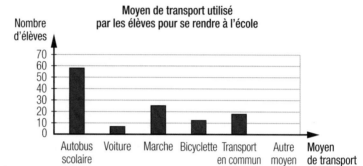

### diagramme à bâtons

♦ Représentation graphique d'une situation faisant intervenir un **caractère quantitatif
discret.** Il permet de comparer graphiquement l'effectif de chaque variable mesurée.
La longueur de chaque bâton donne la valeur de la variable correspondante.

*Exemple:*

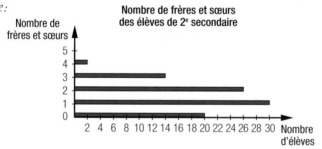

### diagramme à ligne brisée

♦ Représentation graphique de phénomènes évoluant dans le temps, où les données
sont représentées par des points que l'on relie entre eux par des segments de droites.

*Exemple:* Les différentes hauteurs de cette ligne correspondent aux valeurs des données.

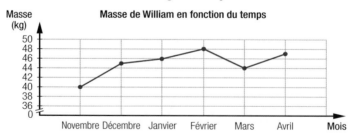

> On utilise le diagramme à ligne brisée dans un contexte où il est raisonnable
> de penser que les données illustrées sont des points d'une fonction continue reliant
> les deux variables.

### diagramme à pictogrammes
♦ Représentation graphique de quantités par des symboles. La quantité peut être illustrée par la grandeur du symbole (plus la quantité est grande, plus le symbole est grand) ou par le nombre de symboles utilisés.

*Exemple:*

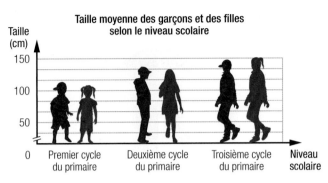

### diagramme à tige et à feuilles
♦ Représentation graphique de données d'une ou de deux distributions disposées d'un ou des deux côtés d'une colonne, appelée *tige*. Dans un tel diagramme:
- chaque ligne est associée à une classe;
- chaque donnée est décomposée en deux parties se trouvant sur une même ligne, la partie constituée des premiers chiffres de la classe formant la tige et la partie constituée des derniers chiffres de la classe formant une feuille.

*Exemple:* Les données des deux distributions ci-dessous correspondent aux résultats de 20 élèves aux examens de français et de mathématiques.

Français: 42, 49, 55, 56, 60, 65, 66, 69, 70, 73, 73, 74, 79, 80, 82, 83, 86, 87, 90, 95

Mathématiques: 35, 52, 54, 61, 62, 67, 70, 70, 72, 74, 77, 77, 79, 80, 81, 84, 84, 87, 91, 97

Voici la représentation de ces deux distributions à l'aide d'un diagramme à tige et à feuilles:

**Résultats d'examen de 20 élèves**

| Français | | Mathématiques |
|---:|:---:|:---|
| | 3 | 5 |
| 9, 2 | 4 | |
| 6, 5 | 5 | 2, 4 |
| 9, 6, 5, 0 | 6 | 1, 2, 7 |
| 9, 4, 3, 3, 0 | 7 | 0, 0, 2, 4, 7, 7, 9 |
| 7, 6, 3, 2, 0 | 8 | 0, 1, 4, 4, 7 |
| 5, 0 | 9 | 1, 7 |

### diagramme circulaire

◆ Représentation graphique d'une situation faisant intervenir un caractère qualitatif ou quantitatif discret. Ce graphique traduit l'idée d'un tout partagé en parties. La valeur de chaque donnée correspond à un secteur du disque dont la mesure de l'angle au centre est proportionnelle à l'importance de l'effectif de cette donnée.

*Exemple:* Couleur préférée des élèves de la classe de Julie.

🖐 Voir **Nightingale,** Florence.

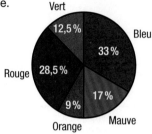

### diagramme de quartiles

◆ Représentation graphique destinée à analyser la **dispersion** ou la **concentration** d'un ensemble de données, ou à comparer deux ensembles de données de même nature. Dans un diagramme de quartiles, chaque quart comprend, autant que possible, le même nombre de données.

*Exemple:* On a construit le diagramme de quartiles correspondant à la distribution ci-dessous. Résultats de 15 élèves à un test de biologie.

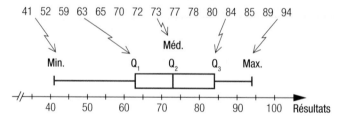

### diagramme de Venn

◆ Représentation graphique des relations entre des ensembles. Les ensembles sont représentés par des courbes fermées et les éléments, par des points. L'appartenance ou non d'un élément à un ensemble est illustrée par l'appartenance ou non de ce point à la région intérieure de sa courbe fermée.

- L'**intersection** de deux ensembles comprend leurs éléments communs, alors que leur **réunion** comprend tous leurs éléments.

- En probabilités, chaque ensemble correspond généralement aux résultats satisfaisant un événement donné.

*Exemple:* On tire un chiffre au hasard dans un sac contenant des chiffres allant de 1 à 10.
Voici deux événements possibles:

Événement A: Obtenir un nombre impair.
Événement B: Obtenir un multiple de 3.

🖐 Voir **Venn,** John.

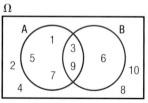

**diagramme en arbre**
♦ Représentation graphique illustrant toutes les possibilités d'un événement dans une **expérience aléatoire à plusieurs étapes.**

*Exemple:* On lance 2 pièces de monnaie. Les résultats possibles pour chaque pièce sont pile (P) et face (F).

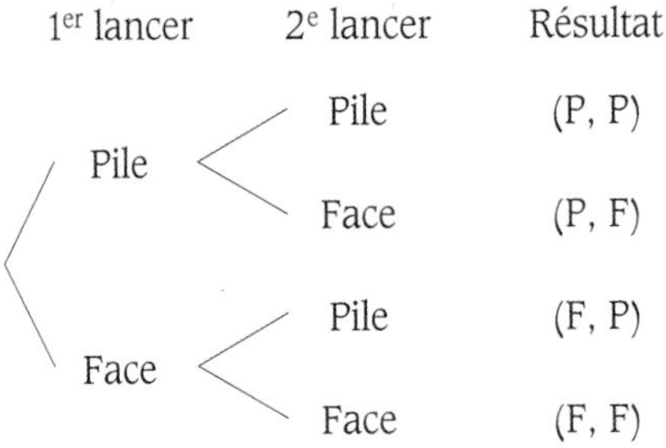

**diagramme sagittal**
♦ Représentation graphique d'une relation dont les couples sont unis par des flèches allant d'un ensemble fini vers un autre ensemble fini ou vers lui-même.

Une flèche reliant un élément à lui-même se nomme **boucle.**

*Exemple:*

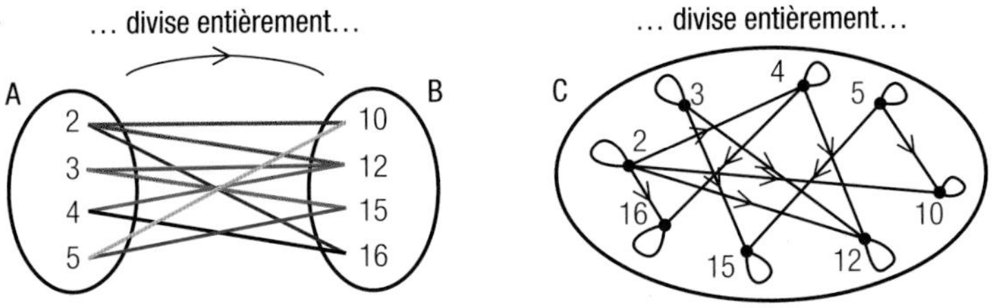

**diamètre** nom masculin
♦ Segment ou longueur d'un segment reliant deux points d'un cercle et passant par son centre. Le diamètre est la plus longue **corde** d'un cercle et sa mesure est le double de celle du **rayon.** Tous les diamètres d'un cercle ont la même longueur.

Soit le diamètre $d$ d'un cercle et son rayon $r$. On a: $d = 2r$.

*Exemple:*

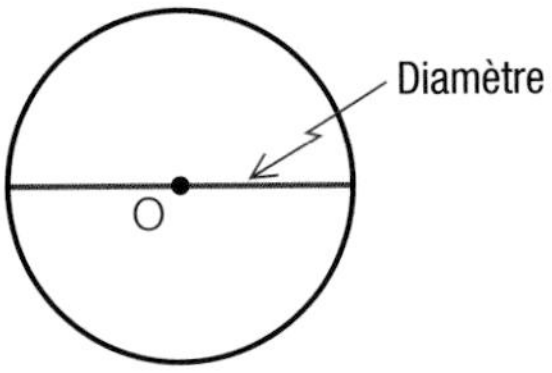

**différence** nom féminin
♦ Résultat d'une soustraction.

*Exemple:* 8 est la différence entre 15 et 7, car $15 - 7 = 8$.

**différence de deux carrés**
♦ TS et SN Méthode permettant de factoriser une expression algébrique de la forme $a^2 - b^2$. La **factorisation** s'effectue en appliquant le modèle suivant: $a^2 - b^2 = (a + b)(a - b)$.

*Exemple:* $16x^2 - 4y^2 = (4x)^2 - (2y)^2 = (4x + 2y)(4x - 2y)$

## dilatation nom féminin

♦ Extension, allongement ou agrandissement d'un objet. La multiplication des **abscisses** du plan cartésien par une constante a telle que $|a| > 1$ provoque une dilatation horizontale, alors que la multiplication des **ordonnées** du plan cartésien par une constante b telle que $|b| > 1$ provoque une dilatation verticale.

*Exemples :*

1) Le triangle A'B'C' est l'image du triangle ABC par le **changement d'échelle** horizontal $(x, y) \mapsto (3x, y)$.

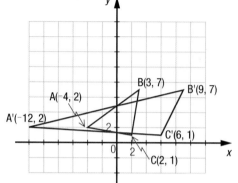

Le triangle image A'B'C' est à une dilatation horizontale du triangle initial ABC.

2) Le triangle A'B'C' est l'image du triangle ABC par le **changement d'échelle** vertical $(x, y) \mapsto (x, 2y)$.

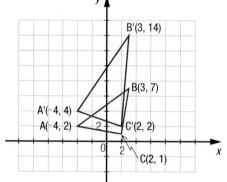

Le triangle image A'B'C' est à une dilatation verticale du triangle initial ABC.

## dimension nom féminin

♦ Grandeur mesurable nécessaire à la description d'un espace de référence.

### dimension d'un objet

♦ Longueur, largeur et hauteur d'un objet.

- Une ligne a seulement une dimension, la longueur.
- Une surface a deux dimensions, la longueur et la largeur.
- Un solide a trois dimensions, la longueur, la largeur et la hauteur. On peut aussi parler de profondeur plutôt que de largeur pour un objet en trois dimensions.

**dimensions d'une matrice**

◆ TS Nombre $m$ de lignes de la **matrice** et nombre $n$ de colonnes. Les dimensions d'une matrice A sont notées $m \times n$. Ainsi, l'élément $a_{ij}$ correspond à l'élément de la matrice A situé à l'intersection de la $i^e$ ligne et de la $j^e$ colonne.

*Exemple:* Soit la matrice A suivante: $A = \begin{bmatrix} 1 & 0 & 2 \\ 2 & ^-1 & 4 \end{bmatrix}$. Ses dimensions sont $2 \times 3$.

## direction nom féminin

◆ Ensemble de toutes les droites parallèles à une droite donnée.

*Exemple:*

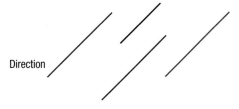

Direction

## directrice nom féminin

◆ TS et SN Droite définissant un **lieu géométrique.**

Tous les points d'une parabole sont situés à égale distance d'une droite fixe, appelée *directrice,* et d'un point fixe, appelé **foyer.**

*Exemple:* Soit P, un point de la fonction *f.* On a:

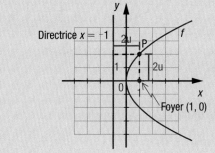

$d(P, \text{directrice}) = d(P, \text{foyer}) = 2u$

## discriminant [Δ] nom masculin

◆ Expression $b^2 - 4ac$ permettant de prévoir le nombre de solutions réelles de l'équation polynomiale de second degré $ax^2 + bx + c = 0$. Le discriminant se note $\Delta$ et se lit «delta».

- Si $\Delta > 0$, alors l'équation possède deux solutions réelles.
- Si $\Delta = 0$, alors l'équation possède une seule solution réelle.
- Si $\Delta < 0$, alors l'équation ne possède aucune solution réelle.

*Exemple:* Soit l'équation $3x^2 - 5x + 4 = 0$.
$\Delta = b^2 - 4ac$
$\Delta = (^-5)^2 - 4 \times 3 \times 4$
$\Delta = ^-23$
Puisque $\Delta < 0$, l'équation $3x^2 - 5x + 4 = 0$ ne possède aucune solution réelle.

a
b
**c**
**d**
e
f
g
h
i
j
k
l
m
n
o
p
q
r
s
t
u
v
w
x
y
z

## dispersion des données nom féminin

♦ Carastéristique des données étalées non condensées. Plus les données sont dispersées, moins leur densité est forte et inversement.

## disque nom masculin

♦ Région fermée du plan délimitée par un cercle.

*Exemple:*

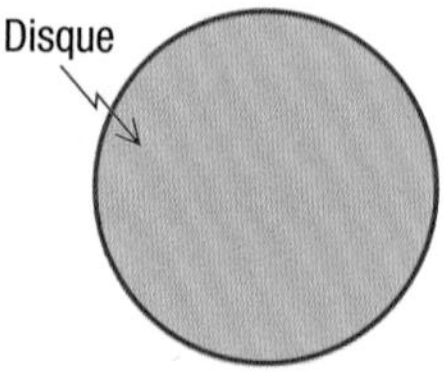

Disque

## distance nom féminin

❶ ♦ Longueur du plus court segment joignant deux objets distincts. Une distance s'exprime toujours par un nombre positif.

❷ ♦ CST Dans un **graphe,** longueur de la **chaîne** la plus courte reliant deux sommets A et B. Cette distance est notée d(A, B)

*Exemple:* Dans le graphe ci-contre :
$\qquad$ d(B, E) = 1 et d(E, A) = 2.

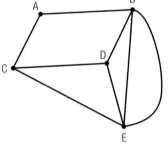

## distance d'un point à une droite

♦ Longueur du plus court segment de droite séparant un point d'une droite.

Soit une droite $d$ ayant pour équation $ax + by + c = 0$ et un point P ayant pour coordonnées $P(x_1, y_1)$, alors la distance entre le point P et la droite $d$ peut être déterminée par la formule suivante :

$$d(P, d) = \frac{|ax_1 + by_1 + c|}{\sqrt{a^2 + b^2}}$$

*Exemple:* Calcul de la distance entre le point P(2, 3) et la droite $d$ ayant pour équation $x + y - 2 = 0$.

$$d(P, d) = \frac{|1 \times 2 + 1 \times 3 - 2|}{\sqrt{1^2 + 1^2}} = \frac{3\sqrt{2}}{2} \approx 2,12 \text{ unités}$$

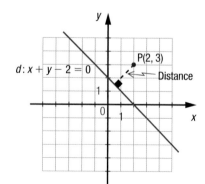

**distance entre deux points**

♦ Longueur du segment reliant un point A à un point B.

La distance entre un point $A(x_1, y_1)$ et un point $B(x_2, y_2)$ est notée $d(A, B)$ et se calcule de la façon suivante : $d(A, B) = \sqrt{(x_2 - x_1)^2 + (y_2 - y_1)^2}$.

*Exemple :* Soit un point A(1, 2) et un point B(4, 6). On a :

$d(A, B) = \sqrt{(4 - 1)^2 + (6 - 2)^2}$

$\qquad = \sqrt{3^2 + 4^2}$

$\qquad = \sqrt{25}$

$\qquad = 5$

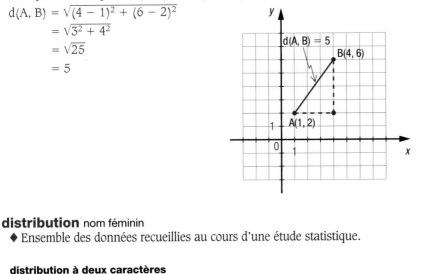

**distribution** nom féminin

♦ Ensemble des données recueillies au cours d'une étude statistique.

**distribution à deux caractères**

♦ Ensemble des couples de données recueillies au cours d'une étude statistique portant sur deux **caractères** issus d'une même situation.

**distribution à un caractère**

♦ Ensemble des données recueillies au cours d'une étude statistique portant sur un seul **caractère.**

**distributivité** nom féminin

♦ Propriété de la multiplication permettant de passer du produit d'une somme (ou d'une différence) à la somme (ou à la différence) des produits.

*Exemple :*

1) $3 \times (4 + 7) = 3 \times 4 + 3 \times 7 = 33$

2) $a(x + y) = ax + ay$

3) $a(x - y) = ax - ay$

**dividende** nom masculin

♦ Dans une division, nombre que l'on divise.

*Exemple :* Dans $36 \div 4 = 9$, le dividende est 36.

## diviseur nom masculin

❶ ◆ Dans une division, nombre qui en divise un autre.

*Exemple:* Dans $35 \div 5 = 7$, le diviseur est 5.

❷ ◆ Un nombre entier est un diviseur d'un autre nombre entier si le quotient est un nombre entier.

*Exemple:* 4 est un diviseur de 28, car $28 \div 4 = 7$.
Par contre, 5 n'est pas un diviseur de 28, car $28 \div 5 = 5,6$.

### diviseur commun

◆ Un ou plusieurs nombres naturels divisant entièrement deux ou plusieurs nombres.

*Exemple:* Les diviseurs communs de 12 et 36 sont 1, 2, 3, 4, 6 et 12.

## divisibilité nom féminin

◆ Propriété d'un nombre pouvant être divisé entièrement par un autre nombre avec un reste nul.

*Exemple:* $42 \div 7 = 6$ reste 0, donc 42 est divisible par 7.

## division nom féminin

◆ Opération mathématique donnant, à partir de deux nombres (le dividende et le diviseur), un troisième nombre, appelé *quotient.* Le but de la division est de trouver combien de fois une quantité est contenue dans une autre quantité ou de partager une quantité en parts égales.

*Exemple:* $132 \div 3 = 44$

### division de fractions

◆ Opération consistant à diviser une fraction par une autre. Elle se réalise en multipliant la première fraction par l'inverse de la seconde.

*Exemple:* $\frac{4}{9} \div \frac{2}{5} = \frac{4}{9} \times \frac{5}{2} = \frac{4 \times 5}{9 \times 2} = \frac{20}{18} = \frac{10}{9}$

### division de nombres décimaux

◆ Opération consistant à multiplier ou diviser le **dividende** et le **diviseur** par une même puissance de 10, afin que le diviseur devienne un nombre entier. Ainsi, on obtient une division équivalente à la première, mais dont le diviseur est un nombre entier. On effectue ensuite la division normalement.

*Exemple:* $9,28 \div 3,2 = 92,8 \div 32 = 2,9$

### division euclidienne

◆ Opération donnant, à partir de deux nombres naturels appelés *dividende* et *diviseur,* deux entiers appelés *quotient* et *reste.*

Soit un dividende $D$, un diviseur $d$, le quotient $q$ et le reste $r$, tous des nombres naturels, où $d \neq 0$.
On a : $D = dq + r$ et $0 \leq r < d$.

*Exemple:* $34 \div 6 = 5$ reste 4.
34 est le dividende, 6 est le diviseur, 5 est le quotient et 4 est le reste.

**division polynomiale**

♦ Opération consistant à diviser un polynôme appelé *dividende,* par un autre appelé *diviseur.*

*Exemples :*

1) $(3x^2 + 11x + 6) \div (x + 3) = 3x + 2$

2) $(3x - 4) \div (x + 2) = 3 - \dfrac{10}{x + 2}$

$$
\begin{array}{r|l}
{}^-3x^2 + 11x + 6 & x + 3 \\
\underline{3x^2 + 9x} & 3x + 2 \\
{}^-2x + 6 & \\
\underline{2x + 6} & \\
0 &
\end{array}
$$

$$
\begin{array}{r|l}
{}^-3x - 4 & x + 2 \\
\underline{3x + 6} & 3 \\
\text{Reste} \longrightarrow -10 &
\end{array}
$$

**dixième** nom masculin

❶ ♦ Nom donné à une partie d'un entier partagé en 10 parties égales. Cette partie peut s'écrire de façon fractionnaire, $\frac{1}{10}$, ou décimale, 0,1.

❷ ♦ Position immédiatement à droite de la virgule dans la **notation décimale** d'un nombre réel.

**dizaine** nom féminin

♦ Groupe de 10 unités ou 10 groupes de 1 unité. Dans la **notation décimale** d'un nombre, la dizaine est la deuxième position située immédiatement à gauche de la virgule.

*Exemple :* Dans le nombre 3 284, le chiffre 8 occupe la position des dizaines et il y a 328 dizaines.

**dizaine de mille** nom féminin

♦ Groupe de dix mille (10 000) unités. Dans la **notation décimale** d'un nombre, la dizaine de mille est la cinquième position située immédiatement à gauche de la virgule.

*Exemple :* Dans le nombre 213 284, le chiffre 1 occupe la position des dizaines de mille et il y a 21 dizaines de mille.

**dodécaèdre** nom masculin

♦ Solide composé de 12 faces.

*Exemple :*

**dodécagone** nom masculin

♦ Polygone à 12 côtés.

*Exemples :* 1) Dodécagone régulier   2) Dodécagone irrégulier

**domaine** [dom (f)] nom masculin

◆ Pour une fonction, ensemble des valeurs prises par la **variable indépendante.**

*Exemple :* Le domaine de la fonction $f$ ci-contre est $[2, +\infty[$.

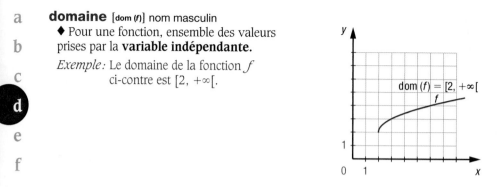

**donnée** nom féminin

Élément d'information fourni, connu et servant de base à un raisonnement ou servant à découvrir ce qui est inconnu.

### donnée aberrante

◆ Donnée éloignée des autres données d'une distribution.

*Exemple :* Le nuage de points suivant illustre le lien entre l'étendue des bras (cm) et la taille (cm) de certains élèves.

La donnée aberrante peut résulter, entre autres, d'une erreur de saisie des données ou d'une infirmité d'un ou d'une élève.

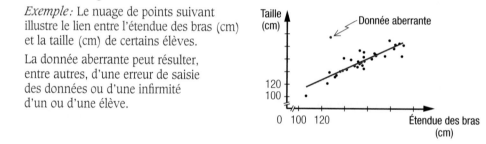

### donnée d'un problème

◆ Renseignement disponible à la lecture d'un problème. Information ou hypothèse de départ pour la résolution d'un problème.

### donnée implicite

◆ Renseignement non exprimé en termes précis ou explicites.

### donnée manquante

◆ Renseignement absent, mais nécessaire pour répondre à une question.

### donnée pertinente

◆ Renseignement utile pour répondre à une question.

### donnée probabiliste

◆ Donnée provenant du hasard.

### donnée statistique

◆ Donnée servant à une étude statistique. L'ensemble des données recueillies sur la variable statistique est appelée *série statistique.*

### donnée superflue

◆ Renseignement non nécessaire, voire inutile, pour répondre à une question.

**droite** nom féminin

❶ ◆ Ligne ininterrompue formée d'une infinité de points alignés, sans extrémités.

*Exemple:* Droite *d*

❷ ◆ Objet géométrique dans le plan cartésien dont l'équation est $Ax + By = C$. Si $B \neq 0$, on peut lui donner la forme $y = ax + b$, où le coefficient a est appelé *taux de variation* (ou pente), et le terme b, *ordonnée à l'origine* (ou valeur initiale).

*Exemple:* La droite $y = 2x - 2$ est représentée dans le plan cartésien ci-contre.

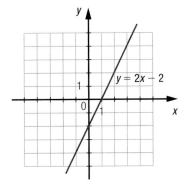

**droite de Mayer** (méthode de la)

◆ Méthode utilisant une droite passant par deux points représentatifs d'une distribution.

Pour définir la droite de Mayer, il faut:

| Méthode | Exemple |
|---|---|
| 1. ordonner la distribution selon la première variable, puis la partager en deux groupes, si possible égaux; | <table><tr><td>**x**</td><td>2</td><td>2</td><td>4</td><td>4</td><td>5</td><td>7</td><td>9</td><td>12</td></tr><tr><td>**y**</td><td>11</td><td>11</td><td>9</td><td>8</td><td>6</td><td>6</td><td>4</td><td>2</td></tr></table> Groupe 1    Groupe 2 |
| 2. calculer la moyenne des données de chaque groupe pour obtenir les coordonnées des points $P_1$ et $P_2$; | Pour le premier groupe de 4 données: Moyenne des abscisses = 3 <br> Moyenne des ordonnées = 9,75 <br><br> Pour le second groupe de 4 données: <br> Moyenne des abscisses = 8,25 <br> Moyenne des ordonnées = 4,5 <br> $P_1(3, 9,75)$ et $P_2(8,25, 4,5)$ |
| 3. établir l'équation de la droite passant par ces deux points. | Soit la droite d'équation $y = ax + b$. <br> On trouve: <br> $a = \dfrac{4,5 - 9,75}{8,25 - 3} = -\dfrac{5,25}{5,25} = -1$ <br> et $\quad y = -x + b$ <br> $\qquad 9,75 = -3 + b$ <br> $\qquad\quad b = 12,75$ <br><br> L'équation de la droite de Mayer est: <br> $y = -x + 12,75$ |

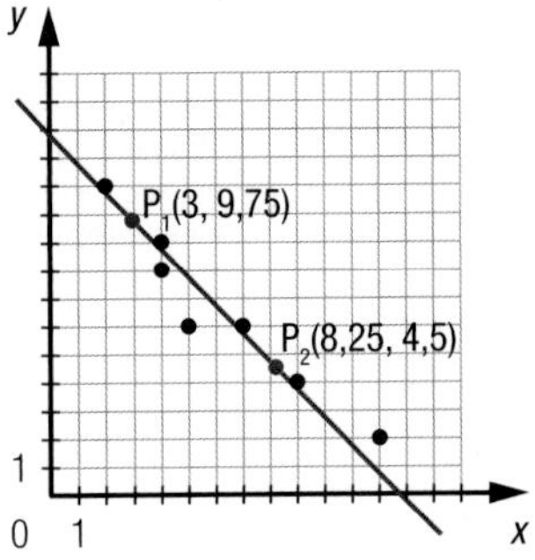

### droite de régression
♦ Droite représentant le mieux l'ensemble des points d'un **nuage de points** mettant en relation deux variables statistiques.

*Exemple :*

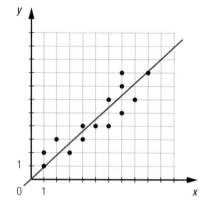

### droite de régression des moindres carrés
♦ sɴ Droite s'ajustant le mieux au **nuage de points.** Les calculs à effectuer pour déterminer sa position sont laborieux. On utilise habituellement un outil technologique pour tracer cette droite et établir son équation.

*Exemple :*

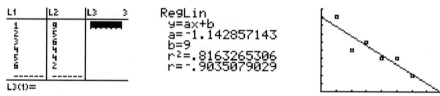

### droite frontière
♦ Dans un demi-plan, droite délimitant une partie d'un ensemble-solution.

1. Trait plein lorsque la droite frontière fait partie de l'ensemble-solution, c'est-à-dire que l'équation fait partie de l'inéquation ($\leq$ ou $\geq$).
*Exemple :*

2. Trait en pointillé lorsque l'équation en est exclue ($<$ ou $>$).
*Exemple :*

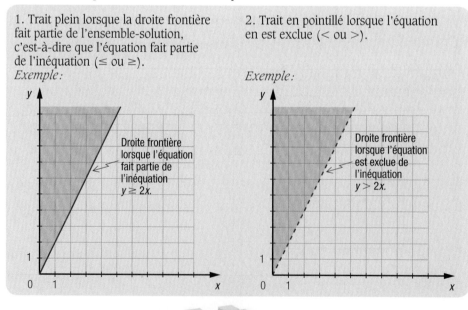

Droite frontière lorsque l'équation fait partie de l'inéquation $y \geq 2x$.

Droite frontière lorsque l'équation est exclue de l'inéquation $y > 2x$.

**droite médiane-médiane** (méthode de la)

♦ Méthode exigeant moins de calculs pour déterminer la position d'une droite lorsqu'il y a de nombreuses données dans la distribution.

Pour définir la droite médiane-médiane, il faut :

| Méthode | Exemple |
|---|---|
| 1. ordonner la distribution selon la première variable, puis la partager en trois groupes approximativement égaux en s'assurant que le premier et le dernier groupe contiennent le même nombre de données ; | <table><tr><td>**x**</td><td>1</td><td>2</td><td>2</td><td>4</td><td>4</td><td>5</td><td>7</td><td>9</td><td>12</td></tr><tr><td>**y**</td><td>12</td><td>11</td><td>12</td><td>9</td><td>8</td><td>6</td><td>6</td><td>4</td><td>2</td></tr></table> **Groupe 1**   **Groupe 2**   **Groupe 3** |
| 2. déterminer la médiane des données de chaque groupe pour obtenir les coordonnées des points $M_1$, $M_2$ et $M_3$ ; *Attention : Bien que les valeurs de la deuxième variable ne soient pas nécessairement ordonnées dans chacun des groupes, il importe de les ordonner, par groupe, pour en déterminer la médiane.* | Premier groupe de 3 données : Médiane des abscisses = 2 Médiane des ordonnées = 12 Deuxième groupe de 3 données : Médiane des abscisses = 4 Médiane des ordonnées = 8 Troisième groupe de 3 données : Médiane des abscisses = 9 Médiane des ordonnées = 4 $M_1(2, 12)$, $M_2(4, 8)$ et $M_3(9, 4)$ |
| 3. calculer la moyenne des coordonnées de ces trois points pour obtenir les coordonnées du point P ; | La moyenne des médianes est : Abscisses = $(2 + 4 + 9) \div 3 = 5$ Ordonnées = $(12 + 8 + 4) \div 3 = 8$ Les coordonnées du point P sont : P(5, 8). |
| 4. établir l'équation de la droite médiane-médiane, qui passe par le point P et qui est parallèle à la droite $M_1M_3$. | La droite doit passer par P(5, 8). Taux de variation de la droite $M_1M_3$ : $$\frac{4 - 12}{9 - 2} = -\frac{8}{7}$$ La droite parallèle à $M_1M_3$ passant par P et la droite $M_1M_3$ doivent avoir le même taux de variation. $$y = -\frac{8}{7}x + b$$ $$8 = -\frac{40}{7} + b$$ $$b = \frac{96}{7}$$ L'équation de la droite médiane-médiane est : $$y = -\frac{8}{7}x + \frac{96}{7}$$ |

### droite numérique
♦ Droite graduée au moyen de nombres pouvant faire partie de l'ensemble des nombres naturels, entiers ou réels. La graduation d'une droite numérique doit toujours être constante.

*Exemple:*

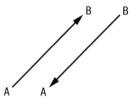

### droite orientée
♦ Droite possédant un sens de parcours défini.
L'axe des abscisses et l'axe des ordonnées sont des droites orientées.

*Exemple:* La droite AB n'est pas orientée dans le même sens que la droite BA.

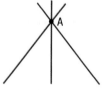

### droites concourantes
♦ Droites ayant un point commun.

*Exemple:* Les trois droites suivantes sont concourantes, puisqu'elles ont toutes le point A en commun.

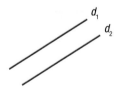

### droites parallèles [//]
♦ Droites coplanaires n'ayant aucun point commun.

> Les droites d'un ensemble de droites de l'espace sont parallèles si elles sont parallèles deux à deux.

*Exemple:* $d_1 // d_2$

### droites parallèles confondues
♦ Droites dont les équations possèdent la même pente et la même ordonnée à l'origine.
La résolution algébrique d'un tel système d'équations conduit à une égalité vraie et admet une infinité de solutions.

> Les droites verticales $d_1: x = a_1$ et $d_2: x = a_2$ sont parallèles confondues si $a_1 = a_2$.

*Exemple:* Les droites $y = 2x + 3$ et $-4x + 2y - 6 = 0$ sont parallèles confondues.

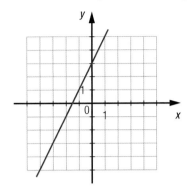

### droites parallèles non confondues
◆ Droites dont les équations possèdent la même pente, mais des ordonnées à l'origine différentes. La résolution algébrique d'un tel système d'équations conduit à une impossibilité et n'admet aucune solution.

> Toutes les droites d'équation de la forme $x = $ a sont parallèles entre elles. Soit $d_1 : x = $ a$_1$ et $d_2 : x = $ a$_2$, $d_1$ et $d_2$ sont des droites parallèles non confondues si a$_1 \neq$ a$_2$.

*Exemple:* Les droites $y = 2x + 3$ et $y = 2x - 2$ sont deux droites parallèles non confondues.

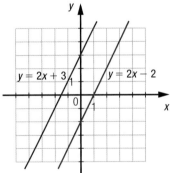

### droites perpendiculaires [⊥]
❶ ◆ Droites se coupant à angle droit.
*Exemple:* $d_1$ et $d_2$ sont perpendiculaires. On peut aussi noter $d_1 \perp d_2$.

a
b
c
**d**
e
f
g
h
i
j
k
l
m
n
o
p
q
r
s
t
u
v
w
x
y
z

❷ ◆ Droites ayant des **pentes** opposées et inverses. Le produit de leurs pentes est égal à -1.

> Par ailleurs, une droite horizontale $d_1$ d'équation $y = a$ et une droite verticale $d_2$ d'équation $x = b$, où a et b sont des nombres réels, sont toujours perpendiculaires.

*Exemple :* Les droites $y = 2x + 3$ et $y = -\frac{1}{2}x - 2$ sont perpendiculaires.

Soit les pentes 2 et $-\frac{1}{2}$, on a :

$2x - \frac{1}{2} = -1$

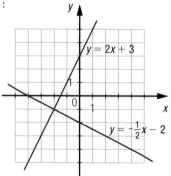

### droites remarquables
◆ Dans un triangle, la **bissectrice** de chaque angle, la **médiatrice** de chaque côté et la **médiane** relative à chaque côté.

### droites sécantes
❶ ◆ Paire de droites ayant un point en commun. Elles sont donc distinctes et ne peuvent se couper qu'en un seul point.

*Exemple :* $d_1$ est sécante à $d_2$.

❷ ◆ Paire de droites ayant des pentes différentes.

*Exemple :* Les droites $y = 2x + 3$ et $y = -3x - 1$ sont deux droites sécantes.

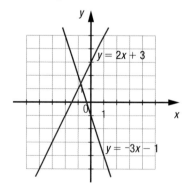

**durée** nom féminin
◆ Intervalle de temps séparant l'instant du début de l'instant de la fin.

**écart** nom masculin

♦ Distance séparant deux choses ou deux nombres. En général, l'écart entre deux nombres a et b est donné par la formule $|a - b|$.

*Exemples :*

1) L'écart entre le nombre 10 et le nombre 18 est 8, soit $|10 - 18| = 8$.

2) L'écart entre ces deux cyclistes est 200 mètres.

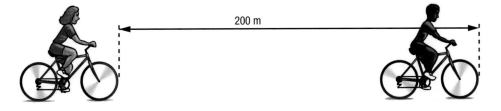

**écart moyen**

♦ Mesure de dispersion des données par rapport à la moyenne de la distribution. L'écart moyen correspond au quotient de la somme des écarts à la moyenne et du nombre total de données, soit : écart moyen = $\frac{\text{somme des écarts à la moyenne}}{\text{nombre total de données}}$

- Pour une population, l'écart moyen, EM, se calcule de la façon suivante :

$$EM = \frac{\Sigma |x_i - \mu|}{N}, \text{ où } i, N \in \mathbb{N}.$$

Ici, $x_i$ représente la $i^e$ donnée de la série statistique ; $\mu$ est la moyenne de la population et $N$ représente la taille de la population.

- Pour un **échantillon,** $x_1, x_2, ..., x_n$, l'écart moyen, EM, se calcule de la façon suivante :

$$EM = \frac{\Sigma |x_i - \overline{x}|}{n}, \text{ où } i, n \in \mathbb{N}.$$

Ici, $x_i$ représente la $i^e$ donnée de la série statistique ; $\overline{x}$ est la moyenne de l'échantillon et $n$ représente la taille de l'échantillon.

*Exemple :* Cinq élèves d'un groupe ont obtenu les résultats suivants à l'examen de chimie : 67 %, 72 %, 75 %, 79 % et 82 %. La moyenne de leurs notes est 75 %.

L'écart moyen se calcule de la façon suivante :

$$EM = \frac{|67 - 75| + |72 - 75| + |75 - 75| + |79 - 75| + |82 - 75|}{5} = 4,4 \%$$

L'écart moyen des résultats des élèves par rapport au résultat moyen est 4,4 %.

## écart type [σ ou s]

◆ TS et SN Mesure caractérisant la dispersion des données d'une distribution. L'écart type est la racine carrée du quotient de la somme des carrés des écarts à la moyenne par le nombre total des données de la distribution. Ce quotient est aussi appelé *variance*.

$$\text{Écart type} = \sqrt{\frac{\text{somme des carrés des écarts à la moyenne}}{\text{nombre total de données}}}$$

- Pour une population, l'écart type est noté σ et se calcule de la façon suivante:

$$\sigma = \sqrt{\frac{\Sigma\,(x_i - \mu)^2}{N}}, \text{ où } i, N \in \mathbb{N}.$$

Ici, $x_i$ représente la $i^e$ donnée de la série statistique; μ est la moyenne de la population et $N$ représente la taille de la population.

- Pour un échantillon, l'écart type est noté $s$ et se calcule de la façon suivante:

$$s = \sqrt{\frac{\Sigma\,(x_i - \overline{x})^2}{n - 1}}, \text{ où } i, n \in \mathbb{N}.$$

Ici, $x_i$ représente la $i^e$ donnée de la série statistique; $\overline{x}$ est la moyenne de l'échantillon et $n$ représente la taille de l'échantillon.

Note: Puisqu'on utilise un **échantillon**, la valeur de l'écart type peut prendre diverses valeurs qui, tantôt sous-estiment l'écart type de la population, et tantôt, le surestiment. Pour corriger cette source de biais, un facteur est introduit de telle sorte qu'on divise par $n - 1$ plutôt que par $n$.

*Exemple:* Cinq élèves d'un groupe ont obtenu les résultats suivants à l'examen de chimie: 67%, 72%, 75%, 79% et 82%. La moyenne de leurs notes est 75%.
L'écart type se calcule de la façon suivante:

$$s = \sqrt{\frac{(67 - 75)^2 + (72 - 75)^2 + (75 - 75)^2 + (79 - 75)^2 + (82 - 75)^2}{5 - 1}} \approx 5{,}87\%$$

L'écart type vaut environ 5,87%, ce qui signifie que la majorité des élèves ont obtenu un résultat se situant environ entre 69% (moyenne − écart type = 75% − 5,87% = 69,13%) et 81% (moyenne + écart type = 75% + 5,87% = 80,87%).

## échantillon nom masculin

◆ Sous-ensemble d'une population.

*Exemple:* Les individus dans le cercle orangé de cette illustration représentent un échantillon d'un groupe.

**échelle** nom féminin
◆ Rapport entre les dimensions d'une reproduction et celles de l'objet réel.

L'échelle s'exprime de différentes façons.

| Type d'échelle | Linéaire | Rapport | Correspondance | Taux |
|---|---|---|---|---|
| *Exemple* | 0⊏▭500 km | 1 : 150 | 2 cm ≜ 7 km | $\frac{3 \text{ cm}}{10 \text{ m}}$ |
| Explication | Une longueur de 1 cm sur le plan, la carte ou le modèle équivaut à 500 km dans la réalité. | Une unité de longueur sur le plan, la carte ou le modèle équivaut à 150 unités de la même longueur dans la réalité. Dans le cas d'un rapport, on utilise un rapport unitaire. Pour une réduction, on attribue la valeur unitaire à la reproduction et pour un agrandissement, à l'objet réel. | Une longueur de 2 cm sur le plan, la carte ou le modèle correspond à 7 km dans la réalité. Le symbole « ≜ » signifie « correspond à ». | Une longueur de 3 cm sur le plan, la carte ou le modèle équivaut à 10 m dans la réalité. |

Échelle ⟶

**effectif** nom masculin
◆ En statistique, nombre d'apparitions d'une modalité ou d'une valeur.

*Exemple:* Couleur préférée des 30 élèves de la classe

| Couleur | Effectif |
|---|---|
| Bleu | 11 |
| Rouge | 6 |
| Jaune | 2 |
| Vert | 8 |
| Rose | 3 |
| **Total** | **30** |

**égal, égale** [=] adjectif
◆ Qui est de même quantité, de même dimension ou qui a la même valeur.

**égalité** nom féminin
◆ Relation indiquant que deux grandeurs sont égales.

*Exemple:* 5 + 3 = 4 + 4 est une égalité, car chaque membre vaut 8.

**élément** nom masculin
◆ Objet faisant partie d'un ensemble.

*Exemple:* Soit l'ensemble A = {1, 2, 3, 4, 5, 6}. Les éléments de l'ensemble A sont les chiffres 1, 2, 3, 4, 5 et 6.

a b c d e f g h i j k l m n o p q r s t u v w x y z

### élément absorbant

♦ Nombre qui, multiplié par tout autre, donne 0 comme résultat. Zéro est l'élément absorbant de la multiplication.

*Exemples :* 1) $8 \times 0 = 0$

2) $x \times 0 = 0$

### élément neutre

♦ Nombre qui, additionné à un autre ou multiplié par un autre, donne cet autre nombre pour résultat. L'élément neutre pour l'addition est 0. L'élément neutre pour la multiplication est 1.

*Exemples :* 1) $3 + 0 = 3$

2) $y + 0 = y$

3) $5 \times 1 = 5$

4) $x \times 1 = x$

## ellipse nom féminin

♦ TS et SN Lieu géométrique formé de tous les points du plan dont la somme des distances à deux points fixes $F_1$ et $F_2$, appelés *foyers,* est constante. Ce lieu géométrique est une courbe en forme d'ovale. On appelle *centre de l'ellipse* le point milieu du segment $F_1F_2$.

*Exemple :* Soit $F_1$ et $F_2$, les deux foyers de l'ellipse ci-dessous, et $P_1$ et $P_2$, deux points de cette même ellipse.

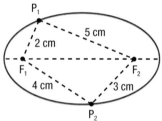

Somme des distances entre le point $P_1$ et les foyers = $d(P_1, F_1) + d(P_1, F_2)$

= 2 cm + 5 cm

= 7 cm

Somme des distances entre le point $P_2$ et les foyers = $d(P_2, F_1) + d(P_2, F_2)$

= 4 cm + 3 cm

= 7 cm

### ellipse centrée à l'origine

Dans le plan cartésien, ellipse dont le centre est situé à l'origine.

- L'équation d'une ellipse centrée à l'origine, dont les foyers sont tous deux sur l'axe des abscisses ou tous deux sur l'axe des ordonnées, s'écrit sous la forme $\frac{x^2}{a^2} + \frac{y^2}{b^2} = 1$, où $2|a|$ est la longueur de l'axe horizontal et $2|b|$, la longueur de l'axe vertical. Les coordonnées des sommets sont : (a, 0), (-a, 0), (0, b) et (0, -b).

- La relation entre la valeur du paramètre a, celle du paramètre b et la distance c qui sépare le centre de l'ellipse de chacun des deux foyers est donnée par :
$a^2 = b^2 + c^2$ si $a > b$
$b^2 = a^2 + c^2$ si $a < b$

*Exemples:*

1) L'ellipse centrée à l'origine d'équation $\frac{x^2}{25} + \frac{y^2}{16} = 1$ est représentée dans le plan cartésien ci-dessous.

2) L'ellipse centrée à l'origine d'équation $\frac{x^2}{9} + \frac{y^2}{16} = 1$ est représentée dans le plan cartésien ci-dessous.

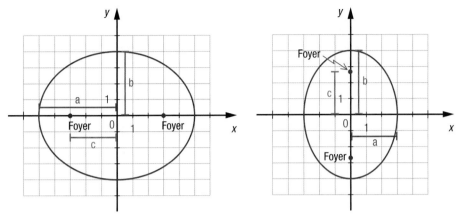

**ellipse non centrée à l'origine** (ou ellipse translatée)

Dans le plan cartésien, ellipse dont le centre n'est pas situé à l'origine.

- L'équation de l'ellipse ayant subi une translation et dont les axes sont respectivement horizontal et vertical s'écrit sous la forme $\frac{(x - h)^2}{a^2} + \frac{(y - k)^2}{b^2} = 1$, où (h, k) est le centre de l'ellipse. Les coordonnées des sommets sont: (h + a, k), (h − a, k), (h, k + b) et (h, k − b).

- La relation entre la valeur du paramètre a, celle du paramètre b et la distance c qui sépare le centre de l'ellipse de chacun des deux foyers est donnée par:
  $a^2 = b^2 + c^2$ si a > b
  $b^2 = a^2 + c^2$ si a < b

*Exemples:*

1) L'ellipse non centrée à l'origine d'équation $\frac{(x + 2)^2}{16} + \frac{(y - 3)^2}{9} = 1$ est représentée dans le plan cartésien ci-dessous.

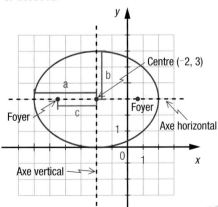

2) L'ellipse non centrée à l'origine d'équation $\frac{(x + 1)^2}{4} + \frac{(y - 2)^2}{9} = 1$ est représentée dans le plan cartésien ci-dessous.

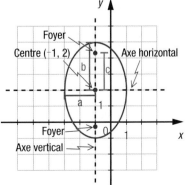

## ennéagone nom masculin
♦ Polygone à neuf côtés.

*Exemples:* 1) Ennéagone régulier

2) Ennéagone irrégulier

## énoncé géométrique nom masculin
♦ Formule ou énoncé décrivant une propriété en géométrie.

*Exemple:*

| Énoncé | Exemple |
|---|---|
| La somme des mesures des angles intérieurs d'un triangle est 180°. | $m \angle 1 + m \angle 2 + m \angle 3 = 180°$ 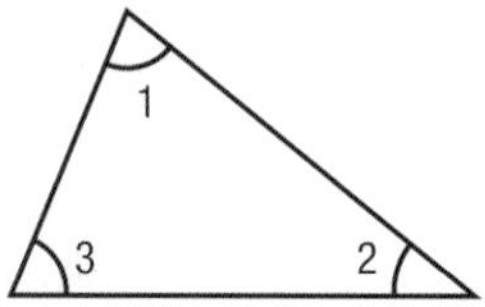 |

## enquête nom féminin
♦ Étude statistique portant sur une ou plusieurs caractéristiques d'une population, basée sur un **échantillon** de cette population.

## ensemble nom masculin
♦ Regroupement d'objets, appelés *éléments,* ayant une caractéristique commune, quelle qu'elle soit.

*Exemple:* L'ensemble A est l'ensemble des nombres diviseurs de 12.

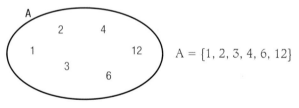

$A = \{1, 2, 3, 4, 6, 12\}$

## ensembles disjoints
♦ Ensembles ne possédant aucun élément commun.

Soit l'ensemble A et l'ensemble B. Ces deux ensembles sont disjoints si leur intersection est l'ensemble vide, donc si $A \cap B = \varnothing$.

*Exemple:* Soit A l'ensemble des chiffres impairs et B l'ensemble des chiffres pairs.

Les ensembles A et B sont disjoints, car $A \cap B = \varnothing$, aucun chiffre ne pouvant être à la fois pair et impair.

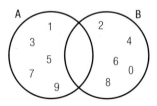

**ensemble-solution**
◆ Ensemble des valeurs vérifiant une équation ou une inéquation.

*Exemple:* Pour lire un roman, Maryse a pris moins du tiers du temps mis par Samuel.
Soit $x$ le temps (en min) pris par Maryse et $y$, celui mis par Samuel (en min).

L'énoncé peut se traduire par l'inéquation $x < \frac{1}{3}y$ et peut être représenté graphiquement
dans le plan cartésien ci-dessous.

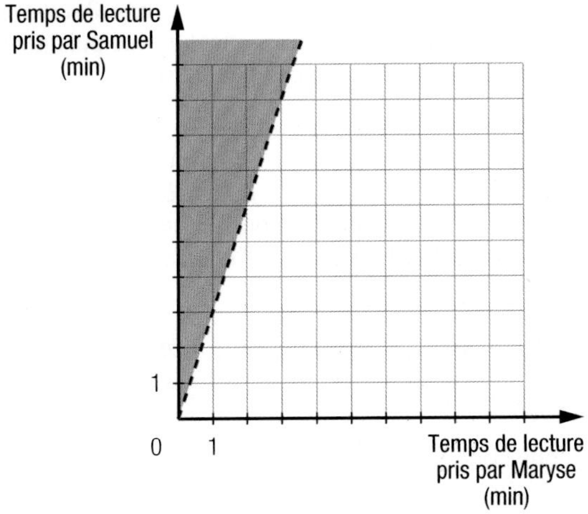

Le couple $(1, 7)$ fait partie de l'ensemble-solution, car $1 < \frac{1}{3} \times 7$.

L'ensemble-solution contient une infinité de couples.
Tous les points appartenant à la région colorée dans la représentation graphique ci-dessus
vérifient l'inéquation.

**ensemble vide**
◆ Ensemble ne contenant aucun élément.

## entier, entière adjectif
Qui est complet, possède toutes ses parties, dont rien n'a été retranché.

## énumération nom féminin
Décompte, dénombrement, recensement des éléments d'un ensemble.

## énumérer verbe transitif
Dénombrer, compter ou lister les éléments d'un ensemble.

## équation nom féminin
◆ Égalité mathématique comportant une ou plusieurs inconnues pour lesquelles on
cherchera éventuellement à en déterminer la ou les valeurs la rendant vraie.

*Exemples:*
1) $2x + 6 = {}^-4$ est une équation.
2) $5 = 2 + 3$ est une égalité, mais pas une équation puisqu'elle ne comporte aucune inconnue.
3) $\sin^2 x + \cos^2 x = 1$ est une égalité, mais pas une équation. C'est une identité puisqu'elle
est vérifiée, quelle que soit la valeur de $x$.

a
b
c
d
e
f
g
h
i
j
k
l
m
n
o
p
q
r
s
t
u
v
w
x
y
z

### équation algébrique

♦ Équation s'exprimant sous la forme $P(x) = 0$, où $P(x)$ est un polynôme.

*Exemple :* $3xy^2 - xy + x = 0$ est une équation algébrique.

### équation aux solutions indéterminées

Équation admettant une infinité de solutions.

*Exemple :* Soit l'équation suivante : $\frac{3}{7}(7x + 14) - 3x - 6 = 0$, où $x$ est un nombre réel. En la résolvant, on obtient $0x = 0$. Ceci est indéterminé puisque tout nombre $x$ qui appartient à l'ensemble des réels vérifie cette équation.

### équation du deuxième degré (ou du second degré)

♦ Équation composée d'un polynôme de degré 2, soit un polynôme comportant au moins un terme composé d'une seule inconnue élevée au carré ou au moins un terme composé du produit de deux inconnues. De plus, aucun des termes n'est composé d'une inconnue affectée d'un exposant supérieur à 2, et aucun terme n'est composé du produit de plus de deux inconnues.

> Pour une équation du deuxième degré à une seule inconnue, la forme générale est :
> $ax^2 + bx + c = 0$, où a, b et c sont des nombres réels et $a \neq 0$.

*Exemples :* Les équations ci-dessous sont du deuxième degré.
1) $3x^2 + 8x - 5 = 6$
2) $4xy - 6x + 3y = 0$

### équation d'une droite

♦ Dans le plan cartésien, représentation d'une droite au moyen d'une équation de la forme $Ax + By + C = 0$. Lorsqu'une droite n'est pas verticale, donc si $B \neq 0$, son équation peut se mettre sous la forme $y = ax + b$, où a est le taux de variation de la droite (aussi appelé *pente*) et b, sa valeur initiale (aussi appelée *ordonnée à l'origine*).

➡ Voir **droite.**

### équation exponentielle

♦ Équation dans laquelle l'inconnue est l'exposant d'une base.

➡ Voir **fonction exponentielle.**

> On représente une équation exponentielle ainsi : $y = b^x$, où b est un nombre réel positif et non nul et $b \neq 1$.

*Exemple :* $y = 3^x$ est une équation exponentielle.

### équation générale

♦ Équation représentant une famille d'équations.

➡ Voir **forme générale.**

*Exemple :* $ax + by + c = 0$ est l'équation générale des droites.

### équation logarithmique

♦ SN et TS Équation dans laquelle l'inconnue apparaît uniquement comme un argument d'un logarithme.

➡ Voir **fonction logarithmique.**

*Exemple :* $\log_3 x = 12$ est une équation logarithmique.

### équation sans solution
♦ Équation n'admettant aucune solution.

*Exemple:* Soit l'équation suivante : $\frac{4x - 3}{2} - 2x + 7 = 0$. En la résolvant,
on obtient $0x = -5,5$, ce qui n'est vrai pour aucune valeur de $x$.

### équation trigonométrique
♦ SN et TS Équation dans laquelle l'inconnue apparaît comme un argument d'une fonction trigonométrique.

*Exemple:* $y = 8 \cos x$ est une équation trigonométrique, car l'inconnue $x$ est placée en argument de cosinus.

### équerre nom féminin
Outil en forme de triangle rectangle utile
pour tracer des droites perpendiculaires.

### équiangle adjectif
♦ Caractéristique d'un triangle dont les trois angles sont isométriques. La mesure de chacun des angles d'un tel triangle est $60°$.

### équidistant, équidistante adjectif
Qui est situé à égale distance.

*Exemple:* Dans un cercle, tous les points situés sur ce cercle sont équidistants du centre.

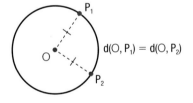

### équilatéral, équilatérale adjectif
Un polygone est équilatéral lorsque tous ses côtés sont **congruents.**

*Exemple:* Le triangle ci-dessous est équilatéral.

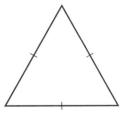

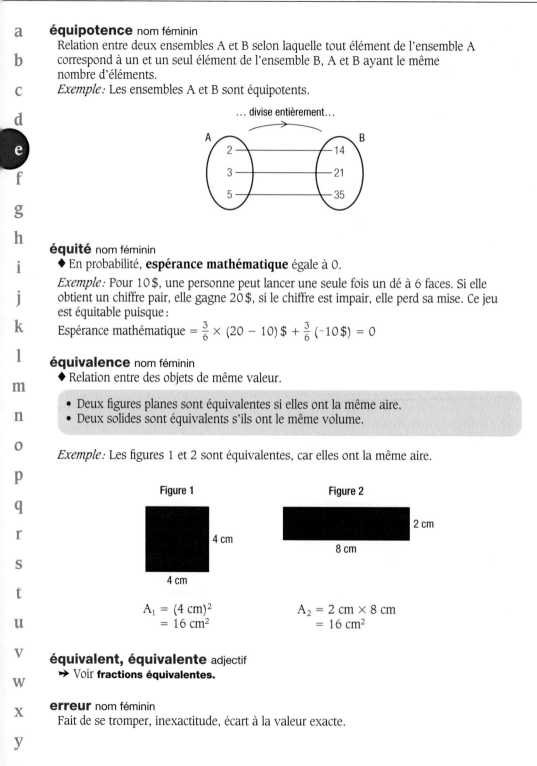

**équipotence** nom féminin

Relation entre deux ensembles A et B selon laquelle tout élément de l'ensemble A correspond à un et un seul élément de l'ensemble B, A et B ayant le même nombre d'éléments.

*Exemple:* Les ensembles A et B sont équipotents.

... divise entièrement...

A — 2 — 14 — B
3 — 21
5 — 35

**équité** nom féminin

◆ En probabilité, **espérance mathématique** égale à 0.

*Exemple:* Pour 10 $, une personne peut lancer une seule fois un dé à 6 faces. Si elle obtient un chiffre pair, elle gagne 20 $, si le chiffre est impair, elle perd sa mise. Ce jeu est équitable puisque:

Espérance mathématique $= \frac{3}{6} \times (20 - 10)\,\$ + \frac{3}{6}\,(^-10\,\$) = 0$

**équivalence** nom féminin

◆ Relation entre des objets de même valeur.

- Deux figures planes sont équivalentes si elles ont la même aire.
- Deux solides sont équivalents s'ils ont le même volume.

*Exemple:* Les figures 1 et 2 sont équivalentes, car elles ont la même aire.

Figure 1

4 cm

4 cm

Figure 2

2 cm

8 cm

$A_1 = (4\text{ cm})^2$
$= 16\text{ cm}^2$

$A_2 = 2\text{ cm} \times 8\text{ cm}$
$= 16\text{ cm}^2$

**équivalent, équivalente** adjectif

➜ Voir **fractions équivalentes.**

**erreur** nom féminin

Fait de se tromper, inexactitude, écart à la valeur exacte.

### erreur absolue

Écart entre une valeur théorique et une valeur calculée ou observée.

*Exemple:* Une machine distributrice de chocolat chaud doit remplir les tasses à environ 300 ml. Lors d'un test effectué sur cette machine, la tasse obtenue contenait seulement 297 ml de chocolat chaud. L'erreur absolue est donc 300 ml − 297 ml = 3 ml.

### erreur relative

Quotient, en **valeur absolue,** de l'erreur absolue par la valeur exacte.

*Exemple:* Une machine distributrice de chocolat chaud doit remplir les tasses à environ 300 ml. Lors d'un test effectué sur cette machine, la tasse obtenue contenait seulement 297 ml de chocolat chaud. L'erreur absolue est donc 300 ml − 297 ml = 3 ml et l'erreur relative est de $\frac{3}{300} = 0,01$. L'erreur relative est donc de 1 %.

## espérance de gain nom féminin

◆ **Espérance mathématique** ayant une probabilité de gain et une probabilité de perte. On l'utilise surtout dans les contextes de jeux de hasard.

> Espérance de gain = (probabilité de gagner) × (gain net) + (probabilité de perdre) × (perte) Le **gain net** est le gain moins la mise initiale, et la **perte** est généralement la mise initiale.

*Exemple:* Valérie paie 1 $ pour un jeu qui consiste à lancer une pièce de monnaie. Si elle obtient face, elle gagne 4 $. Si elle obtient pile, elle paie encore 1 $. Son espérance de gain est calculée de la façon suivante:

$$\text{Espérance de gain} = \frac{1}{2} \times (4\,\$ - 1\,\$) + \frac{1}{2} \times (-1\,\$ - 1\,\$)$$
$$= \frac{1}{2} \times 3\,\$ + \frac{1}{2} \times {-2}\,\$$$
$$= 1,50\,\$ - 1\,\$$$
$$= 0,50\,\$$$

## espérance mathématique nom féminin

◆ Somme des produits des valeurs d'une variable aléatoire par leur probabilité, lors d'une expérience aléatoire. Autrement dit, somme des valeurs des variables aléatoires pondérées par la probabilité correspondant à chaque valeur.

> Espérance mathématique = $p_1 \times r_1 + p_2 \times r_2 + p_3 \times r_3 + ... + p_n \times r_n$, où $n \in \mathbb{N}$ est le nombre de valeurs possibles de la variable et $p_1, p_2, p_3, ..., p_n$ sont les probabilités d'obtenir les résultats $r_1, r_2, r_3, ..., r_n$.

*Exemple:* Un sac contient 10 billets permettant ou non de gagner un lot en argent. Quatre de ces billets permettent de gagner 2 $, trois permettent de gagner 10 $, un permet de gagner 20 $ et deux ne valent rien.
L'espérance mathématique lors du tirage d'un billet est calculée de la façon suivante:
$$\text{Espérance mathématique} = \frac{4}{10} \times 2 + \frac{3}{10} \times 10 + \frac{1}{10} \times 20 + \frac{2}{10} \times 0 = \frac{58}{10} = 5,80\,\$$$

## estimation nom féminin

◆ Approximation d'une quantité dont la valeur exacte n'est pas nécessaire ou est difficile, voire impossible à obtenir.

## estimer verbe transitif

◆ Calculer approximativement.

*Exemple:* La valeur de 397 × 18 peut s'estimer ainsi: 400 × 20 = 8 000.

a
b
c
d
**e**
f
g
h
i
j
k
l
m
n
o
p
q
r
s
t
u
v
w
x
y
z

**étendue** [E] nom féminin
♦ **Mesure de dispersion** égale à la différence entre la plus grande et la plus petite valeur d'une série statistique.

> Soit $x_{max}$ la valeur maximale de la série statistique et $x_{min}$ la valeur minimale de la série statistique.
> $E = x_{max} - x_{min}$

*Exemple:* Les résultats de l'examen de mathématique varient de 54 % à 93 %. L'étendue est donc de 93 % − 54 % = 39 %.

### étendue des quarts
♦ Différence entre les valeurs des différents quartiles.

*Exemple:* Dans le **diagramme de quartiles** ci-dessous, l'étendue du deuxième quart, soit l'étendue entre le 1er et le 2e quartiles, est de 73 − 63 = 10, alors que l'étendue du dernier quart, soit l'étendue entre le 3e quartile et le maximum, est de 94 − 84 = 10.

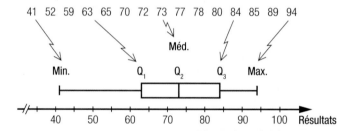

### étendue interquartile [$E_I$]
♦ Différence entre la valeur du 3e quartile, $Q_3$, et celle du 1er quartile, $Q_1$.

> $E_I = Q_3 - Q_1$

*Exemple:* Dans le diagramme de quartiles ci-dessous, l'étendue interquartile est de 84 − 63 = 21.

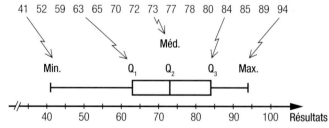

## étude statistique nom féminin
♦ Collecte, classement, analyse et interprétation des données statistiques en vue d'en tirer des conclusions et de faire des prévisions.

## événement nom masculin
♦ Sous-ensemble de l'univers des résultats possibles.

*Exemple:* Lors du lancer d'un dé à 6 faces numérotées de 1 à 6, « obtenir un chiffre supérieur à 3 » est un événement et correspond à {4, 5, 6}.

### événement certain
◆ Événement dont la probabilité qu'il survienne est égale à 1 ou à 100 %.

*Exemple :* On tire une bille d'un sac contenant 5 billes rouges. L'événement «obtenir une bille rouge» est un événement certain, car la probabilité d'obtenir une bille rouge est égale à $\frac{5}{5} = 1$.

### événement élémentaire
◆ Dans l'univers des résultats possibles, événement contenant un seul résultat.

*Exemple :* Lorsqu'on tire une carte dans un jeu de 52 cartes, «obtenir le roi de trèfle» est un événement élémentaire, car il contient un seul résultat, soit {roi de trèfle}, dans l'univers des résultats possibles.

### événement impossible
◆ Événement dont la probabilité est nulle (égale à 0).

*Exemple :* Lors du lancer d'un dé à 6 faces numérotées de 1 à 6, l'événement «obtenir un nombre supérieur à 6» a une probabilité nulle. Il s'agit d'un événement impossible.

### événement moins probable
◆ Événement ayant moins de chances de se produire que d'autres événements.

*Exemple :* Dans un sac contenant 3 billes bleues et 1 bille rouge, l'événement «obtenir une bille rouge» est moins probable que l'événement «obtenir une bille bleue».

### événement plus probable
◆ Événement ayant plus de chances de se produire que d'autres événements.

*Exemple :* On tire une bille d'un sac contenant 3 billes bleues et 1 bille rouge. L'événement «obtenir une bille bleue» est plus probable que l'événement «obtenir une bille rouge».

### événement probable
◆ Événement dont la probabilité se situe entre 0 et 1.

*Exemple :* L'événement «obtenir pile» lors du lancer d'une pièce de monnaie est un événement probable avec une probabilité égale à $\frac{1}{2}$.

a
b
c
d
e
f
g
h
i
j
k
l
m
n
o
p
q
r
s
t
u
v
w
x
y
z

### événements compatibles

♦ Deux événements, A et B, pouvant se produire en même temps. L'**intersection** des ensembles A et B ne correspond alors pas à l'ensemble vide, c'est-à-dire A ∩ B ≠ ∅.

*Exemple:* On lance un dé à 6 faces numérotées de 1 à 6.
A: obtenir un chiffre impair.
B: obtenir un chiffre supérieur à 4.
Ces deux événements sont compatibles, car A ∩ B = {5}.

### événements complémentaires

♦ Deux **événements mutuellement exclusifs** et dont la **réunion** des résultats correspond à l'univers des résultats possibles (Ω).

- Si l'intersection des ensembles A et B est vide, c'est-à-dire si A ∩ B = ∅, et que la réunion des ensembles A et B est égale à l'univers des résultats possibles, c'est-à-dire si A ∪ B = Ω, alors les événements A et B sont complémentaires.
- Si A et B sont deux événements complémentaires, alors la somme des probabilités des ensembles A et B est égale à 1, c'est-à-dire: P(A) + P(B) = 1.
- En général, l'événement complémentaire de l'événement A se note A'.

*Exemple:* On lance un dé à 6 faces numérotées de 1 à 6.
A: obtenir un chiffre pair. A = {2, 4, 6}
A': obtenir un chiffre impair. A' = {1, 3, 5}
Ces deux événements sont complémentaires, puisque A ∩ B = ∅, un chiffre ne pouvant être à la fois pair et impair. Donc, A ∪ B = {1, 2, 3, 4, 5, 6} = Ω.

### événements dépendants

♦ Deux événements, A et B, dont la réalisation de l'un influe sur la probabilité de réalisation de l'autre.

*Exemple:* On tire 2 cartes sans remise d'un jeu de 52 cartes.
A: obtenir un cœur.
B: obtenir un valet.
Ces deux événements sont dépendants, car si on tire le valet de cœur au premier tour, il y aura en moins un cœur et un valet pour le tirage du deuxième tour.

### événements incompatibles

♦ → Voir **événements mutuellement exclusifs.**

### événements indépendants

♦ Deux événements, A et B, dont la réalisation de l'un n'influe pas sur la probabilité de réalisation de l'autre.

*Exemple:* On lance à deux reprises un dé à 6 faces numérotées de 1 à 6.
A: obtenir 2 au premier lancer.
B: obtenir 5 au deuxième lancer.
Ces deux événements sont indépendants, car quel que soit le résultat du premier lancer, le dé présente toujours 6 faces pour le second lancer, la probabilité n'est donc pas influencée.

### événements mutuellement exclusifs

♦ Deux événements, A et B, ne pouvant pas se produire en même temps, autrement dit dont l'**intersection** est vide (A ∩ B = ∅).

Lorsque A et B sont deux événements mutuellement exclusifs, la probabilité de l'événement A ou de l'événement B est P(A ∪ B) = P(A) + P(B).

*Exemple:* On lance un dé à 6 faces numérotées de 1 à 6.
A: obtenir un chiffre inférieur à 2. A = {1}
B: obtenir un chiffre supérieur à 3. B = {4, 5, 6}
Les événements A et B sont mutuellement exclusifs, car ils ne peuvent se produire en même temps, donc A ∩ B = ∅ et P(A ∪ B) = P(A) + P(B).

### événements non mutuellement exclusifs

♦ Deux événements, A et B, pouvant se produire en même temps, c'est-à-dire si A ∩ B ≠ ∅.

Lorsque A et B sont deux événements non mutuellement exclusifs, la probabilité de l'événement A ou de l'événement B est P(A ∪ B) = P(A) + P(B) − P(A ∩ B).

*Exemple:* On lance un dé à 6 faces numérotées de 1 à 6.
A: obtenir un chiffre impair.
B: obtenir un chiffre supérieur à 3.
Les événements A et B sont non mutuellement exclusifs, car il est possible d'obtenir un chiffre impair supérieur à 3, donc A ∩ B ≠ ∅.

## expérience aléatoire nom féminin

♦ Expérience rendue incertaine par le hasard. Une expérience est aléatoire si:
  • son résultat dépend du hasard, c'est-à-dire est impossible à prédire avec certitude;
  • l'ensemble de tous les résultats possibles, appelé *univers des résultats possibles,* peut être décrit avant l'expérience. Cet ensemble se note « Ω » et se lit *oméga.*

*Exemple:* Le lancer d'une pièce de monnaie est une expérience aléatoire, car on ne peut pas prédire avec certitude le résultat. L'univers des résultats possibles de cette expérience est Ω = {pile, face}.

  • Une expérience aléatoire peut être réalisée en tenant compte de l'ordre des résultats.
  *Exemple:* Un sac contient 3 billes comportant chacune une des lettres A, B et C. On tire 2 billes du sac. Si on tient compte de l'ordre,
  Ω = {(A, B), (B, A), (A, C), (C, A), (B, C), (C, B)}.

  • Une expérience aléatoire peut être réalisée en ne tenant pas compte de l'ordre des résultats. Dans ce cas, l'univers des résultats possibles comprend généralement moins de résultats.
  *Exemple:* Un sac contient 3 billes comportant chacune une des lettres A, B et C. On tire 2 billes du sac. Si on ne tient pas compte de l'ordre,
  Ω = {(A, B), (A, C), (B, C)}.

a
b
c
d
e
f
g
h
i
j
k
l
m
n
o
p
q
r
s
t
u
v
w
x
y
z

**expérience aléatoire à plusieurs étapes**

♦ Suite d'expériences elles-mêmes aléatoires. La probabilité d'un **événement élémentaire** d'une expérience aléatoire à plusieurs étapes est égale au produit des probabilités de chaque événement intermédiaire formant cet événement, pourvu que les expériences soient indépendantes.

*Exemple:* Lors du lancer d'un dé à 6 faces numérotées de 1 à 6, on cherche la probabilité d'obtenir un 4 suivi d'un 2. Cette expérience aléatoire comporte deux étapes, un premier lancer du dé, suivi d'un deuxième. La probabilité de réalisation de cet événement est de $\frac{1}{6} \times \frac{1}{6} = \frac{1}{36}$.

- Une expérience aléatoire à plusieurs étapes peut être réalisée avec remise. Les probabilités demeurent alors identiques d'étape en étape.

  *Exemple:* Un sac contient 2 billes bleues, 3 rouges et 1 blanche. Avec remise, la probabilité de tirer 2 billes rouges est de $\frac{3}{6} \times \frac{3}{6} = \frac{9}{36} = \frac{1}{4}$.

- Une expérience aléatoire à plusieurs étapes peut être réalisée sans remise. Le résultat d'une étape influence alors les probabilités de l'étape suivante.

  *Exemple:* Un sac contient 2 billes bleues, 3 rouges et 1 blanche. Sans remise, la probabilité de tirer 2 billes rouges est de $\frac{3}{6} \times \frac{2}{5} = \frac{6}{30} = \frac{1}{5}$.

## exponentiation nom féminin

♦ Opération consistant à affecter un exposant à une base afin d'obtenir une puissance.

$$\text{Base}^{\text{exposant}} = \text{puissance}$$

*Exemple:* Dans $3^6 = 729$, la base est 3, l'exposant est 6 et la puissance est 729.

## exponentiel, exponentielle adjectif

→ Voir **fonction exponentielle.**

## exposant nom masculin

♦ Nombre affecté à une base et indiquant le nombre de fois que la base est multipliée par elle-même.

*Exemple:* Dans $3^6$, la base est 3 et l'exposant est 6. L'exposant 6 veut donc dire de multiplier 6 fois la base 3 par elle-même.
$$3^6 = \underbrace{3 \times 3 \times 3 \times 3 \times 3 \times 3}_{6 \text{ fois}} = 729$$

**exposant fractionnaire**

♦ Exposant sous forme de fraction.

*Exemple:* Dans $5^{\frac{1}{2}}$, $\frac{1}{2}$ est un exposant fractionnaire.

## expression algébrique nom féminin

♦ Formule ou expression composée de constantes et de variables reliées entre elles par des symboles d'opérations mathématiques. Une expression algébrique ne comprend pas de signe d'égalité, ni de signe d'inégalité.

*Exemple:* $\frac{2x^3 + 5x}{x + 4}$ est une expression algébrique.

### expression fractionnaire nom féminin
♦ Expression numérique ou algébrique exprimée sous forme de fraction.

*Exemple:* $\frac{3x^2 + 9x}{x - 2}$ et $\frac{137}{31}$ sont des expressions fractionnaires.

### expression numérique nom féminin
♦ Formule ou expression composée de nombres reliés entre eux par des symboles d'opérations mathématiques.

*Exemple:* $3 + 2 \times 7 + 12 \div 4$ est une expression numérique.

### expression rationnelle nom féminin
♦ Quotient de deux polynômes. Une expression rationnelle n'est bien définie que si le diviseur est différent de zéro.

*Exemple:* $\frac{3x + 1}{x - 1}$ est une expression rationnelle où $x \neq 1$.

### expressions conjuguées nom féminin pluriel
♦ TS et SN Paire d'expressions dont l'une est la somme de deux termes et l'autre, la différence de ces deux mêmes termes.

*Exemple:* $3 + \sqrt{x}$ est l'expression conjuguée de $3 - \sqrt{x}$.

### extrêmes nom masculin pluriel
♦ Premier et quatrième termes d'une proportion.

*Exemple:* Dans la proportion $a : b = c : d$ ou $\frac{a}{b} = \frac{c}{d}$, $a$ et $d$ sont les extrêmes.

### extremum nom masculin
♦ Minimum ou maximum d'une fonction. Le minimum d'une fonction est la plus petite valeur de la **variable dépendante,** le maximum est la plus grande valeur de cette même variable.

*Exemple:* Dans la situation représentée par le graphique ci-dessous, la température moyenne ne peut être inférieure à 9 °C, ni supérieure à 18 °C. Les extremums de cette fonction sont donc 9 et 18.

**Variation de la température moyenne
à Montréal pour les 7 derniers jours**

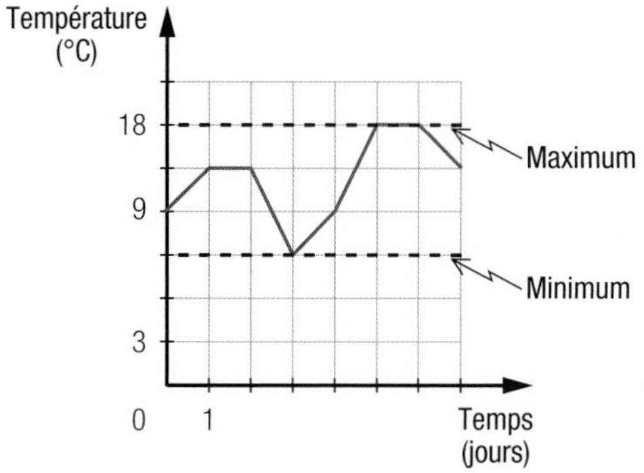

# F f

## face nom féminin
♦ Surface plane ou courbe délimitée par des **arêtes**.

*Exemple :*

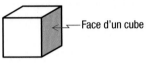

Face d'un cube

## facteur nom masculin
♦ Chaque composante d'une multiplication.

*Exemples :*
1) Dans $5 \times 7 = 35$, les facteurs sont 5 et 7.
2) Dans $(x - 3)(x - 4) = x^2 - 7x + 12$, les facteurs sont $x - 3$ et $x - 4$.

### facteur premier
♦ Facteur qui est un **nombre premier.**
➔ Voir **décomposition d'un nombre en facteurs premiers.**

*Exemple :* Dans $12 = 2 \times 2 \times 3$, 2 et 3 sont des facteurs premiers.

## factorielle [!] nom féminin
♦ TS et SN La factorielle d'un nombre naturel $n$ se note $n!$ et elle se définit par
$n! = n \times (n - 1) \times (n - 2) \times (n - 3) \times ... \times 3 \times 2 \times 1$, lorsque $n > 0$.
Par convention, $0! = 1$.
*Exemple :* La factorielle de 6 se note $6!$
$$6! = 6 \times 5 \times 4 \times 3 \times 2 \times 1$$
$$= 720$$

## factorisation nom féminin
♦ Représentation d'un nombre ou d'un polynôme sous forme d'un produit de **facteurs.**

*Exemples :*
1) $24 = 3 \times 8$
2) $x^2 - 7x + 12 = (x - 3)(x - 4)$

## factorisation d'un polynôme

♦ Écriture d'un polynôme sous forme d'un produit de polynômes.

Le tableau ci-dessous présente différentes méthodes de factorisation d'un polynôme.

| Méthode | Exemple |
|---|---|
| Mise en évidence simple<br>$ax + ay = a(x + y)$ | $3x^2 + 9x = 3x(x + 3)$ |
| Mise en évidence double<br>$ax + ay + bx + by$<br>$= a(x + y) + b(x + y)$<br>$= (a + b)(x + y)$ | $2x^2 + 4x + 3x + 6$<br>$= 2x(x + 2) + 3(x + 2)$<br>$= (2x + 3)(x + 2)$ |
| Différence de deux carrés<br>$a^2 - b^2 = (a + b)(a - b)$ | $4x^2 - 9y^2 = (2x + 3y)(2x - 3y)$ |
| Trinôme carré parfait<br>$x^2 \pm 2xy + y^2 = (x \pm y)^2$ | $x^2 - 18x + 81 = (x - 9)^2$ |
| Trinôme unitaire<br>$x^2 + bx + c = (x + u)(x + v)$<br>où $u + v = b$ et $uv = c$ | $x^2 - 7x + 12 = (x - 3)(x - 4)$ |
| Trinôme général<br>$ax^2 + bx + c = (mx + u)(nx + v)$<br>où $mn = a$, $uv = c$ et $mv + nu = b$ | $4x^2 + 23x + 15 = 4x^2 + 20x + 3x + 15$<br>$= 4x(x + 5) + 3(x + 5)$<br>$= (4x + 3)(x + 5)$ |
| Différence de cubes<br>$x^3 - y^3 = (x - y)(x^2 + xy + y^2)$ | $x^3 - 8y^3 = (x - 2y)(x^2 + 2xy + 4y^2)$ |
| Somme de cubes<br>$x^3 + y^3 = (x + y)(x^2 - xy + y^2)$ | $8x^3 + 27y^3 = (2x + 3y)(4x^2 - 6xy + 9y^2)$ |

## factorisation première

♦ Écriture d'un nombre naturel supérieur à 1 sous forme d'un produit de **facteurs premiers.** Cette factorisation est unique.

*Exemple:* La factorisation première de 24 est $2 \times 2 \times 2 \times 3$.

## factorisation primaire

♦ Écriture d'un nombre naturel supérieur à 1 sous forme d'un produit de puissances de **nombres premiers.** Chaque nombre premier n'apparaît qu'une seule fois dans cette factorisation.

*Exemple:* La factorisation primaire de 24 est $2^3 \times 3$.

**famille de fonctions** nom féminin
♦ Modèle mathématique servant à décrire différentes situations données de la vie quotidienne.

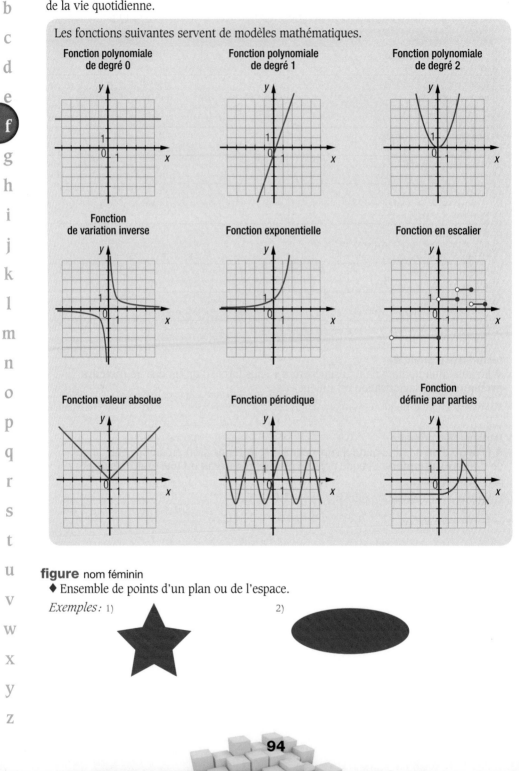

Les fonctions suivantes servent de modèles mathématiques.

**Fonction polynomiale de degré 0**

**Fonction polynomiale de degré 1**

**Fonction polynomiale de degré 2**

**Fonction de variation inverse**

**Fonction exponentielle**

**Fonction en escalier**

**Fonction valeur absolue**

**Fonction périodique**

**Fonction définie par parties**

**figure** nom féminin
♦ Ensemble de points d'un plan ou de l'espace.

*Exemples :* 1)　　　　　　　2)

**figure circonscrite**

♦ Figure géométrique sur le périmètre de laquelle se retrouvent tous les sommets d'une autre figure géométrique, ou dont tous les côtés sont tangents à un cercle se trouvant à l'intérieur de son périmètre.

*Exemples:*

1) Losange circonscrit à un carré

2) Triangle circonscrit à un trapèze

3) Carré circonscrit à un cercle

Tous les côtés du carré sont tangents au cercle.

**figure géométrique**

♦ Ensemble de points, dans un espace de dimension donnée. Une figure géométrique peut avoir 0, 1, 2 ou 3 dimensions.

- Le point est la seule figure géométrique sans dimension.
  *Exemple:* •⟵ Point

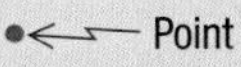

- La droite est une figure géométrique à 1 dimension.
  *Exemple:*

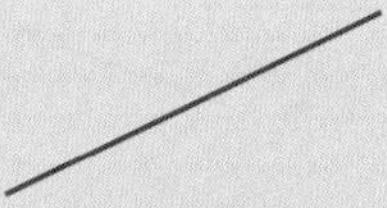

- Beaucoup de figures planes sont des figures géométriques à 2 dimensions.
  *Exemple:*

- Les solides sont des figures géométriques à 3 dimensions.
  *Exemple:*

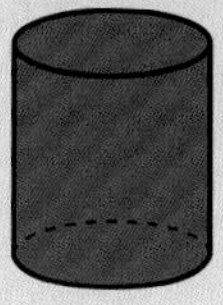

a b c d e f g h i j k l m n o p q r s t u v w x y z

a
b
c
d
e
**f**
g
h
i
j
k
l
m
n
o
p
q
r
s
t
u
v
w
x
y
z

### figure image

♦ Figure obtenue par l'application d'une **transformation géométrique** à une figure initiale.

*Exemple:* La figure A'B'C' est la figure image obtenue par la translation *t* appliquée à la figure initiale ABC.

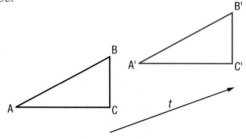

### figure initiale

♦ Figure à laquelle on applique une **transformation géométrique.**

*Exemple:* La figure ABC est la figure initiale à laquelle on a appliqué la translation *t* pour obtenir la figure image A'B'C'.

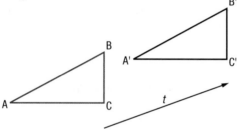

### figure inscrite

♦ Figure géométrique dont tous les sommets se trouvent sur le périmètre d'une autre figure géométrique ou qui est **tangente** à tous les côtés de cette autre figure.

*Exemples:*

1) Carré inscrit dans un triangle

2) Pentagone inscrit dans un carré

3) Cercle inscrit dans un carré

Le cercle est tangent à tous les côtés du carré.

### figure plane

♦ Figure géométrique dont tous les points sont situés dans un même plan.

*Exemples:* Les figures ci-dessous sont des figures planes.

1)    2)    3)

### figures équivalentes

♦ CST et TS Figures ayant la même **aire.**

*Exemple:* Les deux figures ci-dessous sont des figures planes équivalentes, car elles ont la même aire.

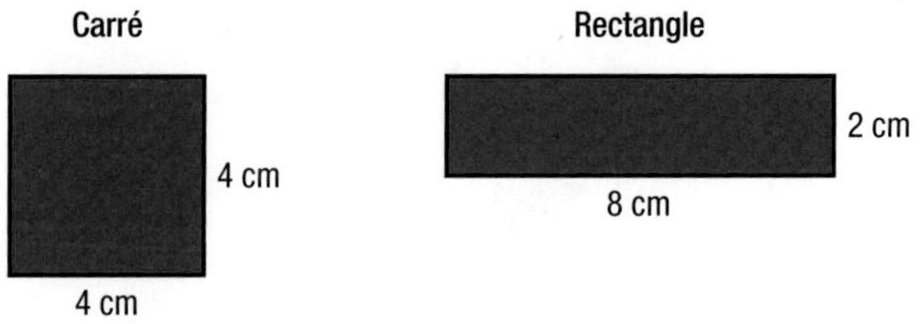

| Carré | Rectangle |
|---|---|

$$A_c = c^2$$
$$= (4 \text{ cm})^2$$
$$= 16 \text{ cm}^2$$

$$A_r = b \times h$$
$$= 8 \text{ cm} \times 2 \text{ cm}$$
$$= 16 \text{ cm}^2$$

### figures isométriques [≅]

♦ Figures géométriques ayant la même forme et les mêmes dimensions. Des figures isométriques sont parfaitement superposables.

> Deux figures A et B sont isométriques si on peut trouver au moins une **isométrie** qui transforme la figure initiale A en la figure image B.
>
> *Exemple:* Soit trois hexagones réguliers. Les hexagones réguliers A et B sont isométriques, A ≅ B, alors que l'hexagone régulier C n'est pas isométrique aux deux autres.
>
>
> 1,5 cm      1,5 cm      2 cm

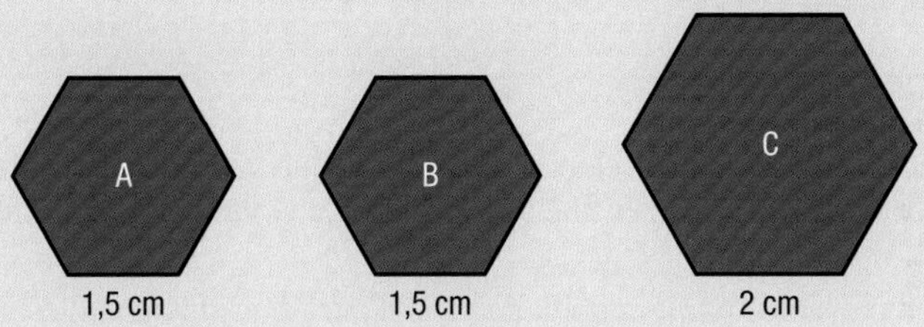

➤ Voir **conditions minimales des triangles isométriques.**

### figures semblables [~]

♦ Deux figures géométriques sont semblables lorsque l'une est un agrandissement, une réduction ou la reproduction exacte de l'autre.

*Exemple:* Les triangles ci-dessous sont semblables, $\triangle ABC \sim \triangle DEF$, puisque les mesures des côtés homologues du triangle DEF sont 1,5 fois plus grandes que celles du triangle ABC et que les mesures de leur angles homologues sont isométriques.

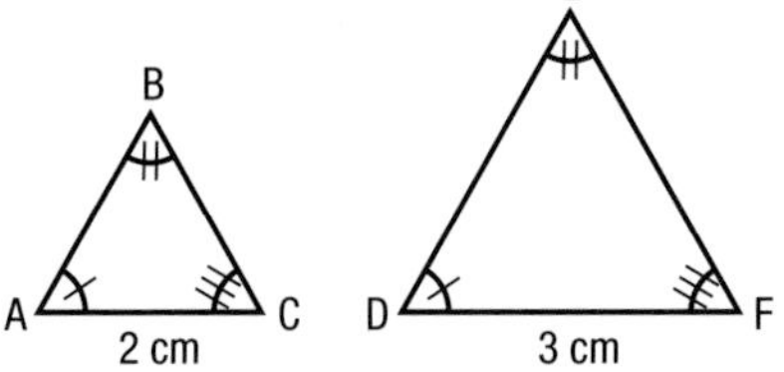

➤ Voir **conditions minimales des triangles semblables.**

a
b
c
d
e
**f**
g
h
i
j
k
l
m
n
o
p
q
r
s
t
u
v
w
x
y
z

**figures symétriques**

♦ Figure et son image associées par une **réflexion** et symétriques par rapport à un axe de réflexion.

*Exemple:* Ces deux figures sont symétriques par rapport à l'axe de réflexion *s*.

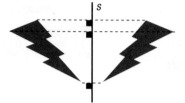

**figure symétrique**

♦ Figure qui admet au moins un axe de symétrie et qui est sa propre image par une **réflexion** par rapport à cet axe ou à ces axes.

*Exemple:*

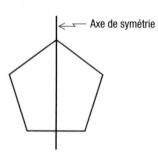

← Axe de symétrie

**fonction** nom féminin

♦ Relation entre deux variables selon laquelle, à chaque valeur de la **variable indépendante** correspond une et une seule valeur de la **variable dépendante**.

*Exemples:*

1) La relation représentée par le graphique ci-dessous est une fonction. La variable indépendante est *x* et la variable dépendante est *y*.

2) La relation suivante n'est pas une fonction puisqu'il existe plus d'une valeur possible de la variable dépendante, *y*, pour la plupart des valeurs de la variable indépendante, *x*. Ici, pour $x = 0$, on a $y = {}^-3$ et $y = 3$.

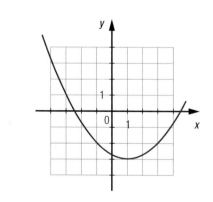

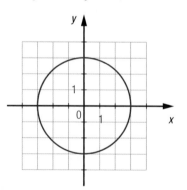

**fonction affine**
♦ Fonction dont la règle s'écrit $f(x) = ax + b$, où a et b sont des nombres réels.

- Le domaine d'une fonction affine est $\mathbb{R}$ et son codomaine est :
  1. $\mathbb{R}$ si $a \neq 0$;
  2. $\{b\}$ si $a = 0$.
- Sa représentation graphique est une droite.

*Exemple :* Les fonctions suivantes sont des fonctions affines.

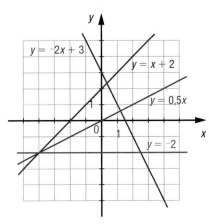

**fonction à optimiser**
♦ Fonction dont la règle s'écrit $z = ax + by + c$, où a, b et c sont des nombres réels. Cette fonction permet de comparer des couples $(x, y)$ et de déterminer, parmi ces couples, celui qui constitue la solution la plus avantageuse pour un objectif donné.

*Exemple :* Jacques a une compagnie qui fabrique des chandails et des pantalons. Chaque chandail lui rapporte 30 $ et chaque pantalon, 40 $. Si Jacques veut maximiser ses profits, la fonction à optimiser peut donc être définie par $z = 30x + 40y$, où $x$ représente le nombre de chandails vendus et $y$ représente celui des pantalons.

**fonction arc cosinus**
♦ TS et SN **Réciproque** de la **fonction cosinus** de base.
Sa règle s'écrit $f(x) = \arccos x$ ou $f(x) = \cos^{-1} x$.

- Le domaine de la fonction arc cosinus est $[-1, 1]$ et son codomaine est $[0, \pi]$.
- Sa représentation graphique est :

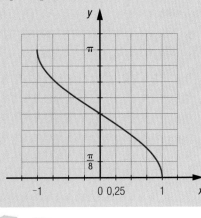

### fonction arc sinus

♦ TS et SN **Réciproque** de la **fonction sinus** de base.

Sa règle s'écrit $f(x) = \arcsin x$ ou $f(x) = \sin^{-1} x$.

- Le domaine de la fonction arc sinus est $[-1, 1]$ et son codomaine est $\left[-\frac{\pi}{2}, \frac{\pi}{2}\right]$.
- Sa représentation graphique est :

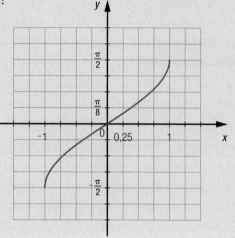

### fonction arc tangente

♦ TS et SN **Réciproque** de la **fonction tangente** de base.

Sa règle s'écrit $f(x) = \arctan x$ ou $f(x) = \tan^{-1} x$.

- Le domaine de la fonction arc tangente est $\mathbb{R}$ et son codomaine est $\left]-\frac{\pi}{2}, \frac{\pi}{2}\right[$.
- Sa représentation graphique est :

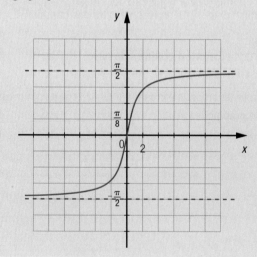

**fonction constante**
➤ Voir **fonction de variation nulle.**

**fonction cosinus**
◆ TS et SN **Fonction sinusoïdale** dont la règle de la **fonction de base** s'écrit $f(x) = \cos x$.

- La règle d'une fonction cosinus générale s'écrit $f(x) = a \cos b(x - h) + k$,
  où $(h, k + a)$ est un maximum et $(h, k - a)$ est un minimum.
  Les paramètres a, b, h et k sont des nombres réels, où a et b sont différents de 0.
- Le domaine d'une fonction cosinus est $\mathbb{R}$ et son codomaine est $[k - a, k + a]$.

*Exemple:* La fonction $f(x) = 3 \cos 2(x - 2) - 1$ est représentée
par le graphique ci-dessous.
Ici, h = 2, a = 3 et k = -1
Le maximum est: Max $f = 2$
Le minimum est: Min $f = -4$

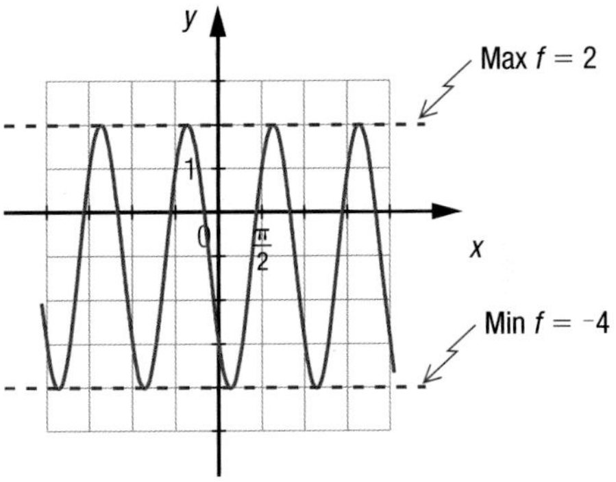

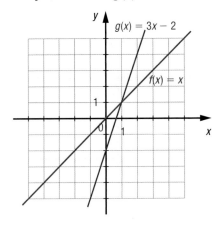

**fonction de base**
◆ Fonction la plus simple d'une **famille de fonctions.**

*Exemple:* La fonction de base de la famille des fonctions polynomiales de degré 1
est $f(x) = x$. La forme générale d'une fonction de cette famille est $p(x) = ax + b$,
où $a \neq 0$, telle que, par exemple, la fonction $g(x) = 3x - 2$.

a
b
c
d
e
**f**
g
h
i
j
k
l
m
n
o
p
q
r
s
t
u
v
w
x
y
z

**fonction définie par parties**

♦ Fonction constituée de la juxtaposition de plusieurs fonctions définies sur différents intervalles de son **domaine.** Les parties constituant une telle fonction peuvent provenir d'une ou de plusieurs familles de fonctions.

*Exemple:* Pour se rendre à l'épicerie en voiture, Maxime parcourt d'abord 5 km en 4 min. Il s'arrête 2 min à un feu rouge, puis fait les 3 derniers km en 2 min pour arriver à l'épicerie. Soit $x$ le temps (en min) et $y$ la distance parcourue par Maxime (en km). Cette situation peut être définie et représentée graphiquement comme suit:

$f_1(x) = \frac{5}{4}x$ pour $x \in [0, 4]$

$f_2(x) = 5$ pour $x \in [4, 6]$

$f_3(x) = \frac{3}{2}x - 4$ pour $x \in [6, 8]$

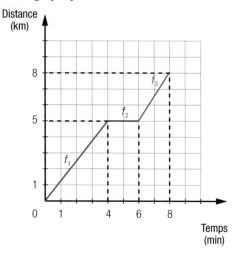

**fonction de variation directe**

♦ Fonction traduisant une **situation de proportionnalité** et dont des variations constantes et non nulles de la variable indépendante entraînent des variations constantes et non nulles de la variable dépendante. La règle de cette fonction s'écrit $f(x) = ax$, où a est un nombre réel non nul.

- Le domaine de la fonction de variation directe est $\mathbb{R}$, tout comme son codomaine.
- Sa représentation graphique est une droite oblique passant par l'origine du plan cartésien.

*Exemple:* La fonction $f(x) = 0,5x$ est une fonction de variation directe.

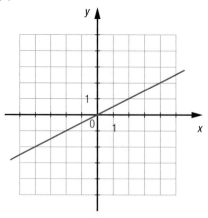

### fonction de variation inverse

♦ Fonction dont la variable dépendante est **inversement proportionnelle** à la variable indépendante, c'est-à-dire dont la règle de base est $f(x) = \frac{a}{x}$, où a est un nombre réel non nul. Pour une telle fonction, le produit de la variable dépendante par la variable indépendante est constant et égal à a.

- Le domaine de la fonction inverse est $\mathbb{R}\backslash\{0\}$, tout comme son codomaine.
- Sa représentation graphique est une courbe dont les extrémités se rapprochent de plus en plus de chaque axe sans jamais le toucher.

*Exemple :* La fonction $f(x) = -\frac{2}{x}$ est une fonction de variation inverse.

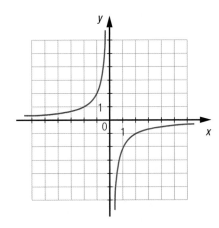

### fonction de variation nulle

♦ Fonction dont des variations de la variable indépendante n'entraînent aucune variation de la variable dépendante. La règle de cette fonction s'écrit $f(x) = a$, où a est un nombre réel. La fonction de variation nulle est aussi appelée *fonction constante.*

- Le domaine de cette fonction est $\mathbb{R}$ et son codomaine est $\{a\}$.
- Sa représentation graphique est une droite parallèle à l'axe des abscisses.

*Exemple :* La fonction $f(x) = -3$ est une fonction de variation nulle.

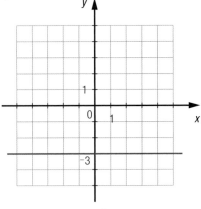

a
b
c
d
e
**f**
g
h
i
j
k
l
m
n
o
p
q
r
s
t
u
v
w
x
y
z

### fonction de variation partielle

♦ Fonction ne traduisant pas une **situation de proportionnalité,** mais dont des variations constantes de la variable indépendante entraînent des variations constantes et non nulles de la variable dépendante. La règle de cette fonction s'écrit $f(x) = ax + b$, où a et b sont des nombres réels non nuls.

- Le domaine de la fonction de variation partielle est $\mathbb{R}$, tout comme son codomaine.
- Sa représentation graphique est une droite oblique ne passant pas par l'origine du plan cartésien.

➜ Voir **fonction affine.**

*Exemple:* La fonction $f(x) = {}^-2x - 3$ est une fonction de variation partielle.

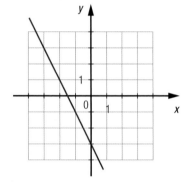

### fonction du plus grand entier
♦ ➜ Voir **fonction partie entière.**

### fonction en escalier
♦ ➜ Voir **fonction partie entière.**

### fonction exponentielle
♦ Fonction définie par une règle dans laquelle la variable indépendante apparaît en exposant. La règle de la **fonction de base** s'écrit $f(x) = b^x$, où b, la base, est un nombre réel supérieur à 0 et différent de 1.

- La règle de la fonction exponentielle générale s'écrit, dans sa **forme canonique,** $f(x) = ac^x + k$, où a, c et k sont des nombres réels, a étant différent de 0 et c, supérieur à 0 et différent de 1.
- Le domaine de la fonction exponentielle est $\mathbb{R}$ et son codomaine est:
  1. $]k, {}^+\infty[$ si $a > 0$;
  2. $]{}^-\infty, k[$ si $a < 0$.
- Sa représentation graphique est une courbe passant par le point $(0, a + k)$, dont l'une des extrémités a pour **asymptote** horizontale la droite d'équation $y = k$.

*Exemple:* La fonction exponentielle $f(x) = 2(1,5)^x + 1$ peut être représentée graphiquement de la façon suivante.

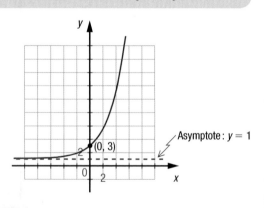

Asymptote: $y = 1$

**fonction logarithmique**

◆ TS et SN Fonction de la famille des fonctions logarithmiques dont la règle de la **fonction de base** s'écrit $f(x) = \log_c x$, où c est un nombre réel supérieur à 0 et différent de 1. La fonction logarithmique est la **réciproque** de la fonction exponentielle.

- La règle de la fonction logarithmique générale s'écrit, dans sa **forme canonique,** $f(x) = \log_c b(x - h)$, où b, c et h sont des nombres réels, b étant différent de 0 et c, un nombre supérieur à 0 et différent de 1.
- Le domaine de la fonction logarithmique est :
  1. $]h, {}^+\infty[$ si b > 0 ;
  2. $]{-}\infty, h[$ si b < 0.
  et son codomaine est $\mathbb{R}$.
- Sa représentation graphique est une courbe passant par le point de coordonnées $\left(\frac{1}{b} + h, 0\right)$ et l'une de ses extrémités a pour **asymptote** verticale une droite d'équation $x = h$.

*Exemple :* La fonction logarithmique $f(x) = \log_2 3(x - 1)$ peut être représentée graphiquement de la façon suivante.

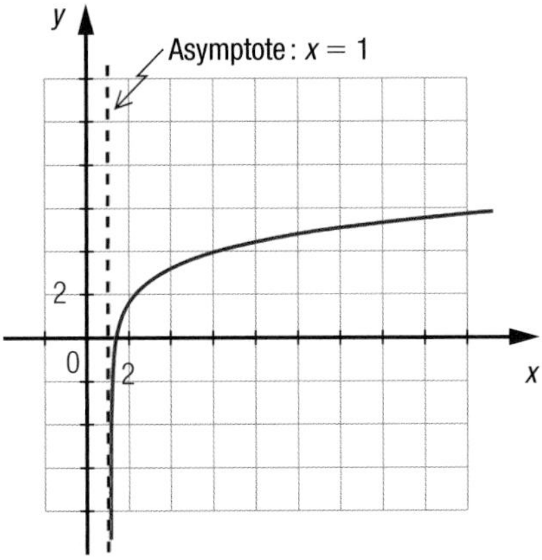

➜ Voir **logarithme.**

**fonction objectif**

◆ ➜ Voir **fonction à optimiser.**

### fonction partie entière

◆ TS et SN Fonction constante sur certains intervalles et variable pour certaines valeurs de la variable indépendante, appelées *valeurs critiques.* La règle de la **fonction de base** s'écrit $f(x) = [x]$.

> • La règle de la fonction partie entière générale s'écrit, dans sa **forme canonique,** $f(x) = a[b(x - h)] + k$, où a et b sont des nombres réels différents de 0.
> • Le domaine de la fonction partie entière est IR et son codomaine est $\{..., k - 2a, k - a, k, k + a, k + 2a, k + 3a, ...\}$.
> • Sa représentation graphique est faite de segments horizontaux disposés en escalier, dont une extrémité est représentée par un rond vide, l'autre par un rond plein.
> • La distance verticale entre deux segments consécutifs est égale à $|a|$.
> • La longueur de chaque segment est égale à $\frac{1}{|b|}$.
> • Les coordonnées d'un des points pleins situés à l'extrémité d'un segment sont (h, k).

➔ Voir **partie entière.**

*Exemple:* La fonction partie entière $f(x) = -2[0,5(x + 1)] + 2$ peut être représentée graphiquement de la façon suivante.

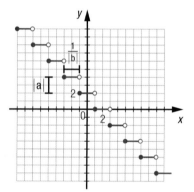

### fonction périodique

◆ TS et SN Une fonction $f(x)$ est périodique si, pour un certain nombre réel p supérieur à 0, on a $f(x + p) = f(x)$, quel que soit $x$. Le nombre p s'appelle la **période.** La représentation graphique d'une telle fonction comporte un « motif » répétitif.

> • Les fonctions sinus, cosinus et tangente sont des fonctions périodiques.
> • L'écart entre les abscisses situées aux extrémités de ce « motif » est égal à p, la période de la fonction.

*Exemple:* La fonction $f(x) = \sin x$ est une fonction périodique et peut être représentée graphiquement de la façon suivante. Sa période est égale à $2\pi$.

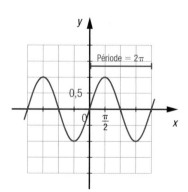

**fonction polynomiale**
◆ Fonction dont la règle s'écrit à l'aide d'un **polynôme.**

*Exemple :* La fonction $f(x) = 3x^2 + 8x + 12$ est une fonction polynomiale.

**fonction polynomiale de degré 0**
◆ Fonction représentée graphiquement par une droite horizontale. La règle de cette fonction s'écrit à l'aide d'un polynôme de degré 0. Cette fonction peut aussi être appelée **fonction constante** ou **fonction de variation nulle.**

*Exemple :* $f(x) = 3$

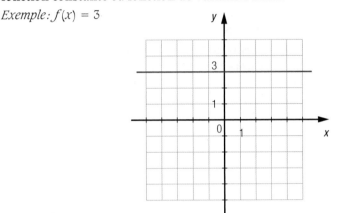

**fonction polynomiale de degré 1**
◆ Fonction représentée graphiquement par une droite oblique. La règle de cette fonction s'écrit à l'aide d'un polynôme de degré 1.
➜ Voir **fonction affine, fonction de variation directe** et **fonction de variation partielle.**

*Exemple :* $f(x) = 3x - 2$

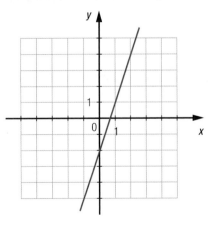

**fonction polynomiale de degré 2**
◆ Fonction qui s'écrit à l'aide d'un polynôme de degré 2 et, plus précisément, dont la règle a la forme $f(x) = ax^2 + bx + c$, où $a \neq 0$. Sa représentation graphique prend toujours la forme d'une **parabole.**
➜ Voir **fonction quadratique.**

### fonction polynomiale de degré *n*

◆ Fonction dont la règle s'écrit à l'aide d'un polynôme de degré *n,* où *n* est un nombre naturel supérieur à 0.

Plus précisément, la règle d'une fonction polynomiale de degré *n* s'écrit ainsi :
$f(x) = a_n x^n + a_{n-1}x^{n-1} + a_{n-2}x^{n-2} + ... + a_1 x + a_0$, où *n* est un nombre naturel supérieur à 0 indiquant le degré de la fonction polynomiale et pourvu que $a_n \neq 0$.

### fonction quadratique

◆ Fonction dont la règle de la **fonction de base** s'écrit $f(x) = x^2$.

- La règle de la fonction quadratique générale s'écrit, dans sa **forme canonique,** $f(x) = a(x - h)^2 + k$ et, dans sa **forme générale,** $f(x) = ax^2 + bx + c$. Les paramètres a, b, c, h et k sont des nombres réels, a étant différent de 0.
- Le domaine de la fonction quadratique est $\mathbb{R}$.
  Le codomaine de la fonction quadratique, lorsqu'elle est donnée dans sa forme canonique, est :
  1. $[k, +\infty[$ si a > 0 ;
  2. $]-\infty, k]$ si a < 0.
- Le codomaine de la fonction quadratique, lorsqu'elle est donnée dans sa **forme générale,** est :
  1. $\left[ f\left(\frac{-b}{2a}\right), +\infty\right[$ si a > 0 ;
  2. $\left]-\infty, f\left(\frac{-b}{2a}\right)\right]$ si a < 0.
- On peut trouver les zéros de la fonction quadratique à l'aide de la **formule quadratique.**
- Sa représentation graphique est une **parabole.** La parabole est symétrique par rapport à un axe vertical. Lorsque la fonction quadratique est écrite dans sa forme :
  1. canonique, les coordonnées du sommet de la parabole sont (h, k) et l'équation de son axe de symétrie est $x = h$ ;
  2. générale, les coordonnées du sommet de la parabole sont $\left(\frac{-b}{2a}, \frac{4ac - b^2}{4a}\right)$ et l'équation de son axe de symétrie est $x = -\frac{b}{2a}$. L'ordonnée à l'origine de la parabole est égale à c.

*Exemple :* $f(x) = 3x^2 - 2x + 1$
Ici, a = 3, b = -2 et c = 1
Les coordonnées du sommet sont :
$\left(\frac{-(-2)}{2 \times 3}, \frac{4 \times 3 \times 1 - (-2)^2}{4 \times 3}\right)$
$\left(\frac{1}{3}, \frac{2}{3}\right)$

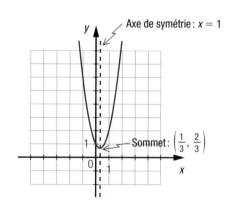

Axe de symétrie : x = 1

Sommet : $\left(\frac{1}{3}, \frac{2}{3}\right)$

**fonction racine carrée**

♦ Ts et SN Fonction dont la règle de la **fonction de base** s'écrit $f(x) = \sqrt{x}$.

- La règle de la fonction générale s'écrit, dans sa **forme canonique,** $f(x) = a\sqrt{b(x - h)} + k$, où $a \neq 0$ et $b \neq 0$. Toutefois, les propriétés des radicaux permettent de transformer cette règle sous la forme $f(x) = a\sqrt{\pm(x - h)} + k$, où a, h et k sont des nombres réels et a est différent de 0.
- Le domaine de la fonction racine carrée est :
  1. $[h, +\infty[$ si le signe devant $(x - h)$ est positif ;
  2. $]-\infty, h]$ si le signe devant $(x - h)$ est négatif.
- Son codomaine est :
  1. $[k, +\infty[$ si $a > 0$ ;
  2. $]-\infty, k]$ si $a < 0$.
- La **réciproque** d'une fonction polynomiale de degré 2 correspond à une relation définie par deux fonctions racine carrée.
- Sa représentation graphique est une courbe dont les coordonnées du sommet sont (h, k).

*Exemple :* $f(x) = 2\sqrt{-(x - 3)} - 1$

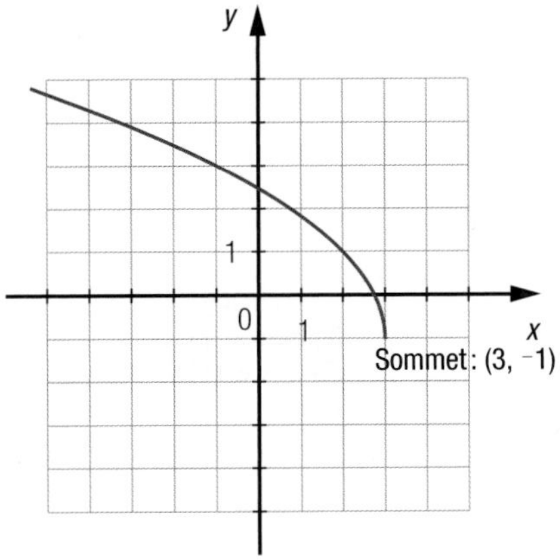

Sommet : (3, ⁻1)

### fonction rationnelle

◆ TS et SN Fonction dont la règle de la **fonction de base** s'écrit $f(x) = \frac{1}{x}$.

- La règle de la fonction rationnelle générale s'écrit, dans sa **forme canonique**, $f(x) = \frac{a}{x - h} + k$, où a, h et k sont des nombres réels non nuls et, dans sa forme générale, $f(x) = \frac{a_1 x + b_1}{a_2 x + b_2}$, où le numérateur et le dénominateur sont non nuls et où $a_2$ est différent de 0.

- Pour écrire, dans sa forme canonique, la règle d'une fonction donnée dans sa forme générale, il suffit de diviser le numérateur par le dénominateur.
  *Exemple:* Soit $f(x) = \frac{3x - 7}{4 - x}$.

$$
\begin{array}{r|l}
3x - 7 & -x + 4 \\
\underline{(3x - 12)} & -3 \\
5 &
\end{array}
$$

On a $f(x) = \frac{5}{4 - x} - 3$.

- Le domaine d'une fonction rationnelle est $\mathbb{R}\backslash\{h\}$ et son codomaine est $\mathbb{R}\backslash\{k\}$.

- La représentation graphique de la fonction rationnelle est une courbe nommée *hyperbole* dont les branches ont pour **asymptote** verticale une droite d'équation $x = h$ et pour asymptote horizontale une droite d'équation $y = k$.

- Le point d'intersection des deux asymptotes correspond au centre de l'hyperbole, et ses coordonnées sont (h, k).

*Exemple:* $f(x) = \frac{2}{x - 1} - 2$

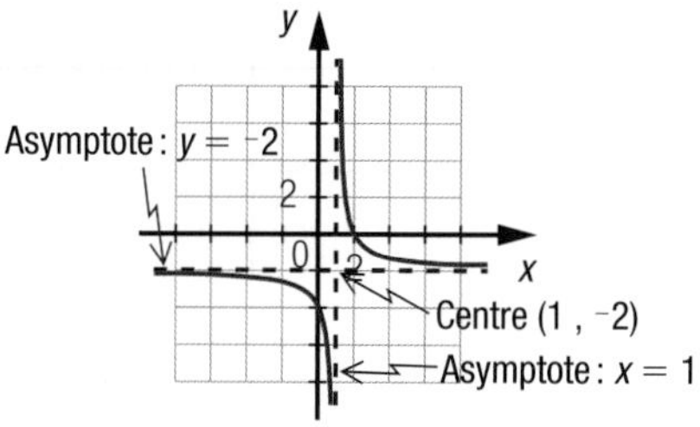

### fonction sinus

◆ TS et SN **Fonction périodique** dont la règle de la **fonction de base** s'écrit $f(x) = \sin x$.

- La règle de la fonction sinus générale s'écrit, dans sa **forme canonique** $f(x) = a \sin b(x - h) + k$, où les paramètres a, b, h et k sont des nombres réels et où a et b sont différents de 0.

- Le couple dont les coordonnées sont (h, k) est un **point d'inflexion** du graphique de $f(x)$.

- Le domaine de cette fonction est $\mathbb{R}$ et son codomaine est $[k - a, k + a]$.

*Exemple:* La fonction $f(x) = 3 \sin 2(x - 2) - 1$ est représentée dans le graphique ci-contre.

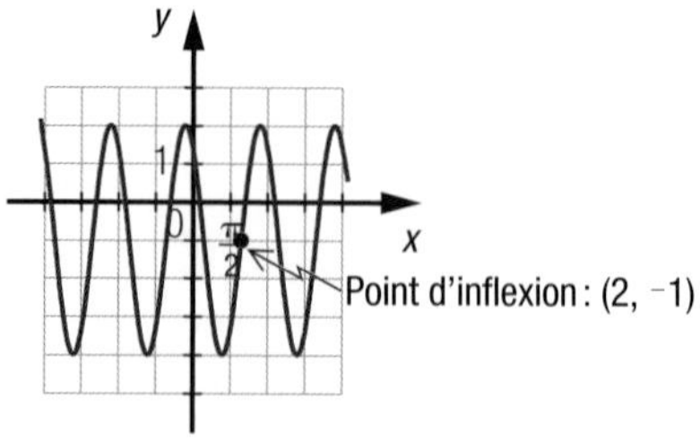

### fonction sinusoïdale

♦ TS et SN **Fonction périodique** dont la règle peut s'écrire sous la forme
$f(x) = a \sin b(x - h) + k$ ou $f(x) = a \cos b(x - h) + k$, où les paramètres a, b, h et k sont des nombres réels et où a et b sont différents de 0.

Dans une fonction sinusoïdale,
- l'**amplitude** $A$ est déterminée par $\frac{\max f - \min f}{2}$ et est égale à la valeur absolue du paramètre a;
- la **période** $p$ est égale à $\frac{2\pi}{|b|}$;
- un **cycle** correspond graphiquement à la plus petite portion de la courbe associée au «motif» répété.

➙ Voir **fonction sinus** et **fonction cosinus**.

*Exemple:* La fonction $f(x) = 3 \sin 2(x - 2) - 1$
est représentée dans le graphique ci-contre.

$A = \frac{\max f - \min f}{2} = \frac{2 - ^-4}{2} = \frac{6}{2} = 3$

$p = \frac{2\pi}{|b|} = \frac{2\pi}{2} = \pi$

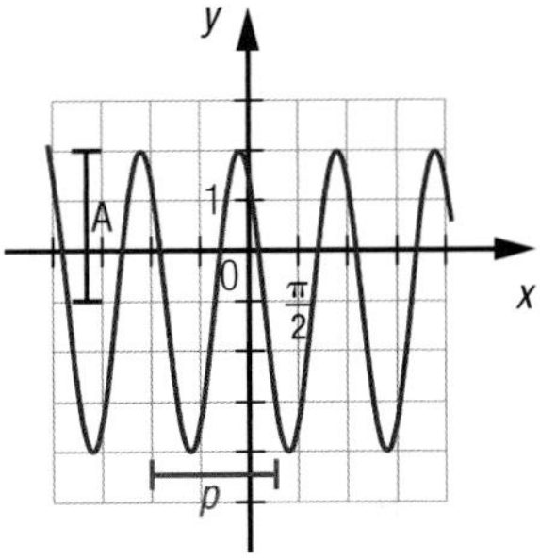

### fonction tangente

♦ TS et SN **Fonction périodique** dont la règle de la **fonction de base** s'écrit $f(x) = \tan x$.

- La règle de la fonction tangente générale s'écrit, dans sa **forme canonique**, $f(x) = a \tan b(x - h) + k$, où les paramètres a, b, h et k sont des nombres réels et où a et b sont différents de 0.
- Le domaine d'une fonction tangente est $\mathbb{R}$ moins toutes les valeurs des **asymptotes** verticales, et son codomaine est $\mathbb{R}$.
- Dans la représentation graphique d'une fonction tangente,
  1. toutes les asymptotes sont verticales et situées à égale distance les unes des autres;
  2. la distance entre deux asymptotes verticales consécutives est égale à la **période** $p$ de la fonction et est égale à $\frac{\pi}{|b|}$;
  3. (h, k) sont les coordonnées d'un **point d'inflexion** de la courbe.

*Exemple:* La fonction $f(x) = 0,5 \tan(x - \pi) - 1$
est représentée par le graphique ci-contre.

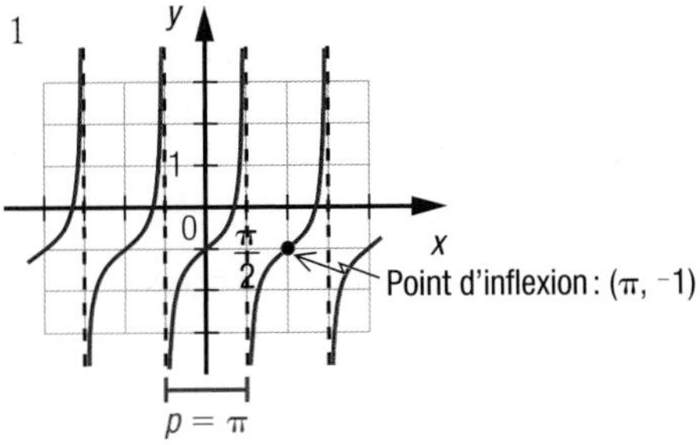

Point d'inflexion : $(\pi, ^-1)$

$p = \pi$

### fonction trigonométrique

♦ TS et SN Terme général désignant, entre autres, les fonctions sinus, cosinus et tangente qu'on utilise dans l'étude et les applications de la trigonométrie circulaire.

a
b
c
d
e
**f**
g
h
i
j
k
l
m
n
o
p
q
r
s
t
u
v
w
x
y
z

### fonction valeur absolue

♦ TS et SN Fonction dont la règle de la **fonction de base** s'écrit $f(x) = |x|$.

- La règle de la fonction valeur absolue générale s'écrit, dans sa **forme canonique**, $f(x) = a|b(x - h)| + k$, où a, b, h et k sont des nombres réels, a et b étant différents de 0.
- Le domaine de cette fonction est ℝ et son codomaine est:
  1. $[h, +\infty[$ si a > 0;
  2. $]-\infty, h]$ si a < 0.
- Sa représentation graphique correspond à deux demi-droites formant un «V» dont les coordonnées du sommet sont (h, k).

*Exemple:* $f(x) = 2|x + 2| - 1$

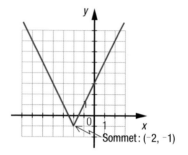

Sommet: $(-2, -1)$

## forme canonique

♦ Forme d'écriture paramétrique d'une équation.

Passage de l'écriture d'une fonction donnée dans sa **forme générale** à son écriture dans sa **forme canonique.**

- Fonction polynomiale de degré 1: $Ax + By + C = 0$
  Isoler la variable y dans l'équation présentée dans sa forme générale.
  *Exemple:* Soit la fonction $9x + 3y - 15 = 0$. On isole la variable y.
  $9x + 3y - 15 = 0$
  $y = -3x + 5$
  La forme canonique de cette fonction est $y = -3x + 5$.
- Fonction polynomiale de degré 2: $y = ax^2 + bx + c$
  1. La valeur du paramètre a est la même dans les deux formes d'écriture.
  2. La valeur du paramètre h correspond à $-\frac{b}{2a}$.
  3. La valeur du paramètre k correspond à $\frac{4ac - b^2}{4a}$.
  *Exemple:* Soit la fonction $y = 2x^2 + 8x + 12$
  $a = 2$
  $h = \frac{-b}{2a} = \frac{-8}{2(2)} = -2$
  $k = \frac{4ac - b^2}{4a} = \frac{4(2)(12) - 8^2}{4(2)} = 4$
  La forme canonique de cette fonction est $y = 2(x + 2)^2 + 4$.

## forme développée

♦ Écriture mettant en évidence la valeur de chaque chiffre d'un nombre.

*Exemple:* Sous la forme développée avec notation exponentielle, le nombre 43,526 1 s'écrit: $4 \times 10^1 + 3 \times 10^0 + 5 \times 10^{-1} + 2 \times 10^{-2} + 6 \times 10^{-3} + 1 \times 10^{-4}$.

## forme exponentielle
♦ Écriture d'une expression de la façon suivante : $m = c^n$, où $c$ est la base, $n$ est l'exposant et $m$ est la puissance, $m$, $n$ et $c$ étant des nombres réels.

Pour $m$ supérieur ou égal à 0 et une base $c$ supérieure à 0 et différente de 1, l'équivalence suivante permet de passer d'une forme d'écriture exponentielle à une forme d'écriture logarithmique, et inversement.

**Forme exponentielle**                    **Forme logarithmique**

Puissance   Base   Exposant          Logarithme   Base   Argument

$$m = c^n \qquad \Leftrightarrow \qquad n = \log_c m$$

*Exemple :* $216 = 6^3$ est une écriture exponentielle.

## forme factorisée
♦ Écriture d'un **polynôme** sous forme d'un produit de polynômes.

Lorsqu'une **fonction quadratique** a deux zéros, il est possible d'écrire la règle sous la forme factorisée $f(x) = a(x - x_1)(x - x_2)$, où $x_1$ et $x_2$ sont les deux zéros de la fonction.
Dans le cas où il n'existe qu'un seul zéro, on a $x_1 = x_2$, et la forme factorisée s'écrit $f(x) = a(x - x_1)^2$.

*Exemple :* Soit la fonction $f(x) = 2x^2 + 4x - 6$.
La forme factorisée de cette fonction est $f(x) = 2(x - 1)(x + 3)$. Les zéros de cette fonction sont donc $^-3$ et 1.

## forme fonctionnelle
♦ ➜ Voir **forme canonique.**

## forme générale
♦ Forme permettant de mettre en évidence la nature polynomiale de la règle d'une **fonction.**

• La forme générale de la règle d'une **fonction polynomiale de degré 2** est $y = ax^2 + bx + c$, où a, b et c sont des nombres réels, a étant différent de 0.
• Passage de la forme canonique à la forme générale

| Méthode | Exemple |
|---|---|
| Développer l'expression algébrique décrivant l'image de $x$. | Soit $f(x) = 4(x - 1)^2 - 3$.<br>$4(x - 1)^2 - 3 = 4(x^2 - 2x + 1) - 3$<br>$= 4x^2 - 8x + 1$ |
|  | La forme générale de la règle est donc<br>$f(x) = 4x^2 - 8x + 1$. |

a b c d e f g h i j k l m n o p q r s t u v w x y z

## forme logarithmique

◆ TS et SN Écriture d'une expression de la façon suivante : $n = \log_c m$, où $c$ est la base, $m$ est l'**argument** et $n$ est le **logarithme**, $c$, $m$ et $n$ étant des nombres réels, $c$ étant supérieur à 0 et différent de 1, et $m$ étant supérieur à 0.

L'équivalence suivante permet de passer d'une forme d'écriture logarithmique à une forme d'écriture exponentielle, et inversement.

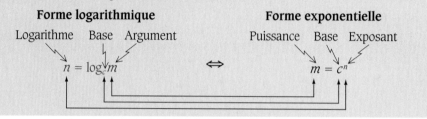

**Forme logarithmique**

Logarithme   Base   Argument

$$n = \log_c m$$

⇔

**Forme exponentielle**

Puissance   Base   Exposant

$$m = c^n$$

*Exemple :* $3 = \log_6 216$ est une écriture logarithmique.

## formule nom féminin

◆ Expression générale définissant des relations entre des grandeurs variables et des grandeurs constantes ou précisant les règles à suivre pour effectuer un type d'opération.

### formule de Héron

◆ Formule permettant de calculer l'**aire** d'un triangle à partir des mesures de ses trois côtés.

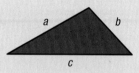

Soit $a$, $b$ et $c$, les mesures des trois côtés d'un triangle.

$\text{Aire}_{\text{triangle}} = \sqrt{p(p - a)(p - b)(p - c)}$, où $p$ représente le demi-périmètre du triangle, soit $p = \dfrac{a + b + c}{2}$.

🔟 Voir **Héron d'Alexandrie.**

*Exemple :* Soit un triangle ABC, dont les mesures sont en centimètres.

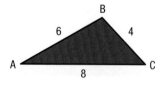

$p = \dfrac{4\,\text{cm} + 8\,\text{cm} + 6\,\text{cm}}{2} = 9\,\text{cm}$

$\text{Aire}_{\text{triangle}} = \sqrt{9\,\text{cm}(9\,\text{cm} - 4\,\text{cm})(9\,\text{cm} - 8\,\text{cm})(9\,\text{cm} - 6\,\text{cm})} = \sqrt{135\,\text{cm}^4} \approx 11{,}62\,\text{cm}^2$

L'aire du triangle ABC est d'environ 11,62 cm².

**formule quadratique**

◆ TS et SN Formule permettant de déterminer les **zéros** ($x_1$ et $x_2$) d'une **fonction quadratique** $f(x) = ax^2 + bx + c$. Les valeurs de $x$ qui rendent vraie l'égalité $ax^2 + bx + c = 0$, notées $x_1$ et $x_2$, sont alors données par $x_1 = \dfrac{-b + \sqrt{b^2 - 4ac}}{2a}$ et $x_2 = \dfrac{-b - \sqrt{b^2 - 4ac}}{2a}$.

- Le **radicande** de la formule quadratique, soit l'expression algébrique $b^2 - 4ac$, s'appelle le *discriminant*.
- Le nombre de zéros d'une fonction quadratique est déterminé par la valeur du discriminant :
  1. Si le discriminant est supérieur à 0, alors il existe deux zéros réels.
  2. Si le discriminant est égal à 0, alors il existe un seul zéro réel.
  3. Si le discriminant est inférieur à 0, alors il n'existe aucun zéro réel.

*Exemple :* Les zéros $x_1$ et $x_2$ de la fonction $f(x) = -2x^2 - 4x + 6$ sont :

$$x_1 = \frac{-b + \sqrt{b^2 - 4ac}}{2a}$$
$$= \frac{-(-4) + \sqrt{(-4)^2 - (4)(-2)(6)}}{2(-2)}$$
$$= \frac{4 + \sqrt{64}}{-4}$$
$$= -3$$

$$x_2 = \frac{-b - \sqrt{b^2 - 4ac}}{2a}$$
$$= \frac{-(-4) - \sqrt{(-4)^2 - (4)(-2)(6)}}{2(-2)}$$
$$= \frac{4 - \sqrt{64}}{-4}$$
$$= 1$$

Les zéros de $f$ sont $-3$ et $1$.

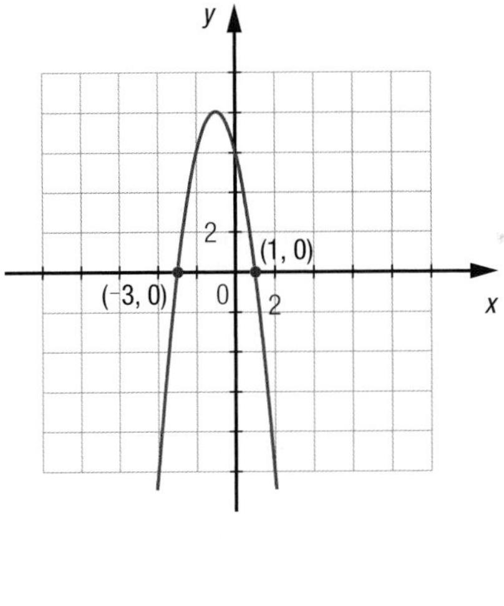

### formule trigonométrique

♦ Formule dans laquelle on trouve un ou des rapports trigonométriques.

La formule permettant de calculer l'aire d'un triangle avec les mesures de deux de ses côtés et la mesure de l'angle compris entre ces côtés est une formule trigonométrique. Pour le triangle ci-dessous, l'aire se calcule ainsi : $\text{Aire}_{\text{triangle}} = \dfrac{a \times b \times \sin C}{2}$.

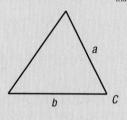

*Exemple :* Soit le triangle ci-dessous.

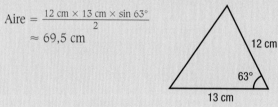

$$\text{Aire} = \frac{12 \text{ cm} \times 13 \text{ cm} \times \sin 63°}{2}$$
$$\approx 69,5 \text{ cm}$$

### foyer nom masculin

♦ TS et SN Point fixe qu'on associe à une **conique.**

• Dans une **ellipse,** les foyers sont deux points fixes situés à l'intérieur de l'ellipse sur le plus grand des deux axes. La somme des distances de tout point de la courbe à ces deux foyers est constante.

*Exemple :* Soit deux points, $P_1$ et $P_2$, et les foyers $F_1$ et $F_2$ de l'ellipse représentée ci-dessous. Alors : $d(P_1, F_1) + d(P_1, F_2) = d(P_2, F_1) + d(P_2, F_2)$.

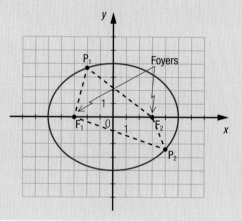

- Dans une **hyperbole,** les foyers sont deux points fixes situés dans la courbure de chacune des branches de l'hyperbole. La valeur absolue de la différence des distances de tout point de la courbe à ces deux foyers est constante.

*Exemple :* Soit deux points, $P_1$ et $P_2$, et les foyers $F_1$ et $F_2$ de l'hyperbole représentée ci-dessous. Alors : $|d(P_1, F_1) - d(P_1, F_2)| = |d(P_2, F_1) - d(P_2, F_2)|$.

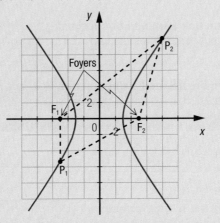

- Dans une **parabole,** le foyer est un point fixe situé dans la courbure de la parabole. Tous les points de la courbe sont situés à égale distance du foyer et d'une droite fixe, appelée *directrice.*

*Exemple :* Soit un point P, le foyer F et la directrice $d$ de la parabole représentée ci-dessous. Alors : $d(P, F) = d(P, d)$.

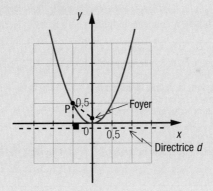

**fraction** nom féminin

◆ Expression servant à représenter des **nombres rationnels** et ayant la forme $\frac{a}{b}$, où a et b sont des **nombres entiers,** b étant différent de 0.

*Exemple :*

$\frac{5}{6}$ ←——— Numérateur
 ←——— Dénominateur

- **Passage d'une fraction à un nombre décimal**
  Diviser le numérateur par le dénominateur.
  *Exemple :* $\frac{3}{4} = 3 \div 4 = 0,75$

- **Passage d'un nombre décimal à une fraction**
  1. Pour les nombres décimaux dont la période est 0.

| Méthode | Exemple |
|---|---|
| 1.1 Trouver dans le nombre la plus petite position occupée par un chiffre non nul. | Pour le nombre décimal $0,125\overline{0}$, la plus petite position occupée par un chiffre non nul est le millième. |
| 1.2 Écrire le nombre décimal sous la forme d'une fraction décimale. | $\frac{125}{1000}$ |
| 1.3 Réduire, si possible, la fraction obtenue. | $\frac{125}{1000} = \frac{1}{8}$ <br><br> Donc 0,125 correspond à l'écriture décimale de la fraction réduite $\frac{1}{8}$. |

2. Pour les nombres décimaux dont la période est différente de 0.

| Méthode | Exemple |
|---|---|
| 2.1 Attribuer une variable au nombre décimal. | Pour le nombre décimal $0,12\overline{5}$ : $n = 0,125555\ldots$ |
| 2.2 Former deux équations en multipliant chaque terme de l'équation obtenue par un multiple de 10, en s'assurant que : <br> a) dans la 1<sup>re</sup> équation, la virgule se retrouve à droite du premier chiffre de la période ; <br> b) dans la 2<sup>e</sup> équation, la virgule se retrouve immédiatement à gauche du premier chiffre de la période. | a) $1000n = 125,5555\ldots$ <br> b) $100n = 12,5555\ldots$ |
| 2.3 Soustraire les deux équations trouvées. | $\begin{array}{r} 1000n = 125,5555\ldots \\ -\ 100n = 12,5555\ldots \\ \hline 900n = 113 \end{array}$ |
| 2.4 Isoler la variable. | $900n = 113$ <br> $n = \frac{113}{900}$ |
| 2.5 Réduire, si possible, la fraction obtenue. | $n = \frac{113}{900}$ <br> Cette fraction est irréductible. |

- **Passage d'un pourcentage à une fraction**
  1. Exprimer le pourcentage sous la forme d'une fraction dont le dénominateur est 100.
  2. Réduire la fraction obtenue.

  *Exemple:* $42\% = \frac{42}{100} = \frac{21}{50}$

- **Passage d'une fraction à un pourcentage**
  Trouver, si posible, une fraction équivalente ayant un dénominateur égal à 100.

  $$\overset{\times 20}{\overset{\frown}{\phantom{x}}}$$

  *Exemple:* $\frac{4}{5} = \frac{x}{100}$

  $$\underset{\times 20}{\underset{\smile}{\phantom{x}}}$$

  Le pourcentage correspondant à la fraction $\frac{4}{5}$ est donc 80 %.

  On peut aussi utiliser le produit des extrêmes et le produit des moyens.

  *Exemple:* $\frac{4}{5} \times \frac{x}{100}$

  $$4 \times 100 = 5x$$
  $$400 = 5x$$
  $$x = 80$$

- **Addition et soustraction de fractions**
  1. Transformer les fractions à additionner (ou à soustraire) afin de leur donner un dénominateur commun.
  2. Additionner (ou soustraire) les numérateurs.
  3. Réduire, si possible, la fraction obtenue.

  *Exemple:*
  $$\frac{1}{2} + \frac{3}{4} - \frac{2}{3} = \frac{6}{12} + \frac{9}{12} - \frac{8}{12}$$
  $$= \frac{6 + 9 - 8}{12}$$
  $$= \frac{7}{12}$$

- **Multiplication de fractions**
  1. Multiplier les numérateurs ensemble et les dénominateurs ensemble.
  2. Réduire, si possible, la fraction obtenue.

  *Exemple:*
  $$\frac{2}{5} \times \frac{3}{8} = \frac{2 \times 3}{5 \times 8}$$
  $$= \frac{6}{40}$$
  $$= \frac{3}{20}$$

- **Division de fractions**
  Multiplier la première fraction par l'inverse de la seconde.

  *Exemple:*
  $$\frac{1}{2} \div \frac{3}{4} = \frac{1}{2} \times \frac{4}{3}$$
  $$= \frac{1 \times 4}{2 \times 3}$$
  $$= \frac{4}{6}$$
  $$= \frac{2}{3}$$

**fraction décimale**

♦ Fraction dont le dénominateur est une puissance de 10.

*Exemples:* $\frac{3}{1}$, $\frac{7}{10}$, $\frac{53}{100}$ et $\frac{92}{1000}$ sont des fractions décimales.

**fraction impropre**

♦ Fraction dont le dénominateur est plus petit que le numérateur.

*Exemples:* $\frac{11}{2}$, $\frac{32}{3}$ et $\frac{41}{5}$ sont des fractions impropres.

**fraction irréductible**

♦ Fraction dont le numérateur et le dénominateur sont premiers entre eux.

*Exemples:* $\frac{1}{2}$, $\frac{2}{5}$, $\frac{11}{15}$ et $\frac{33}{35}$ sont des fractions irréductibles.

**fractions équivalentes**

♦ Fractions représentant le même nombre. Deux fractions $\frac{a}{b}$ et $\frac{c}{d}$ sont équivalentes lorsque $ad = bc$.

*Exemple:* $\frac{1}{6} = \frac{3}{18}$ (× 3)

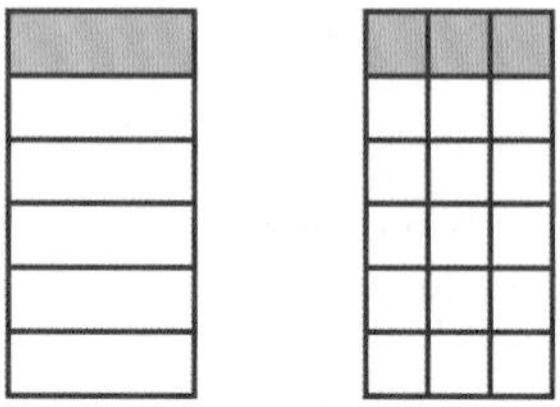

**fraction-unité**

Fraction représentant le nombre 1.

*Exemple:* $\frac{3}{3} = \frac{11}{11} = \frac{24}{24} = 1$

**fréquence** nom féminin

❶ ♦ Rapport de l'effectif d'une valeur à un effectif total. Ce rapport est généralement exprimé sous forme de pourcentage.

$$\text{Fréquence exprimée en pourcentage} = \frac{\text{effectif d'une valeur}}{\text{effectif total}} \times 100$$

*Exemple:* Couleur préférée des 30 élèves de la classe.

| Couleur | Effectif | Fréquence (%) |
|---------|----------|---------------|
| Bleu | 10 | 33,3 |
| Rouge | 6 | 20 |
| Jaune | 2 | 6,7 |
| Vert | 9 | 30 |
| Rose | 3 | 10 |
| **Total** | **30** | **100** |

❷ ◆ TS et SN Inverse de la **période** (*p*) d'une **fonction périodique**.

$$\text{Fréquence} = \frac{1}{p}$$

La fréquence correspond au nombre de répétitions du phénomène périodique, appelé *cycle,* pour une unité de la variable indépendante.

*Exemple:* Pour la fonction périodique $f(x) = \sin\pi x$,

$p = \frac{2\pi}{|b|}$      $\text{Fréquence} = \frac{1}{p}$

$\quad = \frac{2\pi}{\pi}$             $= \frac{1}{2}$

$\quad = 2$

La fréquence est $\frac{1}{2}$, ce qui signifie que, pour une unité sur l'axe des abscisses, le graphique de $f$ a parcouru $\frac{1}{2}$ d'un cycle.

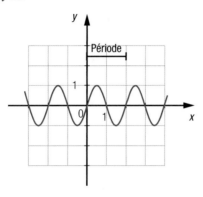

**frise** nom féminin
  ◆ Bande continue dans laquelle un ou plusieurs motifs se répètent en suivant une régularité.

*Exemple:*

**frontière** nom féminin
  ◆ Contour ou limite d'une figure.
  ➜ Voir **droite frontière** et **courbe frontière**.

*Exemples:*

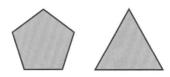

a
b
c
d
e
f
g
h
i
j
k
l
m
n
o
p
q
r
s
t
u
v
w
x
y
z

**gain** nom masculin
**Bénéfice** retiré d'une situation.

**gain net**
♦ Gain total diminué du montant investi initialement.

*Exemple :* Julie achète un billet de loterie coûtant 10 $. Lors du tirage, Julie gagne 100 $. Son gain net est 100 $ − 10 $ = 90 $.

**géométrie** nom féminin
♦ Branche des mathématiques portant sur les relations entre différents objets de l'espace usuel à une, deux ou trois dimensions, notamment les points, les droites, les courbes, les surfaces et les volumes.

**géométrie analytique**
♦ Branche de la géométrie utilisant un système de coordonnées, des calculs algébriques et la représentation graphique de fonctions ou d'équations.

*Exemple :* Pour trouver la distance entre le point A et la droite $d$ dans le graphique ci-dessous, on peut recourir à la géométrie analytique.

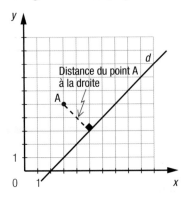

**gramme** [g] nom masculin
♦ Unité de mesure de masse valant $\frac{1}{1000}$ (0,001) de kg.

**grandeur** nom féminin
♦ Entité physique mesurable et susceptible de varier.

*Exemple :* La longueur, l'aire, le volume, la masse, la mesure d'un angle, la vitesse et la durée sont des grandeurs.

### grandeur scalaire
◆ Grandeur entièrement définie par un nombre.

*Exemple :* La masse d'une personne est une grandeur scalaire.

### grandeur vectorielle
◆ TS et SN Grandeur définie par un nombre, une **orientation** et un **sens.**

*Exemple :* La vitesse d'un avion qui se déplace à 350 km/h dans le sens nord-est est une grandeur vectorielle.

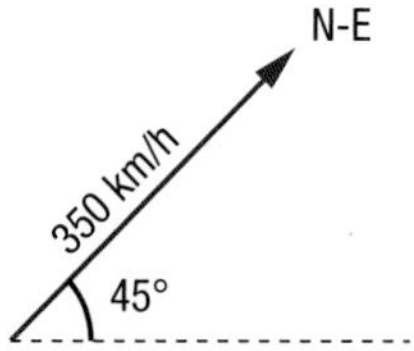

## graphe nom masculin
◆ CST Ensemble d'éléments appelés *sommets* et de liens entre les sommets appelés *arêtes.*

> Dans la représentation graphique d'un graphe :
>
> * les sommets sont généralement identifiés par une lettre minuscule, une lettre majuscule, un nombre ou un mot.
>
> * les arêtes sont généralement nommées à l'aide des lettres désignant ses extrémités dans n'importe quel ordre.

*Exemples :*

1) Dans le graphe ci-dessous :
   * A, B, C, D et E sont des sommets ;
   * A-B, B-C et C-D sont des arêtes.

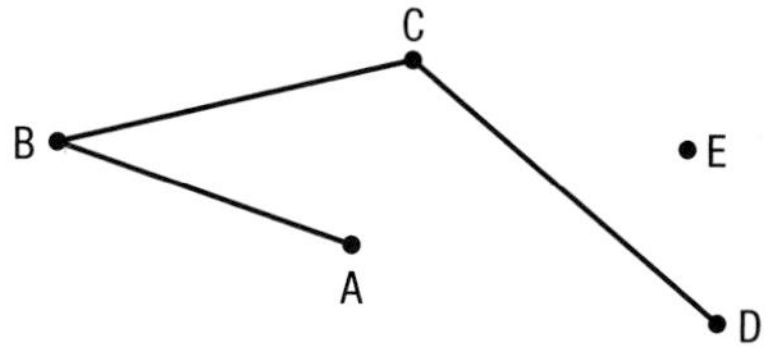

2) Dans le graphe ci-dessous :
   * 1, 2 et 3 sont des sommets ;
   * 1-2 et 1-3 sont des arêtes.

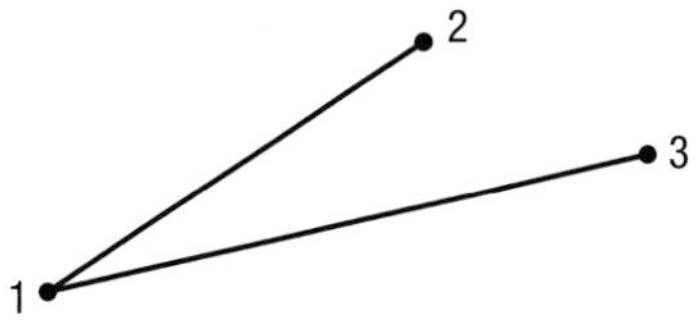

### graphe complet
◆ CST Graphe dont chaque sommet est relié directement, c'est-à-dire par une **arête,** à tous les autres sommets.

*Exemples :*

1) Graphe complet

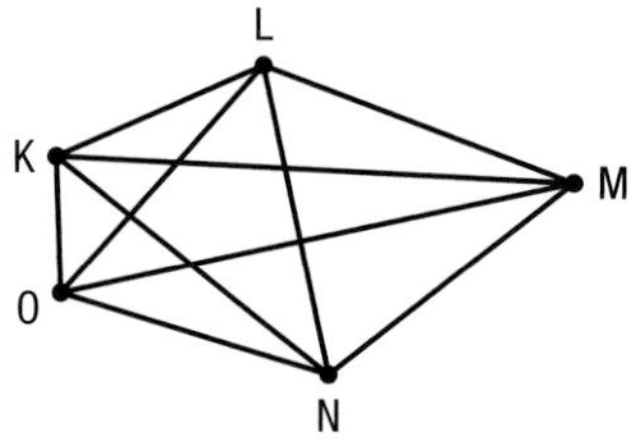

2) Graphe non complet

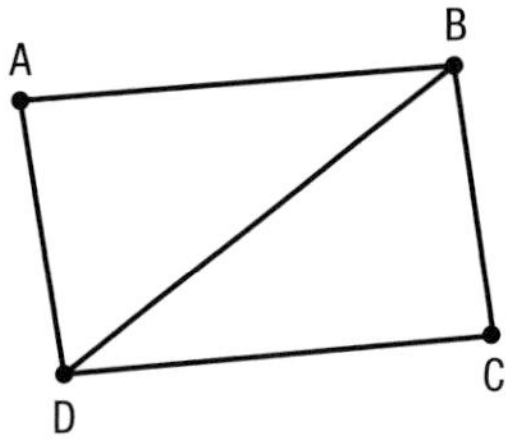

## graphe connexe

♦ CST Graphe dont chaque sommet est relié, directement ou indirectement, à tous les autres sommets du graphe.

*Exemples :*

1) Graphe connexe

2) Graphe non connexe

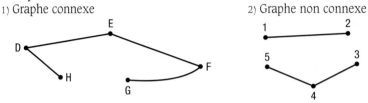

## graphe orienté

♦ CST Graphe dans lequel un sens est attribué à chaque **arête**. Dans un graphe orienté, les arêtes sont souvent appelées *arc*.

Dans un graphe orienté :

• un arc possède une origine et une extrémité.

  *Exemple :* Soit l'arc ci-contre :

  Son origine est *a* et son extrémité est *b*.

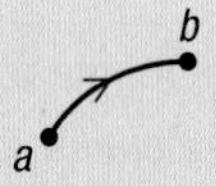

• deux arcs sont consécutifs si l'extrémité du premier coïncide avec l'origine du second.

  *Exemple : a-b* et *b-c* sont des arcs consécutifs.

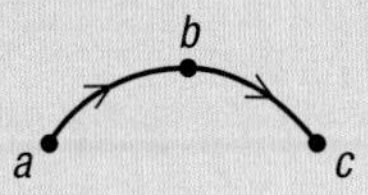

• un **chemin** est une suite d'arcs consécutifs répétés ou non ;

• un **circuit** est un chemin commençant et se terminant au même sommet ;

• un chemin ou un circuit est simple s'il ne comporte pas de répétition d'arcs.

*Exemple :* Dans le graphe ci-contre :

• D-E, F-D et G-F sont des arcs ;
• F-D-E est un chemin ;
• G-F-D(1)-G et G-G sont des circuits.

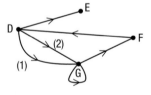

## graphe valué

♦ CST Graphe, orienté ou non, dans lequel une valeur est attribuée à chaque **arc** ou à chaque **arête**. Dans un graphe valué, la valeur d'un **chemin** ou d'une **chaîne** est la somme des valeurs des arcs ou des arêtes qui forment ce chemin ou cette chaîne.

*Exemple :* Dans le graphe ci-contre :

• la valeur de l'arête C-E est 4 ;
• la valeur de la chaîne A-F-E-C est $9 + 8 + 4 = 21$.

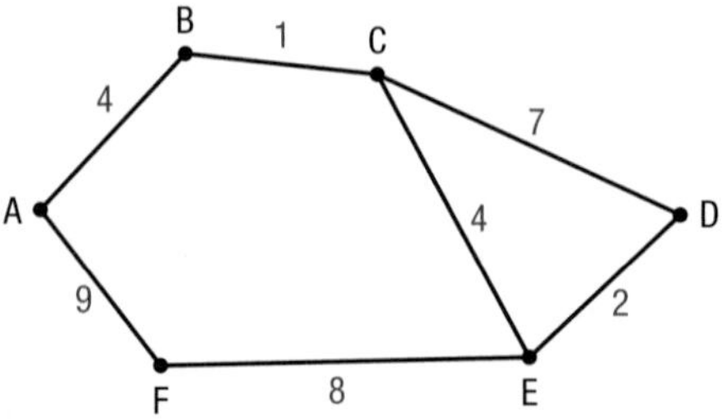

### graphique nom masculin
♦ Mode de représentation d'une situation à l'aide de points, d'une ligne, d'un ensemble de lignes, d'une courbe ou d'un ensemble de courbes, afin d'en faciliter l'analyse.

*Exemple :* Marie utilise les services d'un électricien qui demande 50 $ pour ses frais de déplacement et 60 $ par heure travaillée. Soit $x$ le nombre d'heures travaillées et $y$ le montant total des services de l'électricien, la fonction $y = 60x + 50$ traduit cette situation représentée graphiquement dans le plan cartésien ci-dessous.

**Coût des services d'un électricien**

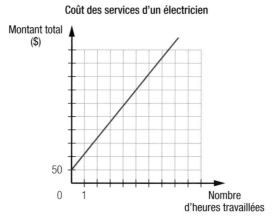

### grille nom féminin
♦ Tableau servant à déterminer le nombre de résultats possibles d'une **expérience aléatoire à plusieurs étapes.**

*Exemple :* La grille ci-dessous illustre tous les résultats possibles du lancer simultané d'une pièce de 25 ¢ et d'une pièce de 1 $.

### groupement nom masculin
♦ Répartition ou réunion d'objets ayant des caractéristiques semblables.

### grouper verbe transitif
♦ Réunir des objets ayant des caractéristiques semblables.

# H h

**hasard** nom masculin
♦ Phénomène imprévisible.

**hauteur** nom féminin
♦ Perpendiculaire abaissée du sommet d'un objet géométrique sur sa base. On emploie aussi le mot *hauteur* pour désigner la mesure de ce segment.

Hauteur de différents objets géométriques

| Objet | Définition | Exemples |
|-------|-----------|----------|
| Cylindre et prisme | Distance entre les deux bases | 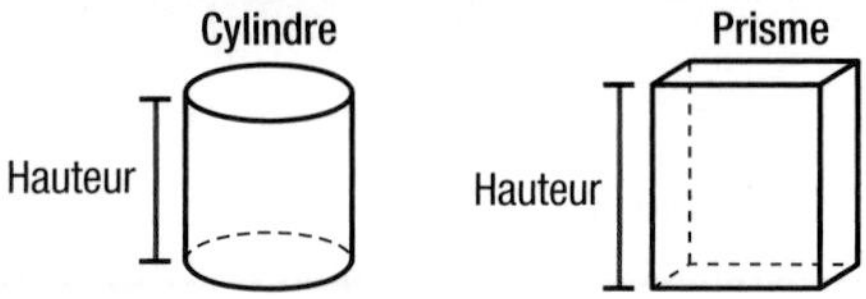 |
| Cône et pyramide | Distance entre le sommet (apex) et la base | 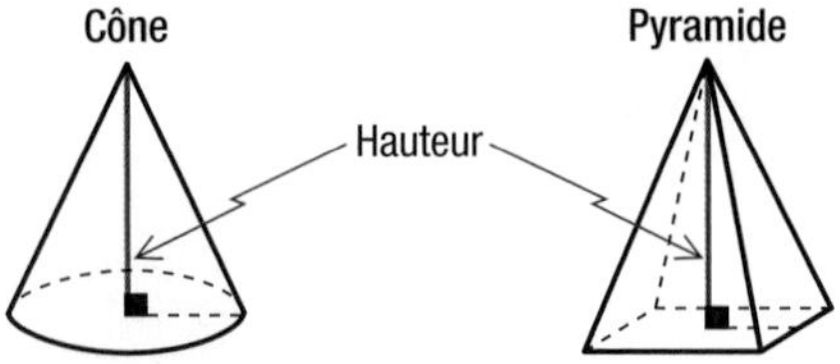 |
| Parallélogramme | Distance entre une paire de côtés parallèles | 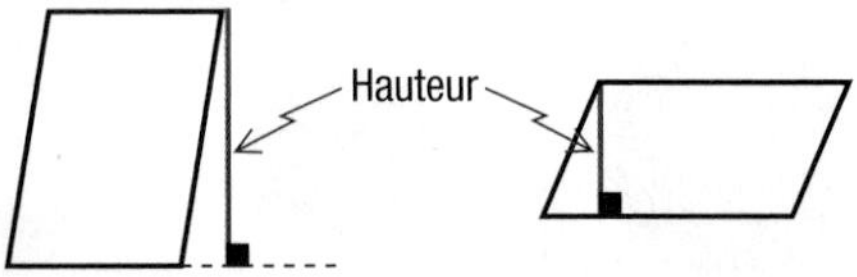 |
| Trapèze | Distance entre les deux côtés parallèles | 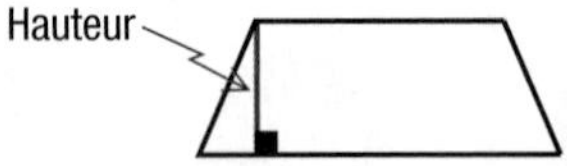 |
| Triangle | Distance entre un sommet et le côté opposé à ce sommet | 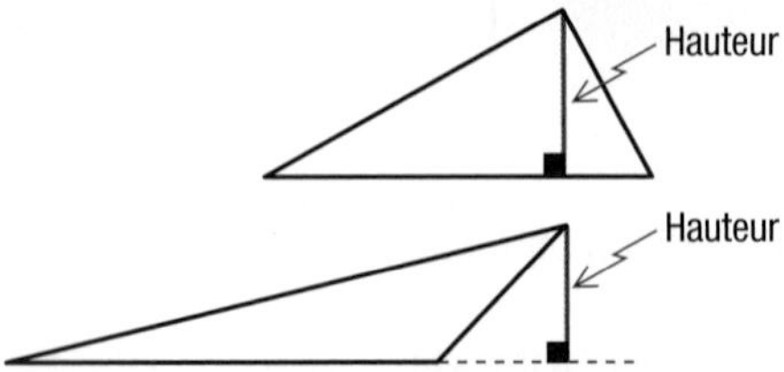 |

**hectare** [ha] nom masculin
Unité de mesure d'aire valant 10 000 m².

**hectolitre** [hl] nom masculin
♦ Unité de mesure de capacité égale à 100 litres.

**hendécagone** nom masculin
♦ Polygone à onze côtés.

*Exemples:*
1) Hendécagone régulier    2) Hendécagone irrégulier

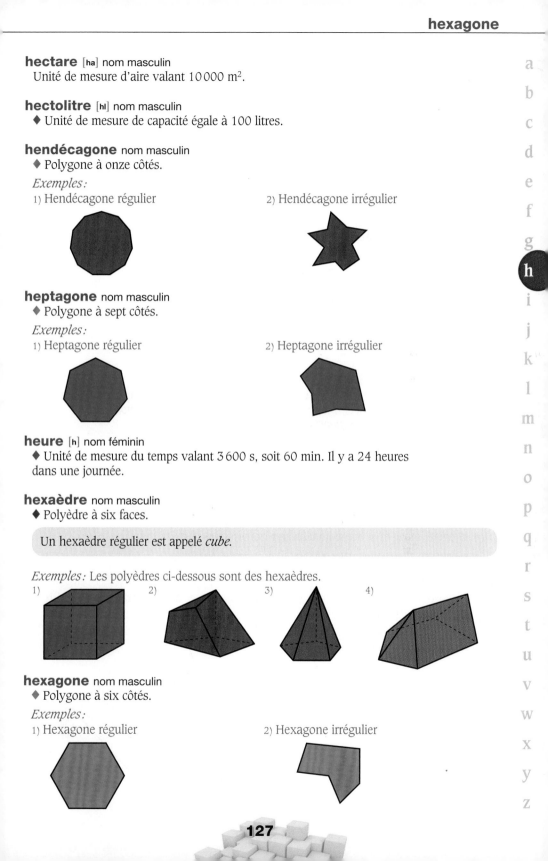

**heptagone** nom masculin
♦ Polygone à sept côtés.

*Exemples:*
1) Heptagone régulier    2) Heptagone irrégulier

**heure** [h] nom féminin
♦ Unité de mesure du temps valant 3 600 s, soit 60 min. Il y a 24 heures dans une journée.

**hexaèdre** nom masculin
♦ Polyèdre à six faces.

Un hexaèdre régulier est appelé *cube*.

*Exemples:* Les polyèdres ci-dessous sont des hexaèdres.
1)    2)    3)    4)

**hexagone** nom masculin
♦ Polygone à six côtés.

*Exemples:*
1) Hexagone régulier    2) Hexagone irrégulier

a
b
c
d
e
f
g
**h**
i
j
k
l
m
n
o
p
q
r
s
t
u
v
w
x
y
z

**histogramme** nom masculin
♦ **Diagramme à bandes** verticales permettant de représenter graphiquement des données groupées en classes.

> • Chaque bande verticale d'un histogramme correspond à une classe.
> • Les bandes verticales sont collées les unes aux autres.
> • La base de chaque bande rectangulaire correspond à l'**amplitude** d'une classe, et la hauteur, à l'**effectif** de cette classe.

*Exemple:*

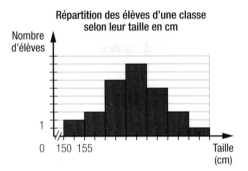

Répartition des élèves d'une classe selon leur taille en cm

Nombre d'élèves

1

0   150  155                    Taille (cm)

**homothétie** [$h_{(O, k)}$] nom féminin
❶ ♦ **Transformation géométrique** par laquelle on associe à toute **figure initiale** une **figure image** en fonction d'un point fixe O, nommé *centre d'homothétie*, et d'un rapport $k$, nommé *rapport d'homothétie*.

> Dans une homothétie:
>
> • l'image d'un point est située sur la droite passant par ce point et le centre d'homothétie O;
>
> • la figure image est un agrandissement de la figure initiale si $k > 1$ et $k < -1$, alors que la figure image est une réduction de la figure initiale si $-1 < k < 1$;
>
> • la figure image et la figure initiale sont isométriques si $k = -1$ ou $k = 1$;
>
> • le rapport d'homothétie se calcule ainsi:
> $$k = \frac{\text{distance du centre d'homothétie O au point image A'}}{\text{distance du centre d'homothétie O au point initial A}} = \frac{m\overline{OA'}}{m\overline{OA}};$$
>
> • si $k < 0$, la figure image et la figure initiale sont situées de part et d'autre du centre d'homothétie;
>
> • si $k > 0$, la figure image et la figure initiale sont situées du même côté du centre d'homothétie.

*Exemple:* Le triangle A'B'C' est l'image du triangle ABC par l'homothétie $h$ de centre O et de rapport 0,5.

$$\frac{m\overline{OA'}}{m\overline{OA}} = \frac{m\overline{OB'}}{m\overline{OB}} = \frac{m\overline{OC'}}{m\overline{OC}} = 0,5$$

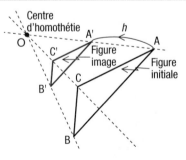

Centre d'homothétie

Figure image

Figure initiale

**❷** ♦ Dans le plan cartésien, une homothétie $h$ dont le centre O est à l'origine du plan et dont le rapport $k$ est non nul peut être définie à l'aide d'une règle de la forme $h_{(O, k)}: (x, y) \mapsto (kx, ky)$.

*Exemples:*

1) Le triangle A'B'C' est l'image du triangle ABC par l'homothétie $h_{(O, 3)}$.

$(x, y) \mapsto (3x, 3y)$
$A(1, 1) \mapsto A'(3, 3)$
$B(2, 3) \mapsto B'(6, 9)$
$C(4, 2) \mapsto C'(12, 6)$

2) Le triangle A'B'C' est l'image du triangle ABC par l'homothétie $h_{(O, -\frac{1}{2})}$.

$(x, y) \mapsto \left(-\frac{1}{2}x, -\frac{1}{2}y\right)$

$A(2, 3) \mapsto A'\left(-1, -\frac{3}{2}\right)$

$B(3, 6) \mapsto B'\left(-\frac{3}{2}, -3\right)$

$C(5, 2) \mapsto C'\left(-\frac{5}{2}, -1\right)$

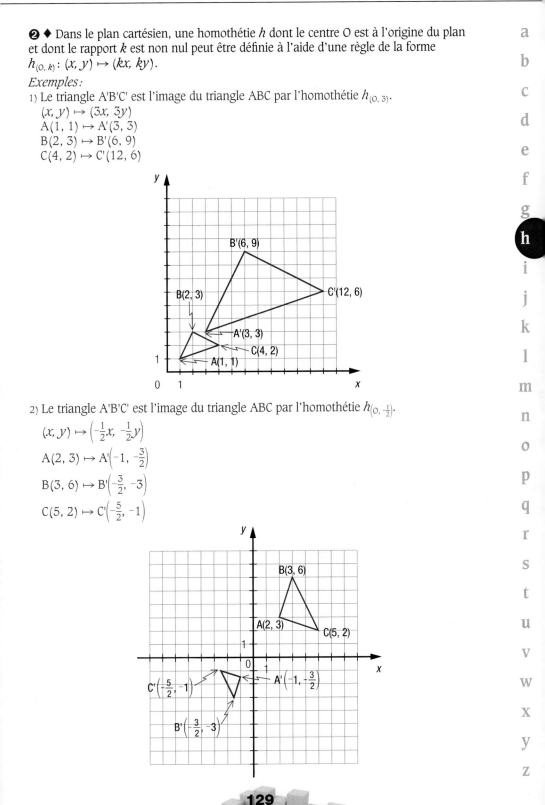

a b c d e f g h i j k l m n o p q r s t u v w x y z

**❸** ♦ ᴛꜱ Dans le plan cartésien, une homothétie *h* dont le centre O est à l'origine du plan et dont le rapport *k* est non nul peut être définie à l'aide de la **matrice de transformation** $\begin{pmatrix} k & 0 \\ 0 & k \end{pmatrix}$.

*Exemple:* Il est possible de déterminer les coordonnées des sommets du rectangle A'B'C'D', image du rectangle ABCD, par l'homothétie $h_{(O,\,-3)}$, de la façon suivante.

$$\begin{pmatrix} 5 & 6 \\ 7 & 4 \\ 4 & 1 \\ 2 & 3 \end{pmatrix} \times \begin{pmatrix} -3 & 0 \\ 0 & -3 \end{pmatrix} = \begin{pmatrix} -15 & -18 \\ -21 & -12 \\ -12 & -3 \\ -6 & -9 \end{pmatrix}$$

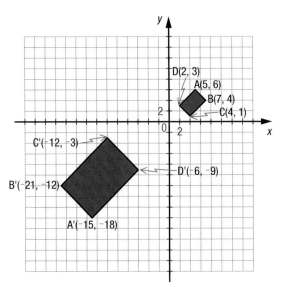

## horizontal, horizontale adjectif

♦ Orientation parallèle à l'horizon ou perpendiculaire à la verticale. Dans le plan cartésien, l'**axe des abscisses** est l'axe horizontal.

*Exemple:* La figure suivante a subi un déplacement horizontal.

# hyperbole nom féminin

♦ TS et SN **Lieu géométrique** où la valeur absolue de la différence des distances de tout point de la courbe à deux points fixes, $F_1$ et $F_2$, appelés *foyers,* est constante. La règle de la fonction d'une hyperbole centrée à l'origine, dans sa **forme canonique,** est $\frac{x^2}{a^2} - \frac{y^2}{b^2} = \pm 1$.

- Soit deux points $P_1$ et $P_2$ et les deux foyers de l'hyperbole $F_1$ et $F_2$. La relation suivante est toujours observée dans l'hyperbole :
$$\left| d(P_1, F_1) - d(P_1, F_2) \right| = \left| d(P_2, F_1) - d(P_2, F_2) \right|$$

  *Exemple :*
  La différence des distances entre le point $P_1$ et les foyers est :
  $$\left| d(P_1, F_1) - d(P_1, F_2) \right| = \left| 7,3\,\text{cm} - 2\,\text{cm} \right| = 5,3\,\text{cm}$$
  La différence des distances entre le point $P_2$ et les foyers est :
  $$\left| d(P_2, F_1) - d(P_2, F_2) \right| = \left| 9,3\,\text{cm} - 4\,\text{cm} \right| = 5,3\,\text{cm}$$

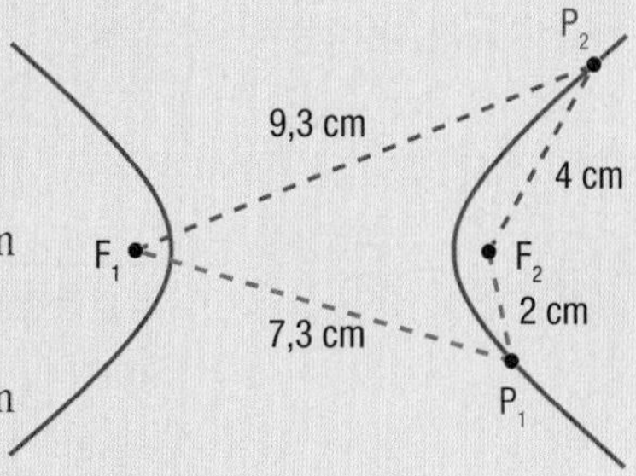

- Les droites d'équations $y = \frac{b}{a}(x - h) + k$ et $y = -\frac{b}{a}(x - h) + k$ sont les **asymptotes** de la courbe.

- La relation entre la valeur du paramètre a, celle du paramètre b et la distance c, qui sépare le centre de l'hyperbole de l'un des foyers, est donnée par $c^2 = a^2 + b^2$.

- Dans la représentation graphique d'une hyperbole dont l'équation s'écrit sous la forme $\frac{x^2}{a^2} - \frac{y^2}{b^2} = 1$, les coordonnées des sommets sont $(a, 0)$ et $(-a, 0)$, et les foyers, situés sur l'axe des abscisses, ont pour coordonnées $(c, 0)$ et $(-c, 0)$.

- Dans la représentation graphique d'une hyperbole dont l'équation s'écrit sous la forme $\frac{x^2}{a^2} - \frac{y^2}{b^2} = -1$, les coordonnées des sommets sont $(0, b)$ et $(0, -b)$, et les foyers, situés sur l'axe des ordonnées, ont pour coordonnées $(0, c)$ et $(0, -c)$.

- L'équation de l'hyperbole ayant subi une translation s'écrit, dans sa forme canonique : $\frac{(x - h)^2}{a^2} - \frac{(y - k)^2}{b^2} = \pm 1$. Les coordonnées du centre de l'hyperbole sont $(h, k)$ ; celles des sommets sont $(-a + h, k)$ et $(a + h, k)$ ou $(h, -b + k)$ et $(h, b + k)$ ; celles des foyers sont $(-c + h, k)$ et $(c + h, k)$ ou $(h, -c + k)$ et $(h, c + k)$.

*Exemples :*

1) L'hyperbole d'équation $\frac{x^2}{16} - \frac{y^2}{9} = 1$ est représentée dans le plan cartésien ci-contre.

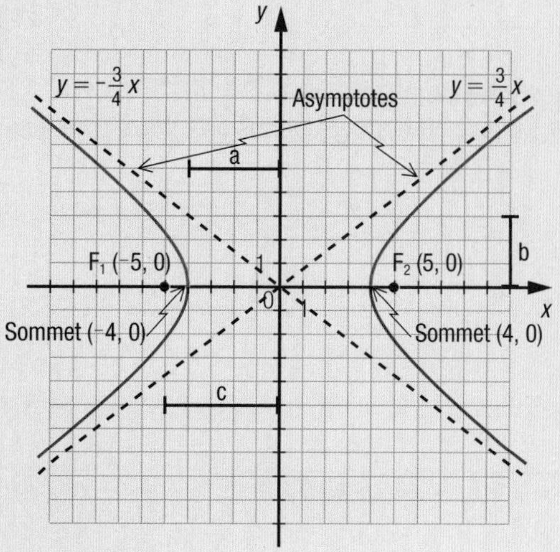

2) L'hyperbole d'équation $\frac{(x-3)^2}{16} - \frac{(y+1)^2}{9} = 1$ est représentée dans le plan cartésien ci-dessous.

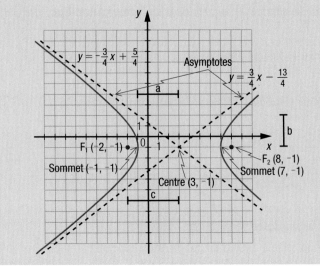

## hypoténuse nom féminin

◆ Dans un triangle rectangle, côté opposé à l'angle droit et le plus long des trois côtés.

*Exemple :*

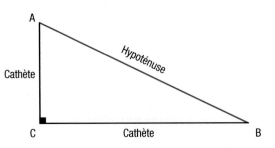

## hypothèse nom féminin

◆ Énoncé ou donnée connus ou tenus pour acquis dans une démonstration.

**icosaèdre** nom masculin
♦ Polyèdre à vingt faces.
*Exemple:*

**identique** adjectif
Qui présente une similitude parfaite.
*Exemple:* Deux objets sont identiques s'ils sont égaux ou isométriques.

**identité** nom féminin
♦ Égalité vraie, quelles que soient les valeurs des variables qui y figurent.

**identité algébrique**
♦ sn Égalité entre deux expressions algébriques.

| Identité algébrique | Exemple |
|---|---|
| $(a + b)^2 = a^2 + 2ab + b^2$ | $(x + 2)^2 = x^2 + 2 \times 2 \times x + 2^2$<br>$= x^2 + 4x + 4$ |
| $(a - b)^2 = a^2 - 2ab + b^2$ | $(x - 3y)^2 = x^2 - 2 \times x \times 3y + (3y)^2$<br>$= x^2 - 6xy + 9y^2$ |
| $a^2 - b^2 = (a + b)(a - b)$ | $x^2 - 16 = (x + 4)(x - 4)$ |
| $(a + b)^3 = a^3 + 3a^2b + 3ab^2 + b^3$ | $(2 + y)^3 = 2^3 + 3 \times 2^2 \times y + 3 \times 2 \times y^2 + y^3$<br>$= 8 + 12y + 6y^2 + y^3$ |
| $(a - b)^3 = a^3 - 3a^2b + 3ab^2 - b^3$ | $(x - 5)^3 = x^3 - 3 \times x^2 \times 5 + 3 \times x \times 5^2 - 5^3$<br>$= x^3 - 15x^2 + 75x - 125$ |
| $a^3 + b^3 = (a + b)(a^2 - ab + b^2)$ | $x^3 + 27 = (x + 3)(x^2 - 3x + 9)$ |
| $a^3 - b^3 = (a - b)(a^2 + ab + b^2)$ | $8y^3 - 64 = (2y - 4)(4y^2 + 8y + 16)$ |

a
b
c
d
e
f
g
h
i
j
k
l
m
n
o
p
q
r
s
t
u
v
w
x
y
z

### identité logarithmique

◆ TS et SN Égalité permettant d'effectuer des calculs avec des logarithmes.

Pour $c$, $d$ et $m$ supérieurs à 0, $c \neq 1$ et $d \neq 1$, on a :

| Identité | Exemple |
|---|---|
| Logarithme d'une puissance<br>$\log_c m^n = n \log_c m$ | $\log_3 9^2 = 2 \log_3 9 = 2 \times 2 = 4$ |
| Changement de base<br>$\log_c m = \dfrac{\log_d m}{\log_d c}$ | $\log_8 32 = \dfrac{\log_2 32}{\log_2 8} = \dfrac{5}{3}$ |
| Logarithme d'un produit<br>$\log_c mn = \log_c m + \log_c n$<br>Ici, $n$ est supérieur à 0. | $\log_5 125 = \log_5 (25 \times 5) = \log_5 25 + \log_5 5 = 2 + 1 = 3$ |
| Logarithme d'un quotient<br>$\log_c \left(\dfrac{m}{n}\right) = \log_c m - \log_c n$<br>Ici, $n$ est supérieur à 0. | $\log_4 \dfrac{256}{16} = \log_4 256 - \log_4 16 = 4 - 2 = 2$ |

### identité trigonométrique

◆ TS et SN Égalité trigonométrique vraie, quelles que soient les valeurs des variables qui y figurent.

Principales identités trigonométriques

1. $\operatorname{cosec} x = \dfrac{1}{\sin x}$, où $\sin x \neq 0$

2. $\sec x = \dfrac{1}{\cos x}$, où $\cos x \neq 0$

3. $\cot x = \dfrac{1}{\tan x}$, où $\tan x \neq 0$

4. $\sin^2 x + \cos^2 x = 1$

5. $1 + \tan^2 x = \sec^2 x$

6. $1 + \cot^2 x = \operatorname{cosec}^2 x$

7. $\sin (A + B) = \sin A \cos B + \cos A \sin B$

8. $\sin (A - B) = \sin A \cos B - \cos A \sin B$

9. $\cos (A + B) = \cos A \cos B - \sin A \sin B$

10. $\cos (A - B) = \cos A \cos B + \sin A \sin B$

11. $\tan (A + B) = \dfrac{\tan A + \tan B}{1 - \tan A \tan B}$,<br>où $1 - \tan A \tan B \neq 0$

12. $\tan (A - B) = \dfrac{\tan A - \tan B}{1 + \tan A \tan B}$,<br>où $1 + \tan A \tan B \neq 0$

## image nom féminin

◆ ➭ Voir **codomaine** et **figure image.**

## inclusion [⊆] nom féminin

◆ Relation entre deux ensembles A et B. On dit que A est inclus dans B si tout élément de A est aussi élément de B.

*Exemple :* Soit A l'ensemble des nombres impairs inférieurs à 10 et B l'ensemble des nombres naturels inférieurs à 10.

A = {1, 3, 5, 7, 9}
B = {1, 2, 3, 4, 5, 6, 7, 8, 9}

On peut donc écrire que A ⊆ B.

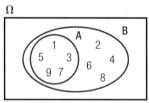

## inconnue nom féminin

◆ Paramètre figurant dans une équation, souvent représenté par une lettre, telle que $x$ ou $y$. On s'intéresse à la ou aux valeurs des inconnues pour lesquelles l'égalité sera vérifiée. Ces valeurs s'appellent *solutions de l'équation.*

*Exemple :* Dans l'équation $x + 7 = 10$, $x$ est l'inconnue et c'est pour $x = 3$ que l'égalité $x + 7 = 10$ est vérifiée.

### indice nom masculin
♦ Caractère placé en bas et à droite d'une lettre pour distinguer des variables ayant des valeurs différentes.

*Exemple:* Soit $y_1$ le salaire annuel de Jean et $y_2$ le salaire annuel de Johanne.
Les chiffres 1 et 2 sont des indices permettant de distinguer chaque salaire.

### inégalité [<, ≤, >, ≥] nom féminin
♦ Relation mathématique utilisant un des signes $<$, $\leq$, $>$, $\geq$ et permettant de comparer les valeurs respectives de deux expressions appelées *membres de l'inégalité.*

*Exemples:*
1) $3 < 3,8$
2) $-12 > -15$
3) $5 \leq 3x + 2$ pour $x \in [1, {^+}\infty[$.

### inéquation nom féminin
♦ Inégalité mathématique comportant une ou plusieurs inconnues. On cherchera éventuellement les valeurs qui, attribuées à ces inconnues, rendront l'inégalité vraie. Ces valeurs sont appelées *solutions de l'inéquation.* L'ensemble des solutions est appelé *ensemble-solution.* Dans certains cas, on peut représenter cet ensemble par une région du plan.

*Exemples:*
1) $3x \leq 90$

2) $y > 6x - 12$

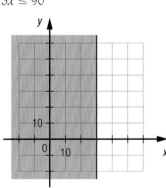

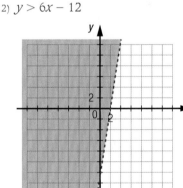

## Règles de transformation des inéquations

| Méthode | Exemple |
|---|---|
| Additionner ou soustraire un même nombre aux deux membres d'une inéquation conserve le sens de cette inéquation. | Soit l'inéquation $3x - 5 < 4$.<br>En additionnant 5 aux deux membres de cette inéquation, on obtient:<br>$3x < 9$ |
| Multiplier ou diviser les deux membres d'une inéquation par un même nombre strictement positif conserve le sens de cette inéquation. | Soit l'inéquation $3x < 9$.<br>En divisant par 3 les deux membres de cette inéquation, on obtient: $x < 3$ |
| Multiplier ou diviser les deux membres d'une inéquation par un même nombre strictement négatif inverse le sens de cette inéquation. | Soit l'inéquation $-2x + 3 \geq 11$. En soustrayant 3 aux deux membres de cette inéquation, on obtient: $-2x \geq 8$.<br>En divisant par $-2$ les deux membres de cette inéquation, on obtient: $x \leq -4$. |

### inéquation du deuxième degré à une inconnue

♦ Inéquation comportant une seule inconnue affectée de l'exposant 2.

*Exemple:* Soit l'inéquation du deuxième degré à une inconnue $x^2 - 4x - 5 \leq 7$.

L'ensemble-solution de cette inéquation est $[-2, 6]$.

### inéquation du premier degré à deux inconnues

♦ Inéquation comportant deux inconnues du premier degré.

Une solution d'une inéquation à deux inconnues est un couple de valeurs vérifiant cette inéquation. L'ensemble de ces couples constitue l'ensemble-solution de l'inéquation.

*Exemple:* L'inéquation $20x + 30y \leq 120$ peut être représentée graphiquement dans le plan cartésien ci-contre.

L'ensemble-solution de cette inéquation est représenté par la zone en rouge.

Le couple $(2, 2)$ est une solution de cette inéquation.

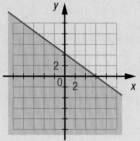

### inéquation trigonométrique

♦ TS et SN Inéquation comportant un rapport trigonométrique.

*Exemple:* Soit l'inéquation trigonométrique $2\cos\frac{\pi}{4}(x - 1) - \sqrt{3} < 0$. L'ensemble-solution de cette inéquation est : $\ldots \cup \left]-\frac{19}{3}, \frac{1}{3}\right[ \cup \left]\frac{5}{3}, \frac{25}{3}\right[ \cup \left]\frac{29}{3}, \frac{49}{3}\right[ \cup \ldots$

## inférence nom féminin

♦ Opération logique par laquelle on admet une proposition basée sur d'autres propositions déjà tenues pour vraies.

## inférieur, inférieure [<] adjectif

♦ Synonyme de *plus petit que.*

*Exemple:* $2 < 4$ signifie que 2 est inférieur à 4 ou que 2 est plus petit que 4.

## infini [∞] nom masculin

♦ Ce qui est sans limite.

On parle de *plus l'infini,* noté $+\infty$, lorsque les valeurs n'ont pas de limite supérieure.
On parle de *moins l'infini,* noté $-\infty$, lorsque les valeurs n'ont pas de limite inférieure.

*Exemple:* Le domaine de la fonction ci-contre est $[0, +\infty[$ et le codomaine est $]-\infty, 0]$.

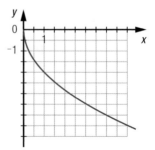

## inscriptible adjectif

♦ Qui peut être inscrit dans une figure donnée.

➜ Voir **cercle inscrit** et **figure inscrite**.

*Exemple :* Ce carré bleu est inscriptible, car il peut être inscrit dans un cercle.

## intérêt nom masculin

❶ Revenu provenant de l'investissement d'une somme d'argent.

*Exemple :* Claude a placé 500 $ rapportant un taux d'intérêt de 10 % par année.
À la fin de l'année, il recevra un montant d'intérêts de 500 × 10 % = 50 $.

❷ Montant à payer en raison de l'emprunt d'une somme d'argent.

*Exemple :* Claude a emprunté 500 $ à un taux d'intérêt de 10 % par année.
À la fin de l'année, il devra payer un montant d'intérêts de 500 × 10 % = 50 $.

### intérêt composé

Intérêt calculé sur la somme placée majorée des précédents intérêts.

> Soit $C$ la somme placée ou empruntée, $V_n$ la valeur du placement après $n$ périodes,
> $t$ le taux d'intérêt par période et $n$ le nombre de périodes.
> $V_n = C(1 + t)^n$

*Exemple :* Éric a placé 1 500 $ pendant 5 ans à un taux d'intérêt annuel composé de 4 %.
Au bout de ces cinq années, Éric aura
$V_5 = 1\,500(1 + 0,04)^5$
$V_5 \approx 1\,824,98 $ \$

### intérêt simple

Intérêt calculé sur la somme investie ou empruntée initialement.

> Soit $I$ l'intérêt, $n$ la durée du placement ou de l'emprunt, $C$ la somme placée
> ou empruntée et $t$ le taux d'intérêt.
> $I = C \times t \times n$

*Exemple :* Judith doit payer 5 % d'intérêt annuel sur un emprunt de 1 000 $. Au bout
de 3 ans, Judith aura payé 1 000 × 5 % × 3 = 150 $.

## intersection [∩] nom féminin

♦ Ensemble des éléments communs à deux ensembles A et B.

*Exemple :* Soit A l'ensemble des nombres
impairs inférieurs à 10 et B l'ensemble
des multiples de 3 inférieurs à 10.
A = {1, 3, 5, 7, 9}
B = {3, 6, 9}
A ∩ B = {3, 9}

L'intersection est la partie en bleu
dans le diagramme.

**intervalle** [[], [[], [], []] nom masculin

♦ Ensemble de nombres compris entre deux nombres appelés *bornes*.

> Un crochet tourné vers l'intérieur ou l'extérieur de l'intervalle indique si la borne est incluse ou exclue. Le symbole ∞ indique que l'ensemble se prolonge à l'infini.
>
> *Exemple:* L'intervalle des nombres réels allant de -4 inclus à 13 exclu est noté [-4, 13[.
>
>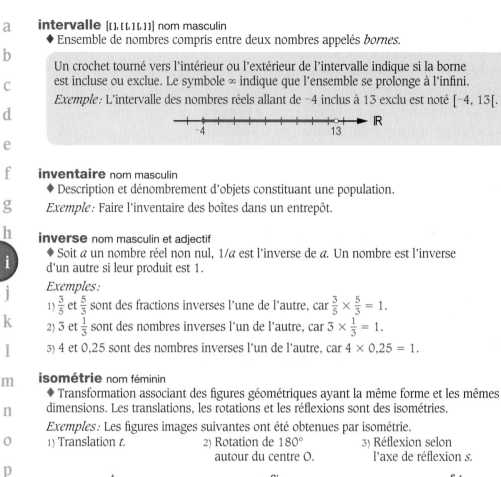

**inventaire** nom masculin

♦ Description et dénombrement d'objets constituant une population.

*Exemple:* Faire l'inventaire des boîtes dans un entrepôt.

**inverse** nom masculin et adjectif

♦ Soit $a$ un nombre réel non nul, $1/a$ est l'inverse de $a$. Un nombre est l'inverse d'un autre si leur produit est 1.

*Exemples:*

1) $\frac{3}{5}$ et $\frac{5}{3}$ sont des fractions inverses l'une de l'autre, car $\frac{3}{5} \times \frac{5}{3} = 1$.

2) $3$ et $\frac{1}{3}$ sont des nombres inverses l'un de l'autre, car $3 \times \frac{1}{3} = 1$.

3) 4 et 0,25 sont des nombres inverses l'un de l'autre, car $4 \times 0{,}25 = 1$.

**isométrie** nom féminin

♦ Transformation associant des figures géométriques ayant la même forme et les mêmes dimensions. Les translations, les rotations et les réflexions sont des isométries.

*Exemples:* Les figures images suivantes ont été obtenues par isométrie.

1) Translation *t*.

2) Rotation de 180° autour du centre O.

3) Réflexion selon l'axe de réflexion *s*.

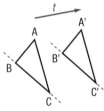
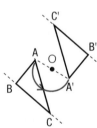
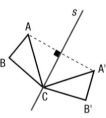

**itération** nom féminin

Répétition d'un procédé de calcul, de l'application d'une fonction ou d'un raisonnement.

# J j

**jour** [d] nom masculin
♦ Temps mis par la Terre pour faire un tour sur elle-même.

- Il y a 24 heures dans une journée.
- Il y a 30 ou 31 jours dans un mois, sauf le mois de février qui compte 28 jours ou 29 lors d'une année bissextile.
- Il y a 365 jours dans une année et 366 jours dans une année bissextile.

# K k

**kilo** [k] nom masculin
♦ Préfixe signifiant *mille fois.*

*Exemples :*
1) 1 kilomètre = 1000 mètres
2) 1 kilolitre = 1000 litres
3) 1 kilogramme = 1000 grammes

**kilogramme** [kg] nom masculin
♦ Unité de mesure de masse du système international d'unités (SI).

**kilomètre** [km] nom masculin
♦ Unité de mesure de longueur du système métrique, valant 1000 mètres.

## largeur nom féminin

♦ Grandeur d'un objet dans le sens de sa plus petite dimension.

*Exemple :*

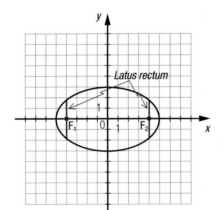

Largeur

## *latus rectum*

♦ TS et SN Segment de droite reliant deux points d'une **conique,** passant par le **foyer** et perpendiculaire à l'axe principal de la conique.

*Exemples :*

1) Pour une ellipse :

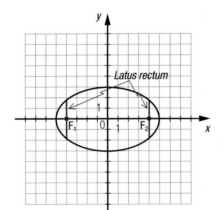

2) Pour une hyperbole :

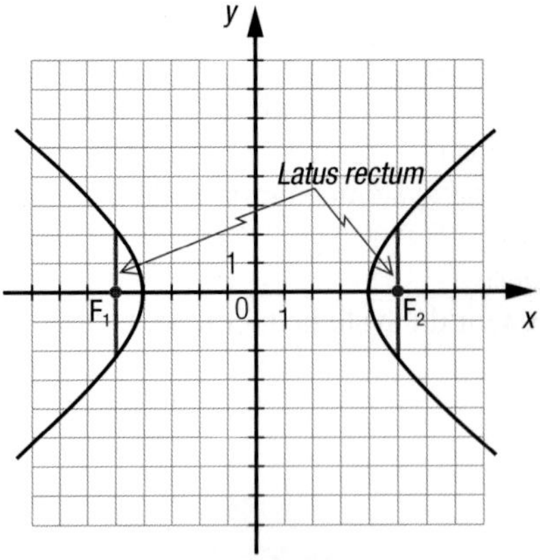

3) Pour une parabole :

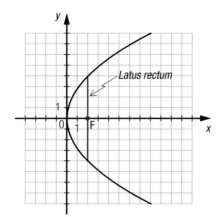

**lemme** nom masculin
♦ Proposition intermédiaire servant de base à la démonstration d'un théorème plus important.

**lieu** nom masculin
Portion déterminée de l'espace.

### lieu géométrique
♦ TS Ensemble de tous les points d'un espace donné qui vérifient une condition donnée. Les sections **coniques** sont toutes des lieux géometriques.

*Exemples :*

1) Un cercle est le lieu géométrique des points du plan dont la distance à un point appelé **centre** est égale à *r*, un nombre réel positif et non nul qui est le rayon du cercle.

2) La médiatrice d'un segment de droite d'un plan est le lieu géométrique des points de ce plan qui sont équidistants des extrémités du segment.

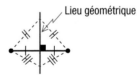

3) Une sphère est le lieu géométrique des points de l'espace dont la distance d'un point appelé **centre** est égale à *r*, un nombre réel positif et non nul qui est le rayon de la sphère.

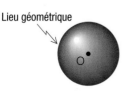

4) Le point milieu d'un segment de droite est le lieu géométrique des points de ce segment qui sont équidistants de ses extrémités.

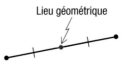

**lieu plan**

♦ ᴛs Cas particulier d'un **lieu géométrique** s'appliquant à l'ensemble de tous les points d'un plan donné qui vérifient une condition donnée.

*Exemple:* Un cercle est le lieu plan des points du plan dont la distance à un point appelé **centre** est égale à *r,* un nombre réel positif et non nul qui est le rayon du cercle.

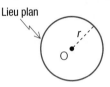

Lieu plan

## ligne nom féminin

♦ Ensemble continu de points.

*Exemples:*

1)    2)    3)    4)     5)

## ligne brisée

♦ Suite continue de segments de droites.

*Exemples:*

1)    2)

## ligne courbe

♦ Ligne non droite, dont le tracé change continuellement de direction.

*Exemples:*

1)     2)    3)

## ligne droite

♦ Ligne n'ayant qu'une seule direction.

*Exemples:*

1)     2)     3)

## ligne fermée

♦ Ligne dont les extrémités coïncident.

*Exemples:*

1)    2)    3)    4)

## litre [l] nom masculin

♦ Unité de mesure des capacités.

### logarithme [log$_b$c] nom masculin
♦ TS et SN Exposant dont il faut affecter une base $b$ pour obtenir une puissance $c$ donnée.
➜ Voir **forme logarithmique.**

*Exemple:* Dans $4 = \log_2 16$, 4 est le logarithme de 16 en base deux, soit l'exposant qu'il faut donner à 2 pour obtenir 16. En effet, $2^4 = 16$.

### logarithme décimal [log]
♦ TS et SN Logarithme en base dix, soit l'exposant dont il faut affecter le nombre 10 pour obtenir une puissance donnée.

*Exemple:* $\log 150 = \log_{10} 150$ est un logarithme décimal.

### logarithme naturel [ln]
➜ Voir **logarithme népérien.**

### logarithme népérien [ln]
♦ TS et SN Exposant dont il faut affecter le nombre $e$ (sensiblement égal à $2{,}718\,281\,828\,459...$) pour obtenir une puissance donnée.

> $\log_e x$ s'écrit plus simplement $\ln x$.

🌐 Voir **Napier,** John.
*Exemple:* $\ln 8 = \log_e 8$ est un logarithme népérien.

### loi nom féminin
❶ ♦ Règle, relation ou formule générale devant être respectée.
❷ Propriété.

### loi des cosinus
♦ Formule générale qui permet, connaissant les mesures de deux des côtés d'un triangle et celle de l'angle compris entre ces deux côtés, de calculer la mesure du troisième côté.
🌐 Voir **Al-Kashi.**

Énoncé de la loi des cosinus:
Le carré de la longueur d'un triangle quelconque est égal à la somme des carrés des longueurs des autres côtés, moins le double du produit des longueurs des autres côtés par le cosinus de l'angle compris entre ces deux côtés:

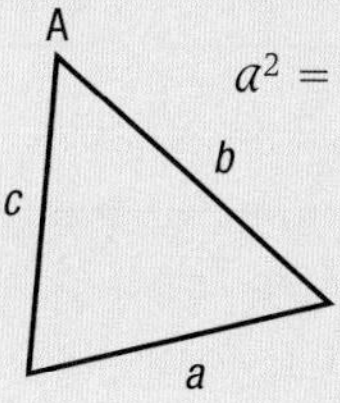

$$a^2 = b^2 + c^2 - 2bc \cos A$$

*Exemple:* Dans le triangle ci-contre:
$a^2 = b^2 + c^2 - 2bc \cos A$
$a^2 = 7^2 + 8^2 - 2 \times 7 \times 8 \times \cos 72°$
$a \approx 8{,}91$ cm

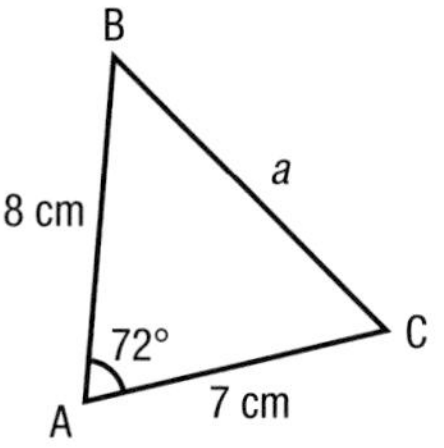

**loi des exposants**

◆ Ensemble de formules permettant d'effectuer des calculs avec des expressions écrites sous la forme exponentielle.

| Loi | Exemple |
|---|---|
| Produit de puissances<br>Pour $a \neq 0$: $a^m \times a^n = a^{m+n}$ | $\begin{aligned} 5^2 \times 5^3 &= 5^{2+3} \\ &= 5^5 \end{aligned}$ |
| Quotient de puissances<br>Pour $a \neq 0$: $\dfrac{a^m}{a^n} = a^{m-n}$ | $\begin{aligned} \dfrac{3^6}{3^4} &= 3^{6-4} \\ &= 3^2 \end{aligned}$ |
| Puissance d'un produit<br>Pour $a \neq 0$ et $b \neq 0$: $(ab)^m = a^m b^m$ | $(2 \times 7)^3 = 2^3 \times 7^3$ |
| Puissance d'une puissance<br>Pour $a \neq 0$: $(a^m)^n = a^{mn}$ | $\begin{aligned} (3^2)^3 &= 3^{2 \times 3} \\ &= 3^6 \end{aligned}$ |
| Puissance d'un quotient<br>Pour $a \neq 0$ et $b \neq 0$: $\left(\dfrac{a}{b}\right)^m = \dfrac{a^m}{b^m}$ | $\left(\dfrac{5}{3}\right)^4 = \dfrac{5^4}{3^4}$ |

**loi des logarithmes**

◆ TS et SN Ensemble de formules permettant d'effectuer des calculs avec des expressions écrites sous la forme logarithmique.

Ici, $c$, $d$ et $m$ sont des nombres réels positifs et non nuls, $c \neq 1$ et $d \neq 1$.

| Loi | Exemple |
|---|---|
| Logarithme d'un produit<br>$\log_c mn = \log_c m + \log_c n$<br>Ici, $n$ est un nombre réel positif et non nul. | $\begin{aligned} \log_2 (8 \times 16) &= \log_2 8 + \log_2 16 \\ &= 3 + 4 \\ &= 7 \end{aligned}$ |
| Logarithme d'un quotient<br>$\log_c \dfrac{m}{n} = \log_c m - \log_c n$<br>Ici, $n$ est un nombre réel positif et non nul. | $\begin{aligned} \log_2 \left(\dfrac{8}{16}\right) &= \log_2 8 - \log_2 16 \\ &= 3 - 4 \\ &= -1 \end{aligned}$ |
| Logarithme d'une puissance<br>$\log_c m^n = n \log_c m$ | $\begin{aligned} \log_3 27^2 &= 2 \log_3 27 \\ &= 2 \times 3 \\ &= 6 \end{aligned}$ |
| Changement de base<br>$\log_c m = \dfrac{\log_d m}{\log_d c}$ | $\begin{aligned} \log_4 16 &= \dfrac{\log_2 16}{\log_2 4} = \dfrac{4}{2} \\ &= 2 \end{aligned}$ |

a
b
c
d
e
f
g
h
i
j
k
l
m
n
o
p
q
r
s
t
u
v
w
x
y
z

### loi des sinus

♦ Formule permettant de trouver toutes les mesures manquantes d'un triangle quelconque si l'on connaît les mesures d'un angle, de son côté opposé et d'un autre côté ou d'un autre angle de ce triangle.

Énoncé de la loi des sinus :

Les mesures des côtés d'un triangle sont proportionnelles au sinus des angles opposés à ces côtés :

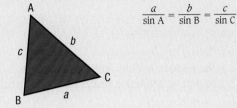

$$\frac{a}{\sin A} = \frac{b}{\sin B} = \frac{c}{\sin C}$$

*Exemple :* Dans le triangle ci-dessous :

$$\frac{5}{\sin 56°} = \frac{b}{\sin 72°} = \frac{c}{\sin 52°}$$

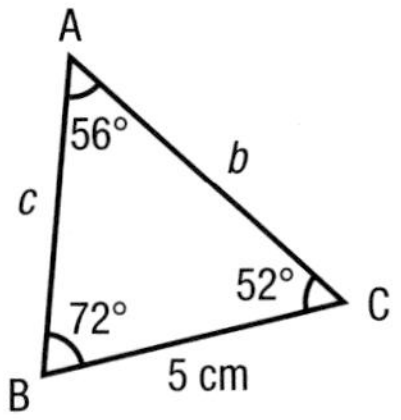

On a : $b = \dfrac{\sin 72° \times 5}{\sin 56°}$

$\quad\quad b \approx 5,74$ cm

On a : $c = \dfrac{\sin 52° \times 5}{\sin 56°}$

$\quad\quad c \approx 4,75$ cm

### longueur nom féminin

♦ Grandeur d'un objet dans le sens de sa plus grande dimension.

*Exemple :*

Longueur

### losange nom masculin

♦ Quadrilatère ayant des côtés opposés parallèles et tous les côtés isométriques.

- Les diagonales d'un losange sont perpendiculaires et se coupent en leur milieu.

- Le carré est un losange dont les quatre angles sont droits.

- L'aire d'un losange est donnée par la formule suivante.

$$\text{Aire} = \frac{\text{Grande diagonale} \times \text{Petite diagonale}}{2} = \frac{D \times d}{2}$$

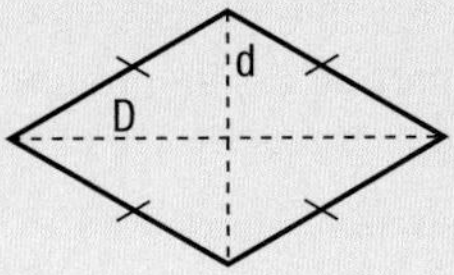

**masse** nom féminin

◆ Quantité de matière d'une personne, d'un animal ou d'un objet. Le kilogramme est l'unité de base de la masse dans le **système international d'unités (SI).**

**matrice** nom féminin

◆ᵀˢ Tableau rectangulaire ordonné de $m \times n$ éléments disposés en $m$ lignes et $n$ colonnes, où $m$ et $n$ sont des nombres entiers positifs non nuls.

- Dans une matrice A de dimensions $m \times n$:
  - $m$ représente le nombre de lignes de la matrice;
  - $n$ représente le nombre de colonnes de la matrice;
  - si $i$ et $j$ sont des entiers tels que $1 \leq i \leq m$ et $1 \leq j \leq n$, alors l'expression $a_{ij}$ désigne l'élément de ce tableau qui est situé à l'intersection de la $i^e$ ligne et de la $j^e$ colonne.

$$A = \begin{pmatrix} a_{11} & a_{12} & \ldots & a_{1j} & \ldots & a_{1n} \\ a_{21} & a_{22} & \ldots & a_{2j} & \ldots & a_{2n} \\ \ldots & \ldots & \ldots & \ldots & \ldots & \ldots \\ a_{i1} & a_{i2} & \ldots & a_{ij} & \ldots & a_{in} \\ \ldots & \ldots & \ldots & \ldots & \ldots & \ldots \\ a_{m1} & a_{m2} & \ldots & a_{mj} & \ldots & a_{mn} \end{pmatrix}$$

  *Exemple:* La matrice A ci-dessous est composée de 2 lignes et de 3 colonnes. Les dimensions de cette matrice sont $2 \times 3$.
  $$A = \begin{pmatrix} 2 & 5 & 4 \\ ^-1 & 7 & ^-3 \end{pmatrix}$$

- **Multiplication d'une matrice par un scalaire.** Pour multiplier une matrice par un **scalaire,** on multiplie chaque élément de la matrice par ce scalaire. Le produit d'une matrice par un scalaire est une matrice.

  *Exemple:* $3 \times \begin{pmatrix} 1 & 5 & 2 \\ 0 & ^-3 & ^-1 \end{pmatrix} = \begin{pmatrix} 3 & 15 & 6 \\ 0 & ^-9 & ^-3 \end{pmatrix}$

- **Addition de matrices.** La somme de deux matrices est possible seulement lorsqu'elles sont de mêmes dimensions. Pour additionner deux matrices, on additionne les éléments occupant la même position dans chaque matrice. La somme de ces deux matrices est une nouvelle matrice. Soustraire une matrice B d'une matrice A revient à additionner l'opposé de la matrice B à la matrice A.

  *Exemple:* $\begin{pmatrix} 2 & 1 & 3 \\ ^-1 & 0 & ^-4 \end{pmatrix} + \begin{pmatrix} 0 & ^-2 & 1 \\ 3 & ^-4 & 5 \end{pmatrix} = \begin{pmatrix} 2+0 & 1-2 & 3+1 \\ ^-1+3 & 0-4 & ^-4+5 \end{pmatrix} = \begin{pmatrix} 2 & ^-1 & 4 \\ 2 & ^-4 & 1 \end{pmatrix}$

- **Multiplication de matrices.** Le produit d'une matrice A par une matrice B est possible seulement lorsque le nombre de colonnes de la matrice A est égal au nombre de lignes de la matrice B. Ce produit est une nouvelle matrice. De façon générale: $A_{m \times p} \times B_{p \times n} = C_{m \times n}$, où $m$, $n$ et $p$ sont des nombres entiers positifs non nuls.

  *Exemple:* $\begin{pmatrix} 1 & 2 \\ 0 & 4 \\ 3 & ^-1 \end{pmatrix} \times \begin{pmatrix} 2 & 0 \\ 1 & ^-3 \end{pmatrix} = \begin{pmatrix} 1 \times 2 + 2 \times 1 & 1 \times 0 + 2 \times ^-3 \\ 0 \times 2 + 4 \times 1 & 0 \times 0 + 4 \times ^-3 \\ 3 \times 2 + ^-1 \times 1 & 3 \times 0 + ^-1 \times ^-3 \end{pmatrix} = \begin{pmatrix} 4 & ^-6 \\ 4 & ^-12 \\ 5 & 3 \end{pmatrix}$

**matrice de transformation**

◆ TS Dans le plan cartésien, matrice permettant, à partir des coordonnées d'un point initial, de trouver celles de son image par une **transformation géométrique** donnée. Par extension, cette même matrice permettra, à partir de la matrice des coordonnées d'une figure initiale, de trouver celles de la figure image. Par exemple, la figure image obtenue par rotation, réflexion, translation ou homothétie peut être définie en effectuant le produit de la matrice des coordonnées de la figure initiale par la matrice de transformation.

$$\begin{pmatrix} \text{matrice des coordonnées} \\ \text{de la figure initiale} \end{pmatrix} \times \begin{pmatrix} \text{matrice de} \\ \text{transformation} \end{pmatrix} = \begin{pmatrix} \text{matrice des coordonnées} \\ \text{de la figure image} \end{pmatrix}$$

- Pour une **réflexion** $s$ par rapport à l'axe des abscisses, la matrice est:
$$s_x = \begin{pmatrix} 1 & 0 \\ 0 & -1 \end{pmatrix}.$$

- Pour une **réflexion** $s$ par rapport à l'axe des ordonnées, la matrice est:
$$s_y = \begin{pmatrix} -1 & 0 \\ 0 & 1 \end{pmatrix}.$$

*Exemple:* On peut déterminer de la façon suivante les coordonnées des sommets du triangle A'B'C', image du triangle ABC par la réflexion $s_y$.

$$\begin{pmatrix} -4 & 2 \\ -1 & 4 \\ -3 & 1 \end{pmatrix} \times \begin{pmatrix} -1 & 0 \\ 0 & 1 \end{pmatrix} = \begin{pmatrix} 4 & 2 \\ 1 & 4 \\ 3 & 1 \end{pmatrix}$$

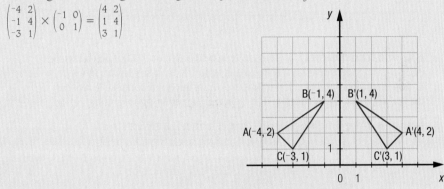

- Pour une **rotation** $r$ d'angle $\theta$ autour de l'origine O, la matrice est:
$$r_{(O,\theta)} = \begin{pmatrix} \cos\theta & \sin\theta \\ -\sin\theta & \cos\theta \end{pmatrix}.$$

*Exemple:* On peut déterminer de la façon suivante les coordonnées des sommets du triangle A'B'C', image du triangle ABC par la rotation $r_{(O,90°)}$.

$$\begin{pmatrix} 2 & 4 \\ 4 & 1 \\ 1 & 3 \end{pmatrix} \times \begin{pmatrix} \cos90° & \sin90° \\ -\sin90° & \cos90° \end{pmatrix} = \begin{pmatrix} 2 & 4 \\ 4 & 1 \\ 1 & 3 \end{pmatrix} \times \begin{pmatrix} 0 & 1 \\ -1 & 0 \end{pmatrix}$$

$$= \begin{pmatrix} -4 & 2 \\ -1 & 4 \\ -3 & 1 \end{pmatrix}$$

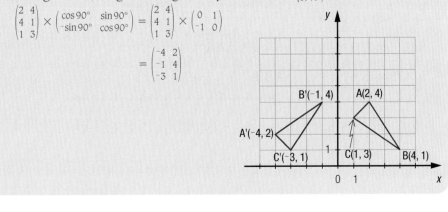

- Pour une **homothétie** $h$ dont le centre O correspond à l'origine du plan cartésien et dont le rapport non nul est $k$, la matrice est $h_{(O,\,k)} = \begin{pmatrix} k & 0 \\ 0 & k \end{pmatrix}$.

*Exemple:* On peut déterminer de la façon suivante les coordonnées des sommets du triangle A'B'C', image du triangle ABC par l'homothétie $h_{(O,\,2)}$.

$$\begin{pmatrix} 1 & 2 \\ 3 & 4 \\ 4 & 1 \end{pmatrix} \times \begin{pmatrix} 2 & 0 \\ 0 & 2 \end{pmatrix} = \begin{pmatrix} 2 & 4 \\ 6 & 8 \\ 8 & 2 \end{pmatrix}$$

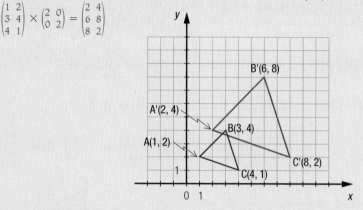

- Pour une **translation** $t_{(a,\,b)}$ de $a$ unités parallèlement à l'axe des abscisses et de $b$ unités parallèlement à l'axe des ordonnées, à savoir $(x, y) \mapsto (x + a, y + b)$, la représentation matricielle fait appel à un artifice qui consiste à ajouter une colonne de 1 à la matrice des coordonnées de la figure initiale, et de passer par une matrice à trois lignes (et deux colonnes), à savoir: $\begin{pmatrix} 1 & 0 \\ 0 & 1 \\ a & b \end{pmatrix}$.

*Exemple:* On peut déterminer de la façon suivante les coordonnées des sommets du triangle A'B'C', image du triangle ABC par la translation $t_{(3,\,4)}$.

$$\begin{pmatrix} -1 & 2 & 1 \\ 1 & 4 & 1 \\ 3 & 3 & 1 \end{pmatrix} \times \begin{pmatrix} 1 & 0 \\ 0 & 1 \\ 3 & 4 \end{pmatrix} = \begin{pmatrix} 2 & 6 \\ 4 & 8 \\ 6 & 7 \end{pmatrix}$$

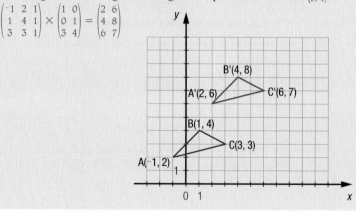

**maximum** nom masculin

❶ ♦ En statistique, donnée dont la valeur est la plus élevée.

*Exemple:* Pour la distribution 2, 3, 3, 4, 7, 8, 12, 15, le maximum est 15.

❷ ♦ Plus grande valeur prise par la **variable dépendante** d'une fonction donnée.

*Exemple:* Pour la fonction représentée ci-contre, le maximum est 4.

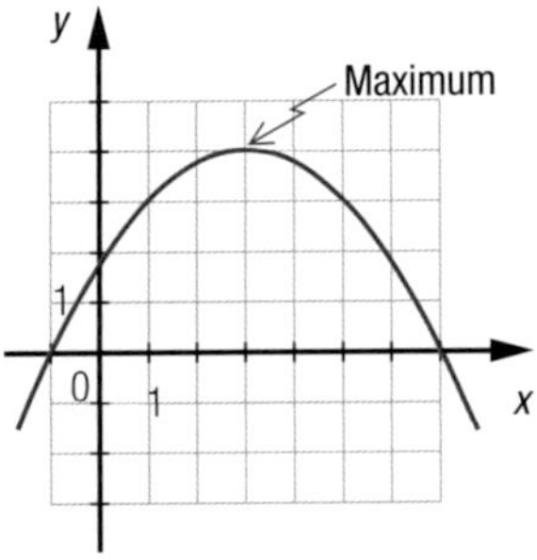

**médiane** nom féminin

❶ ♦ En statistique, **mesure de tendance centrale** indiquant le centre d'une distribution.

- Dans une distribution ordonnée:

  1. si le nombre de données est impair, la médiane est la donnée du centre;

     *Exemple:* Voici une distribution ordonnée contenant 7 données:
     2, 3, 3, 5, 6, 6, 9
     Le nombre de données étant impair, la médiane est la donnée du milieu, donc 5.

  2. si le nombre de données est pair, la médiane est la moyenne des deux données du centre.

     *Exemple:* Voici une distribution ordonnée contenant 8 données:
     11, 12, 12, 14, 16, 16, 17, 19
     Le nombre de données étant pair, la médiane est la moyenne des deux données du milieu, donc $\frac{14 + 16}{2} = 15$.

- Pour une distribution de données condensées, la médiane est la valeur ou la modalité située au milieu de l'effectif.

  *Exemple:* Soit la distribution de données condensées ci-contre. La médiane est la modalité correspondant à la donnée du centre, soit la 13e donnée ($25 \div 2 = 12,5$). Selon l'effectif, la 13e donnée est B puisque $6 + 12 = 18$. La médiane de la distribution est B.

| Modalité | Effectif |
|----------|----------|
| A | 6 |
| B | 12 |
| C | 5 |
| D | 2 |
| **Total** | **25** |

- Pour une distribution de données groupées en classes, la classe comportant la médiane est qualifiée de classe médiane. Le milieu de la classe médiane donne une estimation de la valeur de la médiane.

  *Exemple:* Soit la distribution de données groupées en classes ci-contre. La médiane est située dans la classe correspondant à la donnée du centre, soit la 63e donnée ($125 \div 2 = 62,5$). Selon l'effectif, la 63e donnée est dans la classe [10, 15[ puisque $32 + 28 = 60$ et $32 + 28 + 41 = 101$. La médiane de la distribution est environ $\frac{10 + 15}{2} = 12,5$.

| Valeur | Effectif |
|--------|----------|
| [0, 5[ | 32 |
| [5, 10[ | 28 |
| [10, 15[ | 41 |
| [15, 20[ | 24 |
| **Total** | **125** |

**149**

❷ ♦ Dans un triangle, segment reliant un sommet au milieu du côté opposé.

*Exemple:* Les segments AE, BF et CD sont les médianes du triangle ABC.

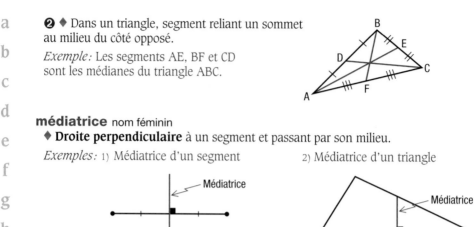

### médiatrice nom féminin

♦ **Droite perpendiculaire** à un segment et passant par son milieu.

*Exemples:* 1) Médiatrice d'un segment

Médiatrice

2) Médiatrice d'un triangle

Médiatrice

### mesure nom féminin

♦ Valeur d'une grandeur exprimée par rapport à une autre grandeur utilisée comme unité de référence. On peut mesurer une longueur, une aire, un volume, un angle, etc.

### mesure (unité de)

♦ Grandeur de référence permettant de mesurer d'autres grandeurs de même nature.

### mesure de dispersion

♦ Mesure décrivant l'étalement (ou la concentration) des données d'une distribution. L'**étendue**, la **variance**, l'**écart moyen** et l'**écart type** sont des mesures de dispersion.

### mesure de position

♦ Mesure situant une donnée parmi les autres données d'une distribution. Le **rang centile** et le **rang cinquième** sont des mesures de position.

### mesure de tendance centrale

♦ Mesure décrivant le centre d'une distribution ordonnée. Le **mode**, la **médiane** et la **moyenne** sont des mesures de tendance centrale.

### méthode nom féminin

Marche à suivre composée d'une suite d'étapes permettant d'atteindre un résultat.

### méthode de Borda

♦ CST Procédure de vote ayant pour but de classer les candidats par ordre de préférence. S'il y a *n* candidats, *n* points sont attribués au 1ᵉʳ choix de chaque électeur ou électrice, *n* − 1 points au 2ᵉ choix, et ainsi de suite. Le candidat ou la candidate qui obtient le plus grand nombre de points gagne l'élection.

🌐 Voir **Borda,** Jean-Charles.

Cette méthode:
- nuance l'interprétation des résultats d'un vote;
- permet de choisir un candidat ou une candidate bénéficiant généralement d'un haut degré de satisfaction de l'électorat;
- est complexe à mettre en œuvre.

*Exemple:*

**Résultats d'une élection**

| Nombre d'électeurs ayant ordonné les candidats de cette façon | 20 | 35 | 24 | 12 | 19 | 23 |
|---|---|---|---|---|---|---|
| 1er choix | A | A | B | B | C | C |
| 2e choix | B | C | A | C | A | B |
| 3e choix | C | B | C | A | B | A |

Selon la méthode de Borda, voici le nombre de points obtenus par chaque candidat.

- A: $20(3) + 35(3) + 24(2) + 12(1) + 19(2) + 23(1) = 286$ points.
- B: $20(2) + 35(1) + 24(3) + 12(3) + 19(1) + 23(2) = 248$ points.
- C: $20(1) + 35(2) + 24(1) + 12(2) + 19(3) + 23(3) = 264$ points.

A l'emporte.

## méthode d'échantillonnage
♦ Façon de tirer un échantillon d'une population.

Un échantillon est représentatif d'une **population** s'il possède les mêmes caractéristiques que cette population. Pour former un **échantillon aléatoire simple**, chaque élément de la population doit avoir la même chance d'être choisi.

*Exemple:* Pour faire un sondage afin de connaître le sport préféré des 2 000 élèves d'une école secondaire, on veut un échantillon de 200 élèves.
Voici quatre méthodes permettant de former un échantillon représentatif.

| Méthode d'échantillonnage | Exemple |
|---|---|
| **Aléatoire simple** Choisir au hasard les éléments de l'échantillon. | Placer dans une boîte 2 000 bulletins comportant le nom de chaque élève et en tirer 200 au hasard. |
| **Systématique** À l'aide d'une liste de tous les éléments d'une population, choisir chaque $n$e élément ($n$ = population ÷ taille de l'échantillon) suivant un premier élément choisi au hasard pour former l'échantillon. | Tirer au hasard un chiffre de 1 à 9, p. ex. 4. Prendre la 4e personne sur la liste complète des 2 000 élèves, puis chaque 10e personne suivante (2 000 ÷ 200 = 10), c'est-à-dire la 14e, la 24e, et ainsi de suite. Ces élèves constituent l'échantillon. |
| ♦ **Stratifiée** Si la population est hétérogène, la fragmenter en catégories, appelées *strates*. Représenter chaque strate dans l'échantillon selon le rapport: $\frac{\text{taille de la strate}}{\text{taille de la population}}$. Choisir au hasard les éléments de chaque strate. | Si la population de cette école est constituée de 55 % de filles et de 45 % de garçons, sélectionner 110 filles (55 % de 200) au hasard parmi toutes les filles de l'école et 90 garçons (45 % de 200) au hasard parmi tous les garçons de l'école. |
| ♦ **Par grappes** Si la population est homogène et composée de groupes sous-ensembles de la population appelés *grappes,* former l'échantillon avec tous les éléments composant des grappes choisies au hasard. | Parmi les 50 groupes-classes de 40 élèves de cette école, en choisir 5 (200 ÷ 40) aléatoirement. L'ensemble des élèves de ces 5 groupes-classes forme l'échantillon. |

## méthode de la balance

♦ Méthode de **résolution d'équations** consistant à transformer une équation à l'aide des règles de transformation des équations dans le but d'obtenir la solution, c'est-à-dire la ou les valeurs de l'inconnue qui vérifient l'équation donnée.

*Exemple :* 
$$3x - 2 = 5x + 4$$
$$3x - 2 - 5x = 5x + 4 - 5x$$
$$-2x - 2 + 2 = 4 + 2$$
$$\frac{-2x}{-2} = \frac{6}{-2}$$
$$x = -3$$

## mètre [m] nom masculin

♦ Unité de mesure de longueur du système métrique et unité de base du **système international d'unités (SI).**

## mètre carré [m²]

♦ Unité de mesure d'aire égale à celle d'un carré de 1 m de côté.

*Exemple :* L'aire de cette figure est de 1 m².

1 m

1 m

## mètre cube [m³]

♦ Unité de mesure du volume égale à celui d'un cube de 1 m de côté.

*Exemple :* Le volume de ce solide est de 1 m³.

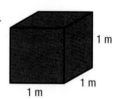

1 m

1 m

1 m

1 m

## milieu nom masculin

♦ Point situé à égale distance des extrémités d'un segment.

Dans le plan cartésien, les coordonnées du milieu du segment reliant les points $A(x_1, y_1)$ et $B(x_2, y_2)$ sont :

$$\left(\frac{x_1 + x_2}{2}, \frac{y_1 + y_2}{2}\right)$$

*Exemples :*

1) Le point M sur le segment AB est le milieu du segment.

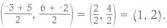

2) Soit les points $A(-3, 6)$ et $B(5, -2)$, les coordonnées du milieu sont :
$$\left(\frac{-3 + 5}{2}, \frac{6 + -2}{2}\right) = \left(\frac{2}{2}, \frac{4}{2}\right) = (1, 2).$$

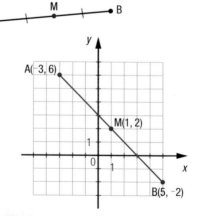

**milliard** nom masculin
Quantité égale à mille millions d'unités, pouvant s'écrire $10^9$ ou 1 000 000 000.

**millième** nom masculin
♦ Partie d'un tout divisé en 1 000 parties égales, pouvant s'écrire $\frac{1}{1\,000}$ ou 0,001.

*Exemples:*
1)

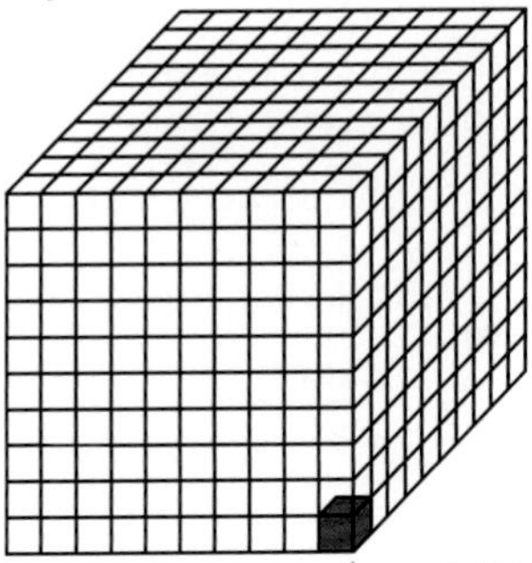

$\frac{1}{1\,000}$ ou 0,001

2) Dans le nombre 47,305 1, le chiffre 5 occupe la position des millièmes.

**millier** nom masculin
♦ Quantité égale à mille unités, pouvant s'écrire $10^3$ ou 1 000.
*Exemple:* Dans 4 367, le chiffre 4 occupe la position des milliers.
➔ Voir **unité de mille.**

**milligramme** [mg] nom masculin
♦ Unité de mesure de masse égale à un millième $\left(\frac{1}{1\,000}\text{ ou }0,001\right)$ de gramme.

**millilitre** [ml] nom masculin
♦ Unité de mesure de capacité égale à un millième $\left(\frac{1}{1\,000}\text{ ou }0,001\right)$ de litre.

$$1 \text{ ml} = 1 \text{ cm}^3$$

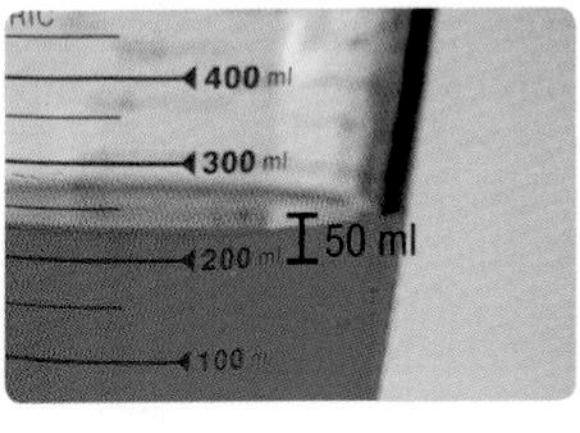

**millimètre** [mm] nom masculin
♦ Unité de mesure de longueur égale un millième $\left(\frac{1}{1\,000}\text{ ou }0,001\right)$ de mètre.
*Exemple:*

**153**

a
b
c
d
e
f
g
h
i
j
k
l

**m**

n
o
p
q
r
s
t
u
v
w
x
y
z

**million** nom masculin

♦ Quantité égale à un million d'unités, pouvant s'écrire $10^6$ ou 1 000 000.

**minimum** nom masculin

❶ ♦ Plus petite valeur prise par la **variable dépendante** d'une fonction donnée.

*Exemple :* Pour la fonction représentée ci-contre, le minimum est ⁻4.

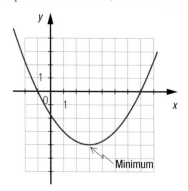

❷ ♦ En statistique, donnée dont la valeur est la moins élevée.

*Exemple :* Pour la distribution 2, 3, 3, 4, 7, 8, 12, 15, le minimum est 2.

**minute** [min] nom féminin

❶ ♦ Unité de mesure du temps.

- Une minute compte 60 secondes.
- Il y a 60 minutes dans une heure.

❷ Unité de mesure d'angle égale à un soixantième $\left(\frac{1}{60}\right)$ de degré. On l'appelle aussi *minute d'arc* ou *minute angulaire*.

**mise en évidence double** nom féminin

♦ TS et SN Méthode de **factorisation** par laquelle on regroupe des termes ayant un facteur commun.

Factorisation d'une expression algébrique par la méthode de mise en évidence double.

| Méthode | Exemple |
|---------|---------|
| 1. Regrouper les termes ayant un facteur commun. | Dans l'expression $xy + 8 + 2y + 4x$, $xy$ et $4x$ ont $x$ comme facteur commun, alors que $2y$ et 8 ont 2 comme facteur commun. On écrit alors : $xy + 4x + 2y + 8$. |
| 2. Mettre le facteur commun en évidence dans chaque groupe. | $x(y + 4) + 2(y + 4)$ |
| 3. Si possible, mettre en évidence un facteur commun aux termes ainsi obtenus. | Le facteur commun aux deux termes est $(y + 4)$. Donc $xy + 8 + 2y + 4x = (y + 4)(x + 2)$ |

### mise en évidence simple nom féminin

♦ Méthode de **factorisation** utilisant un facteur commun à tous les termes.

Factorisation d'une expression algébrique par la méthode de mise en évidence simple.

| Méthode | Exemple |
|---------|---------|
| 1. Déterminer le plus grand facteur commun à tous les termes de l'expression algébrique. | Dans l'expression $3x^2 + 15x$, le plus grand facteur commun est $3x$. |
| 2. Diviser l'expression algébrique par ce facteur commun. | $\frac{3x^2 + 15x}{3x} = \frac{3x^2}{3x} + \frac{15x}{3x} = x + 5$ |
| 3. Écrire le produit du facteur obtenu à l'étape 1 par le quotient obtenu à l'étape 2. | La forme factorisée de $3x^2 + 15x$ est $3x(x + 5)$. |

### modalité nom féminin

♦ En statistique, forme que peuvent prendre les données recueillies lorsque le **caractère** étudié est qualitatif.

*Exemple:* Un sondage est effectué auprès des élèves d'une école pour connaître leur appréciation du service de la bibliothèque. Les élèves disposent des choix suivants: très satisfait, satisfait, moyennement satisfait ou insatisfait. Ce sont les modalités du sondage.

### mode nom masculin

♦ En statistique, **mesure de tendance centrale** indiquant le centre de concentration d'une distribution. Il est égal à la donnée la plus fréquente.

*Exemple:* Soit une distribution contenant dix données.

$$2, 2, 3, 4, 4, 4, 5, 7, 8, 9$$

Le mode de cette distribution est 4.

- Pour une distribution de données condensées, le mode est la valeur ou la modalité ayant l'effectif le plus élevé.

*Exemple:* Soit la distribution de données condensées suivante.

Le mode de cette distribution est B.

| Modalité | Effectif |
|----------|----------|
| A | 8 |
| B | 12 |
| C | 6 |
| D | 4 |
| Total | 30 |

- Pour une distribution de données groupées en classes, la classe ayant l'effectif le plus élevé est appelée **classe modale.** Le milieu de la classe modale donne une estimation de la valeur du mode.

*Exemple:* Soit la distribution suivante de données groupées en classes.

La classe modale de cette distribution est $[10, 15[$ et le mode est $\frac{10 + 15}{2} = 12,5$.

| Classe | Effectif |
|--------|----------|
| $[0, 5[$ | 32 |
| $[5, 10[$ | 28 |
| $[10, 15[$ | 36 |
| $[15, 20[$ | 24 |
| Total | 120 |

**mode de représentation** nom masculin

◆ Une des façons de représenter une fonction, par exemple:
1. une description verbale;
2. une table de valeurs;
3. un graphique;
4. une règle.

| Méthode | Exemple |
|---|---|
| 1. Une **description** verbale définit sommairement une fonction. Une façon de faire consiste à: <br>• identifier les variables; <br>• préciser l'état initial de la situation; <br>• décrire comment les variables se comportent l'une par rapport à l'autre. <br><br>Une description verbale d'une fonction comporte souvent des mots ou des expressions tels que *en fonction de, dépend de, selon* ou *d'après*. | Guillaume fait appel à une électricienne pour effectuer des travaux chez lui. Le tarif est fonction du nombre d'heures travaillées: elle demande 75 $ pour chacune, plus 50 $ pour ses frais de déplacement. |
| 2. Une **table de valeurs** est un tableau comportant des couples de valeurs d'une fonction. La variable indépendante se trouve à la première rangée ou colonne d'une table de valeurs selon que celle-ci est présentée à l'horizontale ou à la verticale. | **Coût d'une électricienne en fonction du temps** <br><br> Temps (h): 0, 1, 2, 3 <br> Coût total ($): 50, 125, 200, 275 |
| 3. Une représentation **graphique** d'une fonction permet de visualiser comment les variables se comportent l'une par rapport à l'autre. On associe la variable indépendante à l'axe des abscisses et la variable dépendante à l'axe des ordonnées. | Coût d'une électricienne en fonction du temps |
| 4. Une **règle** est une égalité traduisant une régularité entre des inconnues. La règle d'une fonction $f$ où $x$ est la variable indépendante et $y$, la variable dépendante, peut s'écrire: <br>• $y =$ (une expression algébrique en $x$) <br>• $f(x) =$ (une expression algébrique en $x$) | En désignant la fonction par $f$, le temps (en heures) par $t$ et le coût total (en $) par $c$ ou $f(t)$, la règle peut s'exprimer ainsi: <br> $c = 75t + 50$ ou $f(t) = 75t + 50$. |

**modèle** nom masculin

◆ Représentation généralement mathématique de relations réelles ou hypothétiques entre différents phénomènes dans le but de les analyser, d'en faciliter la compréhension ou encore d'en prédire de nouveaux.

**modèle mathématique**

♦ Traduction d'un phénomène en termes mathématiques (équation, graphique) dans le but d'en faire une étude.

Les modèles mathématiques permettent, entre autres, d'analyser une situation ou de faire certaines prédictions.

• Voici quelques fonctions pouvant servir de modèles mathématiques à une situation.

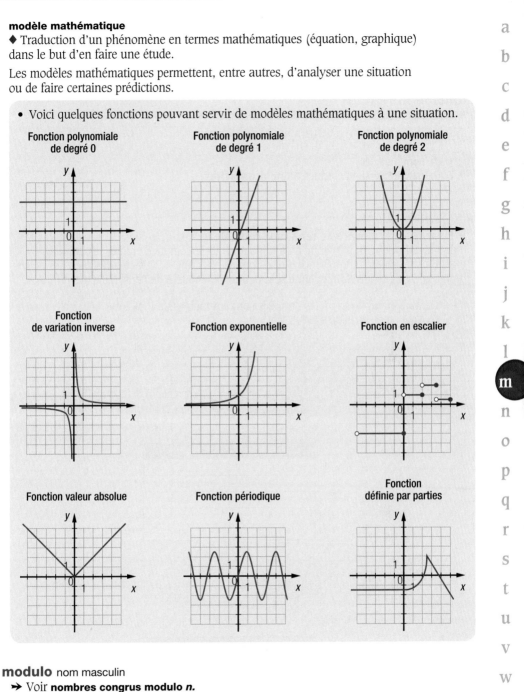

Fonction polynomiale de degré 0

Fonction polynomiale de degré 1

Fonction polynomiale de degré 2

Fonction de variation inverse

Fonction exponentielle

Fonction en escalier

Fonction valeur absolue

Fonction périodique

Fonction définie par parties

**modulo** nom masculin

➜ Voir **nombres congrus modulo *n*.**

**moins** [−] nom masculin

♦ Symbole de la soustraction.

*Exemple:* 5 − 2 = 3 se lit 5 moins 2 égale 3.

**moins de** adverbe
♦ Expression signifiant qu'une quantité inconnue est inférieure à une quantité connue.
*Exemple :* « Philippe a moins de 10 $ d'économie » signifie que Philippe a des économies dont la valeur est plus petite que 10 $.

**monôme** nom masculin
♦ Expression algébrique formée d'un seul terme.
*Exemple :* 12, $4x^2$, $-8y$ et $12xy$ sont des monômes.

**moyen** nom masculin
♦ Deuxième et troisième termes d'une **proportion**.
*Exemple :* Dans la proportion $a : b = c : d$ ou $\frac{a}{b} = \frac{c}{d}$, $b$ et $c$ sont les moyens.

**moyenne** nom féminin
♦ En statistique, **mesure de tendance centrale** indiquant le centre d'équilibre d'une distribution. La moyenne a l'avantage de tenir compte de toutes les données, mais l'inconvénient, en présence d'une donnée aberrante, d'être très éloignée des autres données. Dans ce cas, la moyenne sera peu représentative de l'ensemble des données.

- Pour une distribution où les données sont énumérées, la moyenne se calcule ainsi :
  $\text{Moyenne} = \frac{\text{somme de toutes les données}}{\text{nombre de données}}$.
  *Exemple :* Soit une distribution contenant 8 données : 11, 12, 12, 14, 16, 16, 17, 19.
  $\text{Moyenne} = \frac{11 + 12 + 12 + 14 + 16 + 16 + 17 + 19}{8} = \frac{117}{8} = 14,625$

- Pour une distribution de données condensées, la moyenne se calcule ainsi :
  $\text{Moyenne} = \frac{\text{somme des produits des valeurs par leur effectif}}{\text{nombre de données}}$.
  *Exemple :* Soit la distribution de données condensées suivante.

| Valeur | Effectif |
|--------|----------|
| 1 | 8 |
| 2 | 12 |
| 3 | 6 |
| 4 | 4 |
| **Total** | **30** |

$\text{Moyenne} = \frac{1 \times 8 + 2 \times 12 + 3 \times 6 + 4 \times 4}{30} = \frac{66}{30} = 2,2$

- Pour une distribution de données groupées en classes, la moyenne se calcule ainsi :
  $\text{Moyenne} = \frac{\text{somme des produits des milieux des classes par leur effectif}}{\text{nombre de données}}$.
  *Exemple :* Soit la distribution suivante de données groupées en classes.

| Classe | Effectif |
|--------|----------|
| [0, 5[ | 32 |
| [5, 10[ | 28 |
| [10, 15[ | 36 |
| [15, 20[ | 24 |
| **Total** | **120** |

$\text{Moyenne} = \frac{2,5 \times 32 + 7,5 \times 28 + 12,5 \times 36 + 17,5 \times 24}{120} = \frac{1160}{120} \approx 9,67$

**moyenne arithmétique**

◆ Somme des données divisée par le nombre de données.

*Exemple:* Joëlle a obtenu 76 % à son premier examen d'histoire, 82 % au deuxième, 80 % au troisième et 85 % au quatrième. La moyenne arithmétique des 4 examens de Joëlle est $\frac{76 + 82 + 80 + 85}{4} = 80,75\,\%$.

**moyenne pondérée**

◆ Moyenne d'un certain nombre de valeurs n'ayant pas nécessairement toutes la même importance.

Soit $x_i$ les différentes valeurs et $p_i$ les diverses pondérations de chaque valeur, où $\sum_{i=1}^{n} p_i = 100\,\%$, $i$ et $n \in \mathbb{N}$.

Moyenne pondérée $= \sum_{i=1}^{n}(x_i \times p_i) = x_1 \times p_1 + x_2 \times p_2 + \ldots + x_n \times p_n$

*Exemple:* Le cours de mathématiques comporte trois examens. Le tableau ci-dessous montre les résultats de Maude et la pondération de chacun.

|  | Résultats de Maude | Pondération |
|---|---|---|
| Examen 1 | 82 % | 20 % |
| Examen 2 | 75 % | 35 % |
| Examen 3 | 86 % | 45 % |

La note globale de Maude pour ces trois examens est:
Note globale $= 82 \times 0,20 + 75 \times 0,35 + 86 \times 0,45 = 81,35\,\%$

**moyenne proportionnelle**

◆ Racine $n^e$ du produit des termes d'une suite de $n$ nombres positifs. La moyenne proportionnelle peut aussi s'appeler *moyenne géométrique.*

Moyenne proportionnelle $= \sqrt[n]{a_1 \times a_2 \times \ldots \times a_n}$

*Exemple:* Soit une distribution contenant 7 données: 2, 4, 4, 5, 7, 9, 10.
Moyenne proportionnelle ou géométrique $= \sqrt[7]{2 \times 4 \times 4 \times 5 \times 7 \times 9 \times 10} \approx 5,19$

**multiple** nom masculin

◆ Résultat de la multiplication d'un nombre par un nombre entier. Le multiple d'un nombre contient donc exactement une ou plusieurs fois ce nombre.

*Exemple:* Les multiples de 3 sont 3, 6, 9, 12, 15, 18, 21, ...

**multiple commun**

◆ Nombre multiple de deux ou plusieurs nombres.

*Exemple:* 18 est un multiple commun à 2, 3, 6 et 9.

**multiplication** [×] nom féminin

◆ Opération qui, à partir de deux ou plusieurs facteurs, a pour résultat un nombre appelé *produit.* Une multiplication par un nombre entier équivaut à une addition répétée.

*Exemple:* $5 \times 12 = \underbrace{12 + 12 + 12 + 12 + 12}_{5 \text{ fois}} = 60$.

Ici, 5 et 12 sont des facteurs et 60 est le produit.

a
b
c
d
e
f
g
h
i
j
k
l
**m**
n
o
p
q
r
s
t
u
v
w
x
y
z

**négatif, négative** adjectif

❶ ◆ Qui est inférieur ou égal à zéro.

➜ Voir **nombre négatif.**

❷ ◆ Sur un intervalle du domaine d'une fonction, celle-ci est négative si les valeurs de la **variable dépendante** sont négatives.

*Exemple:* La fonction $f$ ci-dessous est négative sur $[-1, 2]$.

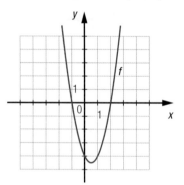

**nœud** nom masculin

◆ CST Sommet dans un **réseau.**

*Exemple:* Dans le réseau ci-dessous, A, B, C, D et E sont des nœuds.

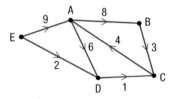

**nœud de relais**

◆ CST Nœud d'où partent ou arrivent exactement deux **arêtes**; il s'agit donc d'un sommet de degré égal à 2.

*Exemple:* Dans le réseau ci-dessous, B et E sont les nœuds de relais.

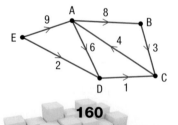

### nœud d'intersection
♦ CST Nœud d'où partent ou arrivent au moins **trois arêtes**; il s'agit donc d'un sommet de degré supérieur ou égal à 3. Le nœud d'intersection peut aussi être appelé *nœud de carrefour.*

*Exemple:* Dans le réseau ci-dessous, A, C et D sont les nœuds d'intersection.

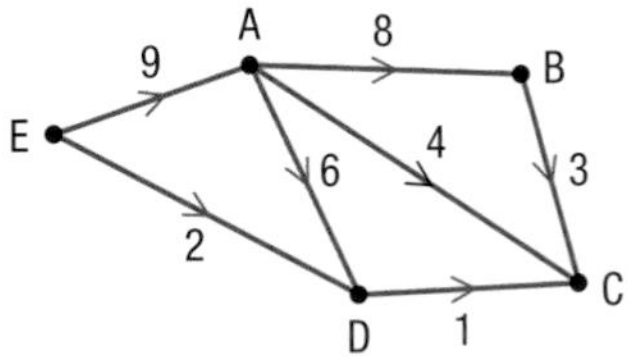

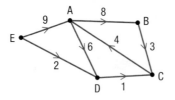

### nœud impair
♦ CST Nœud de degré impair, c'est-à-dire nœud d'où partent ou arrivent un nombre impair d'**arêtes**.

*Exemple:* Dans le réseau ci-dessous, C et D sont les nœuds impairs.

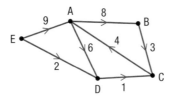

### nœud pair
♦ CST Nœud de degré pair, c'est-à-dire nœud d'où partent ou arrivent un nombre pair d'**arêtes**.

*Exemple:* Dans le réseau ci-dessous, A, B et E sont les nœuds pairs.

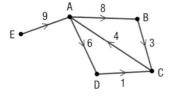

### nœud terminal
♦ CST Nœud de degré 1.

*Exemple:* Dans le réseau ci-dessous, E est le seul nœud terminal.

### nombre nom masculin
♦ Concept mathématique servant à compter, évaluer, mesurer, comparer ou ordonner des grandeurs. On exprime les nombres à l'aide de caractères appelés *chiffres.*

### nombre carré

♦ Nombre pouvant s'exprimer sous la forme $n^2$, où $n$ est un **nombre naturel.** On remarque qu'un nombre carré est un **nombre polygonal** pouvant être représenté par des points disposés en carré.

*Exemples:*

Nombres carrés :    1      4      9      16

### nombre chromatique

♦ ᴄꜱᴛ Nombre minimal de couleurs nécessaires pour colorier tous les sommets d'un **graphe** dans lequel deux sommets adjacents ne sont pas de la même couleur.

Il est possible de colorier un graphe de la façon suivante.
*Exemple:* On veut déterminer le nombre chromatique du graphe suivant.

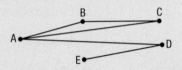

| Méthode | Exemple |
|---|---|
| 1. Colorier le sommet de plus haut degré. | 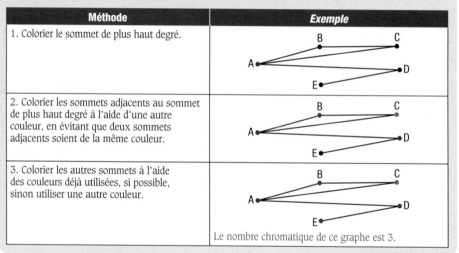 |
| 2. Colorier les sommets adjacents au sommet de plus haut degré à l'aide d'une autre couleur, en évitant que deux sommets adjacents soient de la même couleur. | |
| 3. Colorier les autres sommets à l'aide des couleurs déjà utilisées, si possible, sinon utiliser une autre couleur. | |
| | Le nombre chromatique de ce graphe est 3. |

### nombre complexe [ℂ]

Nombre s'exprimant sous la forme $a + bi$, où $a$ et $b$ sont des **nombres réels** et $i^2 = -1$, c'est-à-dire $i = \sqrt{-1}$.

Dans un nombre complexe, $a$ est appelé *partie réelle* et $bi$ est appelé *partie imaginaire.*

### nombre composé

♦ Nombre entier ayant plus de deux diviseurs positifs.

*Exemple:* 12 est un nombre composé, car 1, 2, 3, 4, 6 et 12 sont les diviseurs positifs de 12.

**nombre décimal**

♦ Nombre comprenant une partie décimale exprimée en base dix avec un nombre fini de chiffres à droite de la virgule.

*Exemple :* 0,35 et 9,2 sont des nombres décimaux.

**nombre d'or [φ]**

Racine positive de l'équation $x^2 - x - 1 = 0$. Le nombre d'or, φ, est égal à $\frac{1 + \sqrt{5}}{2}$, soit approximativement 1,618.

C'est aussi le nombre vers lequel tend le rapport de deux termes consécutifs de la suite de Fibonacci.

> La suite de Fibonacci est une suite dont les deux premiers termes sont 0 et 1, et dont chaque terme suivant est égal à la somme des deux précédents.
>
> Suite de Fibonacci : 0, 1, 1, 2, 3, 5, 8, 13, 21, 34, 55, 89, …

🔟 Voir **Fibonacci,** Leonardo.

**nombre entier [ℤ]**

♦ Nombre appartenant à l'ensemble {…, -2, -1, 0, 1, 2, …}, noté ℤ.

*Exemple :* -12 et 265 sont des nombres entiers.

👁 Voir Annexe 1.

**nombre fractionnaire**

♦ Nombre non entier supérieur à 1 ou inférieur à -1. On écrit la partie entière du nombre suivie de sa partie fractionnaire $\frac{a}{b}$, où $a$ et $b$ sont des nombres entiers positifs et non nuls, et $a < b$.

- Pour exprimer un nombre fractionnaire en fraction, on additionne la partie entière et la fraction.

  *Exemples :*

  1) $3\frac{1}{3} = 3 + \frac{1}{3}$
  $= 3 \times \frac{3}{3} + \frac{1}{3}$
  $= \frac{9}{3} + \frac{1}{3}$
  $= \frac{10}{3}$

  2) $-5\frac{3}{4} = -\left(5 + \frac{3}{4}\right)$
  $= -\left(5 \times \frac{4}{4} + \frac{3}{4}\right)$
  $= -\left(\frac{20}{4} + \frac{3}{4}\right)$
  $= \frac{-23}{4}$

- Pour exprimer une fraction en nombre fractionnaire, on divise le **numérateur** par le **dénominateur**.

  *Exemple :* Pour exprimer la fraction $\frac{42}{5}$ en nombre fractionnaire :

  Le résultat est 8 et il reste 2.
  Le nombre fractionnaire égal à la fraction $\frac{42}{5}$ est $8\frac{2}{5}$.

**nombre impair**

♦ Nombre entier non **divisible** par 2. Dans l'expression décimale d'un nombre impair, le chiffre 1, 3, 5, 7 ou 9 occupe la position des unités.

*Exemple :* 3, 11 et 35 sont des nombres impairs.

a
b
c
d
e
f
g
h
i
j
k
l
m
**n**
o
p
q
r
s
t
u
v
w
x
y
z

### nombre irrationnel [ℚ']
♦ Nombre ne pouvant s'exprimer comme un **quotient** d'entiers. Le développement décimal d'un nombre irrationnel est toujours infini et non périodique.

*Exemple:* $\pi$, $\sqrt{2}$, $\sqrt{3}$ et le nombre d'or sont irrationnels.

👁 Voir Annexe 1.

### nombre naturel [ℕ]
♦ Nombre appartenant à l'ensemble {0, 1, 2, 3, ...}, noté **ℕ**.

*Exemple:* 5 et 495 sont des nombres naturels.

👁 Voir Annexe 1.

### nombre négatif
♦ Nombre plus petit ou égal à 0. L'expression d'un nombre négatif est toujours précédée du signe « − », sauf 0.

*Exemple:* −8 et −541 sont des nombres négatifs.

### nombre pair
♦ Nombre entier **divisible** par 2. Dans l'expression décimale d'un nombre pair, le chiffre 0, 2, 4, 6 ou 8 occupe la position des unités.

*Exemple:* 4, 32 et 86 sont des nombres pairs.

### nombre palindrome
Nombre entier dont l'expression décimale peut indifféremment se lire dans les deux sens.

*Exemple:* 1221 est un nombre palindrome, car lu de gauche à droite ou de droite à gauche, c'est le même nombre.

### nombre parfait
Nombre naturel dont la somme des diviseurs (positifs), sauf le nombre lui-même, est égale au nombre lui-même.

*Exemples:*
1) 6 est un nombre parfait, car la somme de ses diviseurs est $1 + 2 + 3 = 6$.
2) 28 est un nombre parfait, car la somme de ses diviseurs est $1 + 2 + 4 + 7 + 14 = 28$.

### nombre polygonal
♦ Nombre pouvant être représenté par des points disposés en forme de figures géométriques régulières.

*Exemple:* Un nombre pentagonal est un nombre polygonal représenté par des points disposés en forme de pentagone.

Nombres pentagonaux :  1   5   12   22

### nombre positif
♦ Nombre plus grand ou égal à 0. L'expression d'un nombre positif peut être précédée ou non du signe « + ».

**nombre premier**

♦ Nombre naturel ayant exactement deux diviseurs positifs : 1 et lui-même. Le nombre 1 n'est donc pas premier.

*Exemple :* 13 est un nombre premier, car 1 et 13 sont ses seuls diviseurs positifs.

**nombre primaire**

Puissance d'un seul **nombre premier.**

*Exemples :*

1) 32 est un nombre primaire, car $32 = 2^5$.
2) 40 n'est pas un nombre primaire, car on ne peut l'exprimer comme puissance d'un seul nombre premier. En effet, $40 = 2^3 \times 5$.

**nombre rationnel [ℚ]**

♦ Nombre pouvant s'écrire sous la forme $\frac{a}{b}$, où $a$ et $b$ sont des entiers, $b$ étant différent de 0. Le développement décimal d'un nombre irrationnel est fini ou infini et périodique.

*Exemple :* $\frac{3}{4}$, $0,\overline{3}$ et $3,125$ sont des nombres rationnels.

👁 Voir Annexe 1.

**nombre réel [ℝ]**

♦ Nombre appartenant à l'ensemble des **nombres rationnels** ou à l'ensemble des **nombres irrationnels.**

👁 Voir Annexe 1.

**nombres congrus modulo *n* [*x* ≡ *y* mod *n*]**

Paire de nombres ayant le même reste lorsqu'on les divise par $n$.

*Exemple :* Lorsqu'on divise 22 par 5, le reste est 2 et lorsqu'on divise 17 par 5, le reste est 2. On peut donc dire que 22 est congru à 17 modulo 5, et on écrit $22 \equiv 17 \bmod 5$.

**nombres opposés**

♦ Deux nombres sont opposés lorsqu'ils sont distincts et qu'ils ont la même **valeur absolue.** La somme de deux nombres opposés est nulle. Sur la droite numérique, les nombres négatifs et les nombres positifs sont placés de part et d'autre du zéro. Chaque nombre réel a un opposé situé à la même distance du zéro.

*Exemple :* 6 et ⁻6 sont des nombres opposés $(6 + (-6) = 0)$.

**nombres premiers entre eux**

♦ Nombres dont le **plus grand commun diviseur** est 1.

*Exemple :* 5 et 12 sont premiers entre eux, car leur plus grand commun diviseur est 1.

**nombre triangulaire**

♦ **Nombre polygonal** pouvant être représenté par des points disposés en forme de triangle régulier.

*Exemples:*

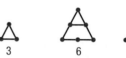

Nombres triangulaires :  1    3    6    10

**non convexe** adjectif

❶ ♦ Un polygone est non convexe lorsque le segment qui joint deux de ses points quelconques n'est pas toujours inclus dans la portion d'aire délimitée par le polygone.

*Exemple:* Ce polygone est non convexe.

❷ ♦ Un polyèdre est non convexe lorsque le segment qui joint deux de ses points quelconques n'est pas toujours inclus dans la portion d'espace délimitée par le polyèdre.

*Exemple:* Ce polyèdre est non convexe.

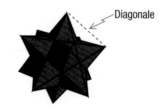

**non-polygone** nom masculin

♦ Figure qui n'est pas un **polygone.**

*Exemple:*

**normale** nom féminin

♦ Pour une surface donnée, droite orthogonale (ou perpendiculaire) au plan tangent à un point donné de cette surface.

*Exemple:*

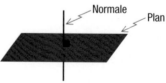

**norme** [$\|\vec{u}\|$] nom féminin

♦ TS et SN Nombre réel caractérisant la grandeur d'un **vecteur**. La norme d'un vecteur $\vec{u}$ est notée $\|\vec{u}\|$.

- L'unique vecteur dont la norme est 0 est appelé *vecteur nul* et est noté $\vec{0}$.
- Un vecteur dont la norme est 1 est appelé *vecteur unitaire*.
- Graphiquement, la norme d'un vecteur est sa longueur.
- Dans le plan cartésien, si les extrémités du vecteur $\vec{u}$ sont $(x_1, y_1)$ et $(x_2, y_2)$, sa norme est calculée de la façon suivante :
$$\|\vec{u}\| = \sqrt{(x_2 - x_1)^2 + (y_2 - y_1)^2}.$$

*Exemples :*

1) La norme du vecteur $\overrightarrow{AB}$, notée $\|\overrightarrow{AB}\|$, est de 12 km.

2) La norme du vecteur dont les extrémités sont A(2, 1) et B(5, 4) est calculée de la façon suivante : $\|\overrightarrow{AB}\| = \sqrt{(5-2)^2 + (4-1)^2} = \sqrt{18} = 3\sqrt{2} \approx 4{,}24$ unités.

**notation** nom féminin

♦ Façon d'exprimer un concept mathématique par l'écriture.

### notation décimale

♦ Mode d'expression d'un nombre en base dix en mentionnant sa partie entière et, séparée par une virgule, sa partie décimale.

- Un nombre écrit en notation décimale peut avoir deux formes :
  1. Une partie décimale finie. On l'appelle alors *nombre décimal* et il peut s'écrire sous forme de **fraction décimale** ;
  2. Une partie décimale infinie. Des points de suspension indiquent que la partie décimale est incomplète. Un tel nombre ne peut pas s'écrire sous forme de fraction décimale.

### notation développée

♦ Façon d'exprimer un nombre en le décomposant.

*Exemples :*

1) $582{,}46 = 5 \times 100 + 8 \times 10 + 2 \times 1 + 4 \times 0{,}1 + 6 \times 0{,}01$
2) $2^5 = 2 \times 2 \times 2 \times 2 \times 2$

a
b
c
d
e
f
g
h
i
j
k
l
m
**n**
o
p
q
r
s
t
u
v
w
x
y
z

### notation exponentielle

◆ Façon d'exprimer un nombre, appelé *puissance,* en utilisant une base affectée d'un exposant.

La notation exponentielle se présente sous la forme base$^{exposant}$ = puissance.
Pour une base $a$ et un exposant entier $n > 1$, l'exposant $n$ indique le nombre de fois que la base $a$ est multipliée par elle-même.

$$a^n = \underbrace{a \times a \times a \times ... \times a}_{n \text{ fois}}$$

- Pour une base $a$ et l'exposant 1 : $a^1 = a$.
- Pour une base $a \neq 0$ et l'exposant 0 : $a^0 = 1$.
- Pour une base $a \neq 0$ et un exposant $n > 0$ : $a^{-n} = \frac{1}{a^n}$.
- Pour une base $a \geq 0$ et l'exposant $\frac{1}{2}$ : $a^{\frac{1}{2}} = \sqrt{a}$.
- Pour une base $a$ et l'exposant $\frac{1}{3}$ : $a^{\frac{1}{3}} = \sqrt[3]{a}$.
- Pour une base $a$ et l'exposant $\frac{1}{n}$, où $n \in \mathbb{N}/\{0\}$ : $a^{\frac{1}{n}} = \sqrt[n]{a}$. Si $n$ est pair, $a$ doit être supérieur ou égal à 0.

*Exemple :* Pour exprimer la puissance 81 en notation exponentielle, on écrira $3^4$ ou encore $9^2$.

### notation factorielle [n!]

◆ TS et SN Façon d'écrire le produit de tous les entiers positifs inférieurs et égaux à $n$, où $n$ est un nombre naturel non nul.

$$n! = n \times (n - 1) \times (n - 2) \times ... \times 2 \times 1$$

*Exemple :*
$8! = 8 \times 7 \times 6 \times 5 \times 4 \times 3 \times 2 \times 1 = 40\ 320$

### notation fractionnaire

◆ Façon d'exprimer le **quotient** de deux nombres ou de deux expressions numériques ou algébriques au moyen d'un **numérateur,** d'un **dénominateur** (non nul) et d'une barre de fraction.

*Exemples :* $\frac{3}{8}$, $\frac{2+1}{5-4}$ et $\frac{2x+8}{x-5}$, où $x \neq 5$.

### notation périodique

◆ Façon d'exprimer un nombre dont le développement décimal présente une période, c'est-à-dire un groupe de chiffres répétés indéfiniment. On note la période en plaçant un trait sur le ou les chiffres qui la forment.

*Exemples :*
1) $0,333\ 333... = 0,\overline{3}$
2) $15,312\ 512\ 512\ 5... = 15,3\overline{125}$

**notation scientifique**

♦ Façon d'exprimer de très grands et de très petits nombres.

La notation scientifique se présente sous la forme $a \times 10^n$ où :
- $1 \leq a < 10$ ;
- $n$ est l'ordre de grandeur du phénomène observé et $n \in \mathbb{Z}^*$ ;
- si $n \geq 1$, l'expression $a \times 10^n$ est $> 10$ ;
- si $n \leq -1$, l'expression $a \times 10^n$ est $< 1$.

*Exemples :*
1) $32\,000\,000 = 3,2 \times 10^7$
2) $0,000\,000\,005 = 5 \times 10^{-9}$

**nuage de points** nom masculin

♦ Représentation d'une distribution à deux variables permettant de qualifier le type, le sens et l'intensité de la **corrélation** possible entre les deux variables.

➝ Voir **corrélation.**

Dans un nuage de points :
- l'une des variables est associée à l'axe des abscisses et l'autre, à l'axe des ordonnées ;
- chaque couple de la distribution est représenté par un point ;
- la corrélation est dite linéaire lorsque les points tendent à former une droite oblique. Cette corrélation est dite nulle si les points semblent distribués au hasard ; elle est dite assez forte, forte ou très forte au fur et à mesure que les points se rapprochent d'une droite oblique.

*Exemple :*

Résultats scolaires

**numérateur** nom masculin

♦ Celle des deux composantes d'une fraction qui est placée au-dessus de la barre de fraction. Elle indique combien on prend des parties égales en lesquelles l'unité a été subdivisée, la valeur de ces parties égales étant spécifiée par le **dénominateur.**

*Exemple :* Dans la fraction $\frac{4}{9}$, le numérateur est 4.

**numérique** adjectif

♦ Qui est représenté par un nombre.

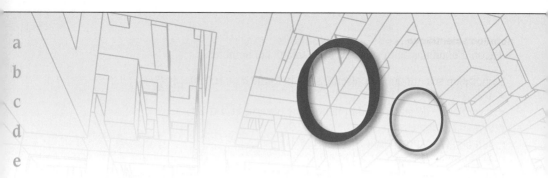

### oblique adjectif

Se dit d'un segment, ou d'une droite, qui n'est ni vertical ni horizontal.

*Exemple:* La droite suivante est oblique.

### octaèdre nom masculin

♦ Solide composé de huit faces.

*Exemples:* 1) Octaèdre régulier

2) Octaèdre irrégulier

### octogone nom masculin

♦ Polygone à huit côtés.

*Exemples:* 1) Octogone régulier

2) Octogone irrégulier

### opération nom féminin

♦ Dans un ensemble, règle qui associe à chaque couple d'éléments de cet ensemble un troisième élément de ce même ensemble. Les principales opérations utilisées dans l'ensemble des **nombres réels** sont l'addition (+), la soustraction (−) et la multiplication (×); la division (÷) est une opération dans l'ensemble des nombres réels à l'exclusion de 0.

**opération sur les expressions algébriques**
♦ Opération appliquée à des expressions algébriques.

| Opération | Exemple |
|---|---|
| **Addition et soustraction**<br><br>Regrouper seulement les termes semblables. | $8x^2 + 2x + 3 - 5x^2 + x - 6 = 8x^2 - 5x^2 + 2x + x + 3 - 6$<br>$= 3x^2 + 3x - 3$ |
| **Multiplication de deux binômes**<br><br>1. Multiplier chaque terme du premier binôme par chaque terme du second.<br><br>2. Regrouper ensuite les termes semblables. | $(2x^2 + 3)(x - 1) = (2x^2 \times x) + (2x^2 \times {-1}) + (3 \times x) + (3 \times {-1})$<br>$= 2x^3 - 2x^2 + 3x - 3$ |
| **Division d'un polynôme par un monôme**<br><br>Diviser chaque terme du polynôme par le monôme | $(12x^3 - 15x^2 + 6x) \div 3x = \dfrac{12x^3}{3x} - \dfrac{15x^2}{3x} + \dfrac{6x}{3x}$<br>$= 4x^2 - 5x + 2$ |
| **Réduction d'une expression algébrique**<br><br>Pour réduire une expression algébrique complexe composée de plusieurs opérations sur des polynômes à une expression équivalente, il faut tenir compte des priorités et des propriétés des opérations. | $3x(4x) - (x + 1)(2x + 2) = 12x^2 - (2x^2 + 2x + 2x + 2)$<br>$= 12x^2 - (2x^2 + 4x + 2)$<br>$= 12x^2 - 2x^2 - 4x - 2$<br>$= 10x^2 - 4x - 2$ |
| **Division d'un polynôme en $x$ par un binôme en $x$**<br><br>1. S'assurer d'abord que les termes du polynôme et ceux du binôme sont bien ordonnés.<br><br>2. Faire la division en plusieurs étapes. À chaque étape, choisir le terme du quotient de façon à annuler le terme de degré le plus élevé dans le polynôme à diviser (un reste est possible).<br><br>3. Exprimer la réponse finale à l'aide d'une égalité de la forme $P(x) = Q(x)D(x) + R(x)$, où $P$ est le dividende, $D$, le diviseur, $Q$, le quotient, et $R$, le reste. | $(6x^2 + 5x - 4) \div (2x - 3)$<br><br>$\begin{array}{r\|l} 6x^2 + 5x - 4 & \underline{2x - 3} \\ \underline{-(6x^2 - 9x)} & 3x + 7 \\ 14x - 4 & \\ \underline{-(14x - 21)} & \\ 17 & \end{array}$<br><br>On peut donc exprimer la solution de la façon suivante.<br>$6x^2 + 5x - 4 = (3x + 7)(2x - 3) + 17$ |

a b c d e f g h i j k l m n o p q r s t u v w x y z

**171**

### opération sur les expressions rationnelles

♦ TS et SN Opération appliquée à des expressions rationnelles.

| Opération | Exemple |
|---|---|
| **Addition ou soustraction** <br><br> 1. Utiliser des expressions rationnelles équivalentes, en s'assurant que tous les termes ont un dénominateur commun. <br> 2. Additionner ou soustraire les numérateurs. | $\dfrac{2}{x^2} + \dfrac{1+x}{xy} = \dfrac{2}{x^2} \times \dfrac{y}{y} + \dfrac{1+x}{xy} \times \dfrac{x}{x}$ <br> $\qquad = \dfrac{2y}{x^2y} + \dfrac{x+x^2}{x^2y}$ <br> $\qquad = \dfrac{2y + x + x^2}{x^2y}$ <br> $\qquad = \dfrac{x^2 + x + 2y}{x^2y}$ |
| **Multiplication** <br><br> 1. Multiplier les numérateurs entre eux et les dénominateurs entre eux. <br> 2. Réduire le résultat, si possible. | $\left(\dfrac{x}{x-3}\right)\left(\dfrac{x^2 - 3x}{4}\right) = \dfrac{x(x^2 - 3x)}{4(x-3)}$ <br> $\qquad = \dfrac{x^2(x-3)}{4(x-3)}$ <br> $\qquad = \dfrac{x^2}{4}$ |
| **Division** <br><br> Diviser par une expression rationnelle revient à multiplier par l'inverse de cette expression. | $\left(\dfrac{4}{x}\right) \div \left(\dfrac{x-3}{2x}\right) = \left(\dfrac{4}{x}\right)\left(\dfrac{2x}{x-3}\right)$ <br> $\qquad = \dfrac{4(2x)}{x(x-3)}$ <br> $\qquad = \dfrac{8x}{x(x-3)}$ <br> $\qquad = \dfrac{8}{x-3}$ |

## opposé, opposée adjectif et nom commun

♦ Qui a la même **valeur absolue,** mais qui est de signe contraire.

L'opposé d'un nombre réel $a$ est $-a$. La somme de deux nombres opposés est nulle.

*Exemple :* $-4$ se lit *l'opposé de 4.*

## optimisation nom féminin

♦ Pour un problème donné, recherche d'une solution donnant le maximum ou le minimum d'une fonction à optimiser, en tenant compte de diverses contraintes et de l'objectif.

- Dans un problème d'optimisation linéaire, il est possible de représenter graphiquement les contraintes. On obtient alors un **polygone de contraintes.** Selon l'objectif (maximum ou minimum à atteindre), on établit une **fonction à optimiser.** Deux cas sont possibles :

  1. Les coordonnées d'un seul point du polygone de contraintes donnent la solution optimale (maximum ou minimum). Ce point correspond généralement à un sommet.

  2. Les coordonnées de plusieurs points du polygone de contraintes donnent la solution optimale (maximum ou minimum). Ces points constituent généralement un côté du polygone.

• Il est possible de résoudre un problème d'optimisation de la façon suivante :

*Exemple :* Une compagnie fabrique des chandails et des pantalons. Le profit réalisé est de 5 $ par chandail et de 7 $ par pantalon vendus. Cette compagnie doit produire au moins 2 fois plus de chandails que de pantalons. Le nombre de pantalons produit doit être d'au moins 2 000, alors que le total de vêtements ne doit pas dépasser 10 000 articles. Déterminer le nombre de chandails et de pantalons que cette compagnie devrait produire afin d'avoir un profit maximal.

| Méthode | Exemple |
|---|---|
| 1. Définir les deux variables. | Soit $x$ le nombre de chandails et $y$ le nombre de pantalons. |
| 2. Déterminer l'objectif et établir la règle de la fonction à optimiser. | L'objectif de cette compagnie est de maximiser les profits $P$ (en $) et la règle de la fonction à optimiser est $P = 5x + 7y$. |
| 3. Traduire les contraintes par un système d'inéquations en tenant compte, au besoin, des **contraintes de positivité.** | $x \geq 2y$<br>$y \geq 2000$<br>$x + y \leq 10\,000$<br>$x \geq 0$<br>$y \geq 0$ |
| 4. Représenter le polygone de contraintes dans le plan cartésien. | Nombre de pantalons<br><br>$x + y = 10\,000$<br>$B(\approx 6\,667, \approx 3\,333)$<br>$x = 2y$<br>$y = 2000$<br>$C(8\,000, 2\,000)$<br>$1\,000$    $A(4\,000, 2\,000)$<br>$0$   $1\,000$     Nombre de chandails |
| 5. Déterminer les coordonnées du ou des points qui donnent la valeur optimale. | En déplaçant une droite ou en substituant les coordonnées de chaque sommet aux variables $x$ et $y$ de la fonction à optimiser ($P = 5x + 7y$), on déduit que les coordonnées du sommet $B(\approx 6\,667 ; \approx 3\,333)$ donnent le profit maximal. |
| 6. Donner le ou les couples de solutions et la valeur optimale en tenant compte du contexte. | En produisant 6 667 chandails et 3 333 pantalons, la compagnie obtiendrait un profit maximal de 56 666 $. |

### optimisation d'une distance

♦ ɪꜱ Résolution d'un problème géométrique visant à déterminer la position d'un point B sur un segment DE, de manière que la somme des distances entre les points A et B et les points B et C soit minimale.

*Exemple :*

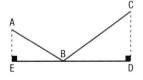

On doit satisfaire la relation $\frac{m\overline{BE}}{m\overline{BD}} = \frac{m\overline{AE}}{m\overline{CD}}$.

La distance minimale pour les segments en rouge est :

$$m\,\overline{AB} + m\,\overline{BC} = \sqrt{(m\,\overline{AE})^2 + (m\,\overline{BE})^2} + \sqrt{(m\,\overline{CD})^2 + (m\,\overline{BD})^2}.$$

a
b
c
d
e
f
g
h
i
j
k
l
m
n
**o**
p
q
r
s
t
u
v
w
x
y
z

**ordinal** nom masculin

◆ Rang d'un nombre dans une suite croissante d'éléments.

*Exemple :* Noémie est la 2ᵉ enfant d'une famille de 3 enfants.

**ordonnée** nom féminin

◆ Seconde **coordonnée** d'un point dans le plan cartésien.

*Exemple :* L'ordonnée du point P(3, ⁻7) est ⁻7.

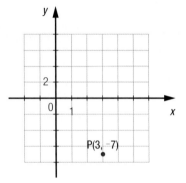

**ordonnée à l'origine**

◆ Dans le plan cartésien, ordonnée d'un point d'intersection d'une courbe et de l'**axe des ordonnées.**

*Exemple :* Dans le graphique ci-contre, l'ordonnée à l'origine est ⁻3, puisque la coordonnée du point d'intersection de la droite avec l'axe des ordonnées est (0, ⁻3).

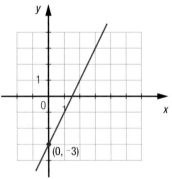

**ordonner** verbe transitif

◆ Ranger par **ordre croissant** ou par **ordre décroissant.**

**ordre** nom masculin

❶ ◆ Organisation hiérarchique des éléments d'un ensemble selon des critères spécifiques.

❷ ◆ CST Dans un **graphe,** nombre de sommets.

*Exemple :* L'ordre du graphe ci-contre est 5.

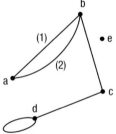

### ordre croissant

◆ Disposition allant du plus petit au plus grand.

*Exemple :* Les nombres suivants sont placés en ordre croissant :
2, 4, 7, 10, 12, 18.

Pour placer en ordre croissant des nombres écrits en notation décimale :

1. on compare d'abord la partie entière ;

2. si les parties entières sont égales, on compare les parties décimales, position par position, de la plus grande à la plus petite. Le nombre qui présente le plus petit chiffre en premier est le plus petit.

*Exemple :* Les nombres décimaux suivants sont placés en ordre croissant :
3,252 ; 3,275 ; 4,02 ; 4,022 ; 4,115 ; 4,5 ; 4,6584.

### ordre décroissant

◆ Disposition allant du plus grand au plus petit.

*Exemple :* Les nombres suivants sont placés en ordre décroissant :
32, 30, 24, 18, 15, 11, 7.

Pour placer en ordre décroissant des nombres écrits en notation décimale :

1. on compare d'abord la partie entière ;

2. si les parties entières sont égales, on compare les parties décimales, position par position, de la plus grande à la plus petite. Le nombre qui présente le plus grand chiffre en premier est le plus grand.

*Exemple :* Les nombres décimaux suivants sont placés en ordre décroissant :
3,252 ; 3,12 ; 2,9 ; 2,851 ; 2,545 ; 2,542 ; 2,125.

### ordre de priorité des opérations

◆ Ensemble des règles ou conventions déterminant l'ordre de certains calculs.

Pour effectuer une chaîne d'opérations, il faut respecter les conventions suivantes et effectuer, dans l'ordre :

1. les opérations placées entre parenthèses ;

2. les **exponentiations** ;

3. la multiplication et la division, dans l'ordre d'apparition de gauche à droite ;

4. l'addition et la soustraction, dans l'ordre d'apparition de gauche à droite.

*Exemple :* 
$$-3 + (2 + 2^2) \times 3 \div 6 + 5 \times 3 = -3 + (2 + 4) \times 3 \div 6 + 5 \times 3$$
$$= -3 + 6 \times 3 \div 6 + 5 \times 3$$
$$= -3 + 18 \div 6 + 5 \times 3$$
$$= -3 + 3 + 15$$
$$= 15$$

a
b
c
d
e
f
g
h
i
j
k
l
m
n
o
p
q
r
s
t
u
v
w
x
y
z

a
b
c
d
e
f
g
h
i
j
k
l
m
n
**o**
p
q
r
s
t
u
v
w
x
y
z

**orientation** nom féminin

◆ TS et SN Direction et sens d'un **vecteur** donné.

> Graphiquement, l'orientation est l'angle formé par le vecteur et une droite horizontale passant par son origine, et mesuré dans le sens antihoraire par rapport à la partie de la droite horizontale située à droite de l'origine du vecteur.
>
> *Exemples :*
> 1) L'orientation du vecteur $\overrightarrow{AB}$ est déterminée par l'angle θ formé avec l'horizontale et par le sens de la flèche du vecteur $\overrightarrow{AB}$. 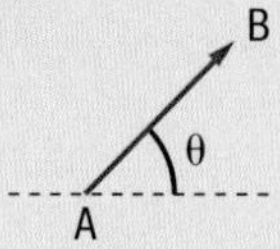
>
> 2) Dans le plan cartésien ci-dessous, l'orientation du vecteur $\vec{u}$ est de 45°.
>
>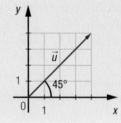

**origine** nom féminin

❶ ◆ Point d'intersection des deux axes du plan cartésien. Les coordonnées de l'origine sont $(0, 0)$.

*Exemple :*

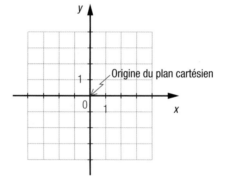

❷ ◆ TS et SN L'origine d'un **vecteur** est la première lettre qui le désigne. Si le vecteur est désigné seulement par une lettre minuscule, l'origine est le point de départ du vecteur.

*Exemple :* L'origine du vecteur $\overrightarrow{AB}$ ci-contre est le point $A(1, 1)$.

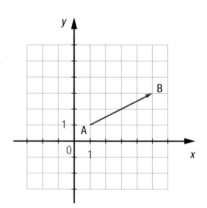

### orthocentre nom masculin

◆ Point de rencontre des trois hauteurs d'un triangle.

*Exemple :*

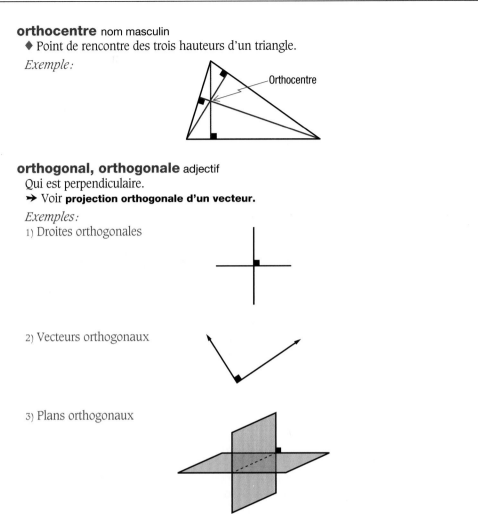

Orthocentre

### orthogonal, orthogonale adjectif

Qui est perpendiculaire.

→ Voir **projection orthogonale d'un vecteur.**

*Exemples :*

1) Droites orthogonales

2) Vecteurs orthogonaux

3) Plans orthogonaux

### orthonormé, orthonormée adjectif

◆ TS et SN Dont les vecteurs sont orthogonaux deux à deux, c'est-à-dire perpendiculaires, et unitaires.

*Exemple :* Cette base est orthonormée, car les vecteurs $\vec{u}$ et $\vec{v}$ sont orthogonaux et leur norme est 1.

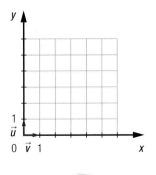

## paire nom féminin

♦ Ensemble de deux éléments.

*Exemples :* 1) Une paire de bas  2) Une paire d'as

## parabole nom féminin

♦ TS et SN Étant donné une droite *d* appelée *directrice* et un point F appelé *foyer*, la parabole ayant cette directrice et ce foyer est le lieu des points P (du plan de *d* et de F) tels que la distance de P à *d* est égale à la distance de P à F.

Les paraboles font partie de la famille des **coniques**, car on peut les obtenir en prenant l'intersection d'un cône et d'un plan. L'équation d'une parabole se présente sous deux formes canoniques, soit :
$(x - h)^2 = 4c(y - k)$ ou $(y - k)^2 = 4c(x - h)$, où $c \neq 0$,
selon qu'elle est en position verticale ou en position horizontale.

Les paramètres h et k sont les coordonnées du sommet de la parabole et le paramètre c, en valeur absolue, est égal à la moitié de la distance entre le foyer et la directrice.

- Dans la représentation graphique d'une parabole dont l'équation s'écrit sous la forme $(x - h)^2 = 4c(y - k)$ :
  - l'équation de l'axe de symétrie de la parabole est $x = h$ ;
  - les coordonnées du foyer sont $(h, k + c)$ ;
  - l'équation de la directrice est $y = k - c$ ;
  - la parabole est ouverte vers le haut si c > 0 et ouverte vers le bas si c < 0.

  *Exemple :* La parabole d'équation $(x - 2)^2 = 4(y + 4)$ est représentée dans le graphique ci-contre.

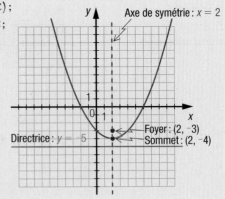

Axe de symétrie : $x = 2$

Directrice : $y = -5$

Foyer : $(2, -3)$

Sommet : $(2, -4)$

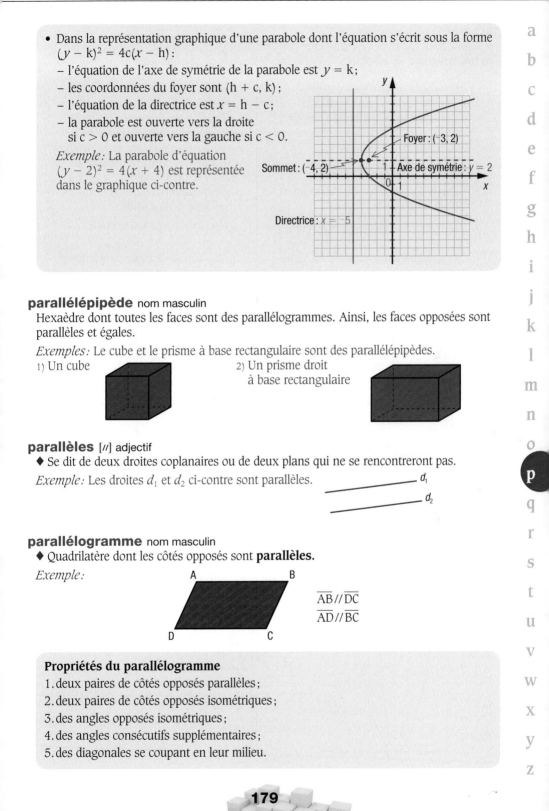

- Dans la représentation graphique d'une parabole dont l'équation s'écrit sous la forme $(y - k)^2 = 4c(x - h)$ :
  - l'équation de l'axe de symétrie de la parabole est $y = k$ ;
  - les coordonnées du foyer sont $(h + c, k)$ ;
  - l'équation de la directrice est $x = h - c$ ;
  - la parabole est ouverte vers la droite si $c > 0$ et ouverte vers la gauche si $c < 0$.

  *Exemple :* La parabole d'équation $(y - 2)^2 = 4(x + 4)$ est représentée dans le graphique ci-contre.

Foyer : $(^-3, 2)$

Sommet : $(^-4, 2)$ — Axe de symétrie : $y = 2$

Directrice : $x = ^-5$

## parallélépipède nom masculin

Hexaèdre dont toutes les faces sont des parallélogrammes. Ainsi, les faces opposées sont parallèles et égales.

*Exemples :* Le cube et le prisme à base rectangulaire sont des parallélépipèdes.

1) Un cube

2) Un prisme droit à base rectangulaire

## parallèles [//] adjectif

♦ Se dit de deux droites coplanaires ou de deux plans qui ne se rencontreront pas.

*Exemple :* Les droites $d_1$ et $d_2$ ci-contre sont parallèles.

$d_1$

$d_2$

## parallélogramme nom masculin

♦ Quadrilatère dont les côtés opposés sont **parallèles.**

*Exemple :*

$\overline{AB} // \overline{DC}$
$\overline{AD} // \overline{BC}$

### Propriétés du parallélogramme

1. deux paires de côtés opposés parallèles ;
2. deux paires de côtés opposés isométriques ;
3. des angles opposés isométriques ;
4. des angles consécutifs supplémentaires ;
5. des diagonales se coupant en leur milieu.

**paramètre** nom masculin

♦ Grandeur dont la valeur numérique doit être fixée dans une expression algébrique ou une équation. Le paramètre est généralement désigné par une lettre.

• **Paramètres additifs**

1. Dans la règle d'une fonction transformée, le paramètre soustrait de la variable indépendante de la **fonction de base** est souvent désigné par la lettre h. Cette soustraction se traduit graphiquement par une translation horizontale de la courbe.

   Translation horizontale vers la gauche :
   $$h < 0$$

   Translation horizontale vers la droite :
   $$h > 0$$

   *Exemple :*

   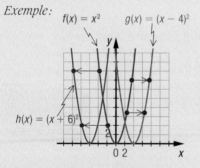

2. Dans la règle d'une fonction transformée, le paramètre additionné à l'expression correspondant à la variable dépendante de la fonction de base est souvent désigné par la lettre k. Cette addition se traduit graphiquement par une translation verticale de la courbe.

   Translation verticale vers le bas :
   $$k < 0$$

   Translation verticale vers le haut :
   $$k > 0$$

   *Exemple :*

   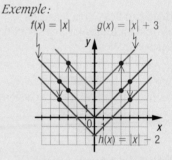

• ♦ SN et TS **Paramètres multiplicatifs**

1. Dans la règle d'une fonction transformée, le paramètre qui multiplie l'expression correspondant à la variable dépendante de la fonction de base est souvent désigné par la lettre a. Cette multiplication se traduit graphiquement par un changement d'échelle vertical de la courbe, c'est-à-dire un étirement vertical ou une contraction verticale du graphique, en plus d'une réflexion par rapport à l'axe des abscisses si la valeur du paramètre a est strictement négative.

*Exemples :*

1) Étirement vertical
   $$|a| > 1$$

2) Contraction verticale
   $$0 < |a| < 1$$

3) Réflexion par rapport à l'axe des abscisses
   $$a < 0$$

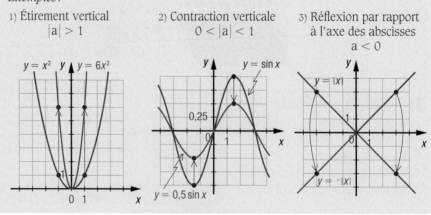

2. Dans la règle d'une fonction transformée, le paramètre qui multiplie l'expression correspondant à la variable indépendante de la fonction de base est souvent désigné par la lettre b. Cette multiplication se traduit graphiquement par un changement d'échelle horizontal, c'est-à-dire un étirement horizontal ou une contraction horizontale du graphique, en plus d'une réflexion par rapport à l'axe des ordonnées si la valeur du paramètre b est strictement négative.

*Exemples :*

1) Étirement horizontal $0 < |b| < 1$   2) Contraction horizontale $|b| > 1$   3) Réflexion par rapport à l'axe des ordonnées $b < 0$

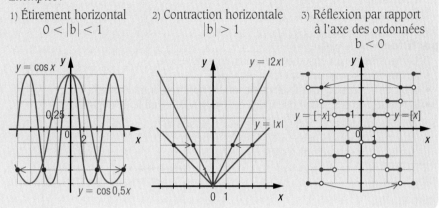

### parenthèses [()] nom féminin

❶ ♦ Signes encadrant une expression à évaluer en priorité.

*Exemple :* $2 \times (5 + 12 \div 3) - 6 \times 1 = 2 \times 9 - 6 = 12$

❷ ♦ Signes encadrant les coordonnées d'un point.

*Exemple :* Dans le plan cartésien, (5, 7) représente un point d'abscisse 5 et d'ordonnée 7.

### partage nom masculin

♦ Division d'un tout en plusieurs parties.

*Exemple :* Le partage du prisme droit à base rectangulaire ci-dessous montre trois parties égales.

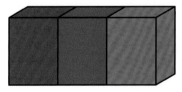

### partie nom féminin

♦ Fraction d'un tout. Une partie est également un sous-ensemble lorsque le tout est un ensemble.

### partie décimale

♦ Dans l'expression d'un nombre écrit en **base dix,** valeur de la partie située à droite de la virgule.

*Exemple :* Dans le nombre 6,32, la partie décimale est 0,32.

a
b
c
d
e
f
g
h
i
j
k
l
m
n
o
p
q
r
s
t
u
v
w
x
y
z

### partie entière

❶ ◆ Dans l'expression d'un nombre écrit en **base dix,** valeur de la partie située à gauche de la virgule.

*Exemple:* Dans le nombre 6,32, la partie entière est 6.

❷ ◆ [ı] Plus grand entier inférieur ou égal à un nombre donné. La partie entière d'un nombre $x$ est notée $[x]$.

*Exemples:*

1) $[32,75] = 32$    2) $[-6,3] = -7$    3) $[18] = 18$

## partition nom féminin

Décomposition d'un ensemble en sous-ensembles où:
- aucun de ces sous-ensembles n'est vide;
- deux de ces sous-ensembles quelconques sont toujours disjoints;
- la réunion de ces sous-ensembles est égale à l'ensemble de départ.

*Exemple:* Soit A l'ensemble des nombres naturels non nuls inférieurs à 10, B l'ensemble des nombres naturels pairs et non nuls inférieurs à 10, et C l'ensemble des nombres naturels impairs inférieurs à 10.

$A = \{1, 2, 3, 4, 5, 6, 7, 8, 9\}$
$B = \{2, 4, 6, 8\}$
$C = \{1, 3, 5, 7, 9\}$

Les sous-ensembles B et C forment une partition de l'ensemble A.

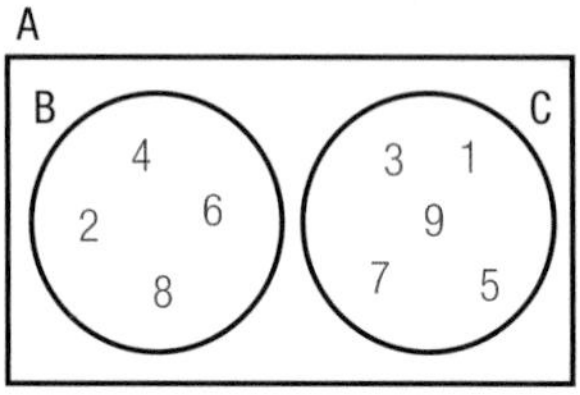

## pas de graduation nom masculin

◆ Saut entre chaque trait de la graduation d'un axe et dont la valeur doit être constante tout le long de cet axe.

*Exemple:* Dans le plan cartésien ci-contre, le pas de graduation de l'axe des abscisses est 5, celui de l'axe des ordonnées est 1.

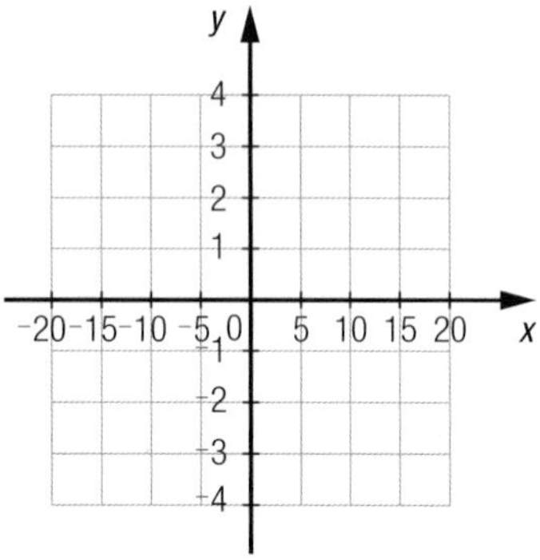

## pentadécagone nom masculin

Polygone à quinze côtés.

*Exemples:*    1) Pentadécagone régulier    2) Pentadécagone irrégulier

**pentaèdre** nom masculin

◆ Polyèdre à cinq faces.

*Exemples:*

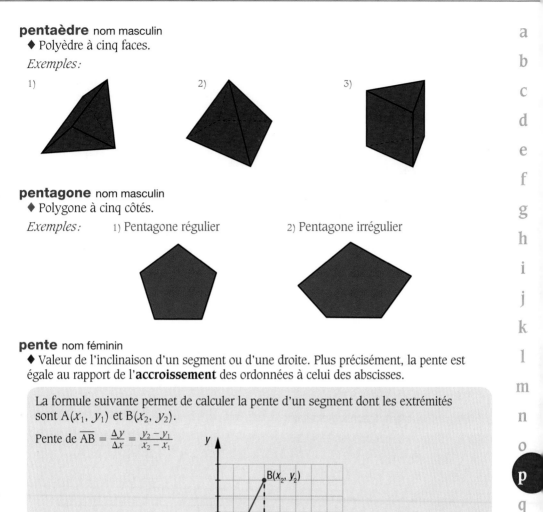

1)　　　　　　　2)　　　　　　　3)

**pentagone** nom masculin

◆ Polygone à cinq côtés.

*Exemples:*　　1) Pentagone régulier　　　2) Pentagone irrégulier

**pente** nom féminin

◆ Valeur de l'inclinaison d'un segment ou d'une droite. Plus précisément, la pente est égale au rapport de l'**accroissement** des ordonnées à celui des abscisses.

La formule suivante permet de calculer la pente d'un segment dont les extrémités sont $A(x_1, y_1)$ et $B(x_2, y_2)$.

Pente de $\overline{AB} = \dfrac{\Delta y}{\Delta x} = \dfrac{y_2 - y_1}{x_2 - x_1}$

*Exemple:* On calcule ainsi la pente du segment AB dont les extrémités sont $A(2, 4)$ et $B(8, {}^-4)$.

Pente de $\overline{AB} = \dfrac{\Delta y}{\Delta x} = \dfrac{{}^-4 - 4}{8 - 2} = -\dfrac{8}{6} = -\dfrac{4}{3}$

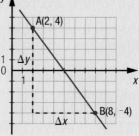

**périmètre** nom masculin

❶ ♦ Ligne délimitant une figure plane.

❷ ♦ Longueur de la ligne délimitant une figure plane. Le périmètre s'exprime en unités de longueur. Dans le cas d'un cercle, on parle de **circonférence** plutôt que de périmètre.

*Exemple:* Le périmètre du rectangle
ci-contre est égal à
8 cm + 4 cm + 8 cm + 4 cm = 24 cm.

4 cm

8 cm

**période** [4,6] nom féminin

❶ ♦ Groupe de chiffres décimaux indéfiniment répétés dans un nombre écrit en base dix.

*Exemples:*

1) Dans le nombre $3{,}125\,125\,125\ldots = 3{,}\overline{125}$; le groupe 125 est la période.

2) Soit $\frac{1}{3} = 0{,}333\ldots = 0{,}\overline{3}$; le chiffre 3 est la période.

❷ ♦ TS et SN Pour une **fonction périodique,** écart entre les abscisses situées aux extrémités du motif qui se répète.

- Pour une fonction sinusoïdale dont la règle s'écrit:
  $f(x) = a\sin b(x - h) + k$ ou $f(x) = a\cos b(x - h) + k$, la période $p$ est $\frac{2\pi}{|b|}$.

- Pour une fonction tangente dont la règle s'écrit:
  $f(x) = a\tan b(x - h) + k$, la période $p$ est $\frac{\pi}{|b|}$.

*Exemple:* Pour la fonction sinusoïdale
$f(x) = 2\sin x$, la période est $\frac{2\pi}{|1|} = 2\pi$.

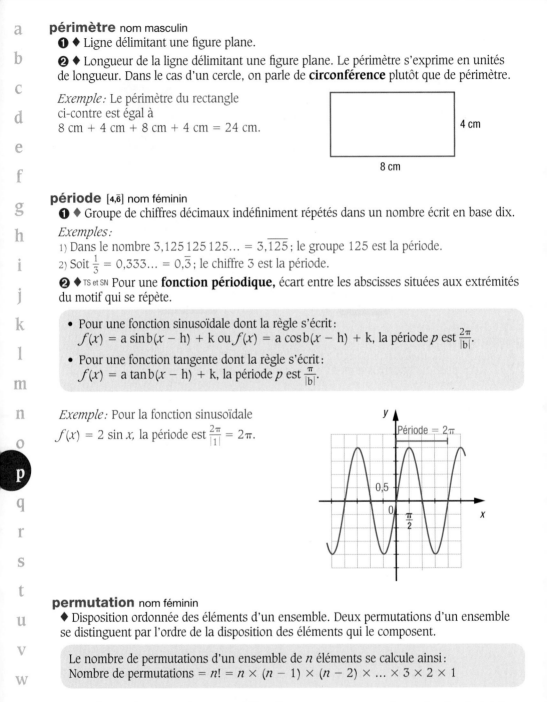

**permutation** nom féminin

♦ Disposition ordonnée des éléments d'un ensemble. Deux permutations d'un ensemble se distinguent par l'ordre de la disposition des éléments qui le composent.

Le nombre de permutations d'un ensemble de $n$ éléments se calcule ainsi:
Nombre de permutations $= n! = n \times (n - 1) \times (n - 2) \times \ldots \times 3 \times 2 \times 1$

*Exemple:* On tire successivement 3 billes d'un sac en contenant 3 numérotées de 1 à 3.
Les résultats possibles sont:
$(1, 2, 3)$, $(1, 3, 2)$, $(2, 1, 3)$, $(2, 3, 1)$, $(3, 1, 2)$, $(3, 2, 1)$.
Il y a donc 6 permutations possibles pour un ensemble de 3 éléments,
soit $6 = 3 \times 2 \times 1 = 3!$.

### perpendiculaire [⊥] adjectif

♦ Se dit d'une droite, d'une surface ou d'un plan formant un **angle droit** avec une autre figure.

> Un petit carré noir marque visuellement un angle droit.

*Exemple :* Les droites $d_1$ et $d_2$ ci-contre sont perpendiculaires.

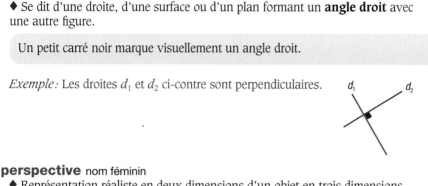

### perspective nom féminin

♦ Représentation réaliste en deux dimensions d'un objet en trois dimensions. La représentation en perspective fait appel au concept de **point de fuite,** soit un point où convergent les lignes fictives qui, en réalité, sont parallèles.

#### perspective axonométrique

♦ Perspective utilisée dans la **projection parallèle.**
En perspective axonométrique, les angles formés par les trois axes sont quelconques.

*Exemple :* Dessiner un cube de 4 cm d'arête selon la perspective axonométrique.

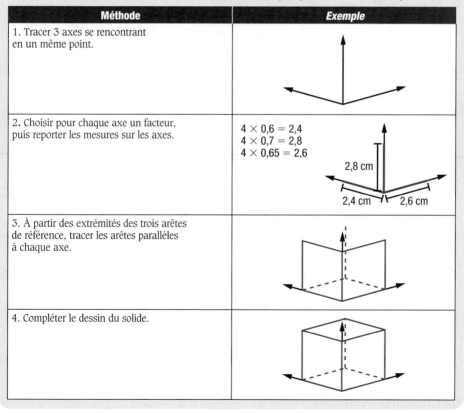

| Méthode | Exemple |
|---|---|
| 1. Tracer 3 axes se rencontrant en un même point. | |
| 2. Choisir pour chaque axe un facteur, puis reporter les mesures sur les axes. | $4 \times 0{,}6 = 2{,}4$ $4 \times 0{,}7 = 2{,}8$ $4 \times 0{,}65 = 2{,}6$  2,8 cm  2,4 cm  2,6 cm |
| 3. À partir des extrémités des trois arêtes de référence, tracer les arêtes parallèles à chaque axe. | |
| 4. Compléter le dessin du solide. | |

### perspective cavalière

◆ Perspective dans laquelle le point de vue est supposé situé à l'infini. Dans ce cas, on parle aussi de *projection oblique.*

Dans la représentation en perspective cavalière :

1. l'axe associé à la largeur forme un angle droit avec l'axe associé à la hauteur, et l'angle de fuite (angle entre l'axe associé à la profondeur et celui associé à la largeur) mesure 30° ou 45° ;

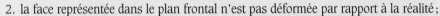

2. la face représentée dans le plan frontal n'est pas déformée par rapport à la réalité ;

3. la longueur des arêtes fuyantes reliant les faces avant et arrière est généralement réduite de moitié.

*Exemple :* Dessiner un cube de 2 cm d'arête selon la perspective cavalière.

| Méthode | Exemple |
|---|---|
| 1. Tracer deux axes perpendiculaires dans le plan frontal et un axe ayant un angle de fuite de 30° ou 45°. | |
| 2. Tracer une face dans le plan frontal sans la déformer par rapport à la réalité. | |
| 3. Tracer les arêtes fuyantes en respectant l'angle de fuite et en réduisant leur longueur de moitié. | |
| 4. Compléter le dessin du solide. | |

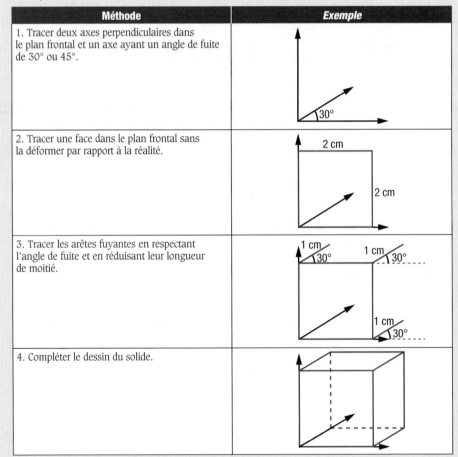

**perte** nom féminin

Différence négative entre les revenus et les coûts associés à un produit. Une perte est le contraire d'un **gain** ou d'un **bénéfice.**

*Exemple:* Amélie investit 1 000 $ dans un placement à la banque. Au bout d'un an, son placement vaut seulement 900 $. Amélie réalise une perte de 100 $ sur ce placement, soit 900 $ − 1 000 $ = ⁻100 $.

**phrase mathématique** nom féminin

♦ Valeurs numériques représentant les données d'un problème ou d'un énoncé mathématique reliées par des signes d'opération.

*Exemple:* Sara a 10 $ et Simon a 15 $. Ensemble, ils ont 25 $.
Phrase mathématique : 10 $ + 15 $ = 25 $.

**pi** [**π**] nom masculin

♦ Constante égale au rapport de la **circonférence** d'un cercle à son diamètre. Pi est un **nombre irrationnel** dont la valeur est approximativement 3,141 592 65 et souvent arrondie à 3,14.

**plan** nom masculin

♦ Espace géométrique à deux dimensions.

*Exemple:* Plan dans l'espace en trois dimensions.

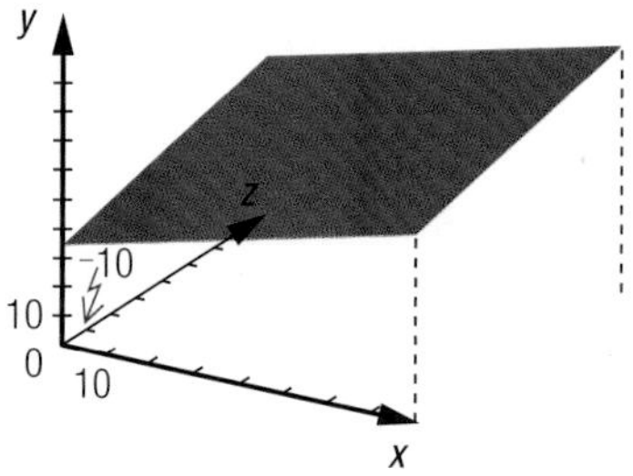

**plan cartésien**

♦ Plan muni d'un système de repérage formé de deux droites graduées, appelées *axe des abscisses* et *axe des ordonnées,* qui se coupent perpendiculairement en un point appelé *origine.*

*Exemple:*

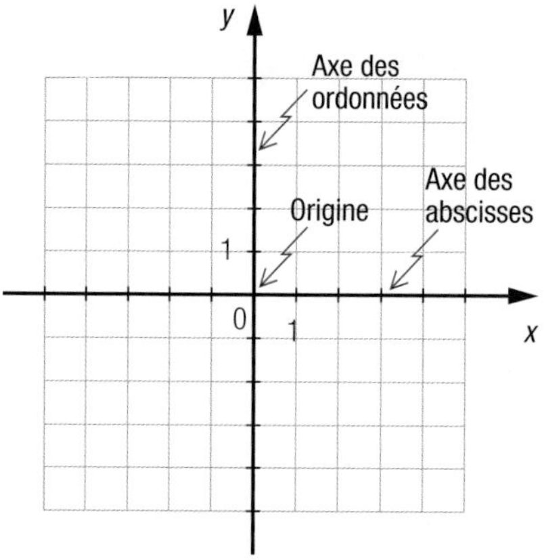

### plan de symétrie
♦ Plan partageant un solide en deux parties symétriques.

> Un plan de symétrie est aux trois dimensions ce qu'un axe de symétrie est aux deux dimensions.

*Exemples :*

1) Plan de symétrie d'un cône

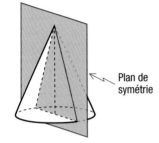

Plan de symétrie

2) Plan de symétrie d'un cylindre

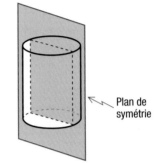

Plan de symétrie

### plan euclidien
♦ Produit cartésien de l'ensemble des nombres réels avec lui-même. Ainsi, tous les $x$ et tous les $y$ sont des nombres réels. Le **plan cartésien** est un plan euclidien.

### plus [+] nom masculin
♦ Symbole de l'addition.

*Exemple :* $5 + 2 = 7$ se lit 5 plus 2 égale 7.

### plus de adverbe
♦ Expression signifiant qu'une quantité inconnue est supérieure à une quantité connue.

*Exemple :* «Caroline a plus de 10 ans» signifie que l'âge de Caroline est supérieur à 10. Elle peut donc avoir 11 ans, 12 ans, 13 ans, etc.

### plus grand commun diviseur (PGCD) nom masculin
♦ Plus grand entier naturel qui divise simultanément deux ou plusieurs entiers.

*Exemple :* Calculer le PGCD de 48 et 84.

| Méthode | Exemple |
|---|---|
| 1. Décomposer chaque nombre en facteurs premiers. | $48 = 2 \times 2 \times 2 \times 2 \times 3$ <br> $84 = 2 \times 2 \times 3 \times 7$ |
| 2. Relever tous les facteurs premiers communs aux nombres décomposés. | $48 = \mathbf{2} \times \mathbf{2} \times 2 \times 2 \times \mathbf{3}$ <br> $84 = \mathbf{2} \times \mathbf{2} \times \mathbf{3} \times 7$ <br> 2, 2 et 3 sont les facteurs premiers communs aux deux nombres. |
| 3. Effectuer le produit des facteurs premiers communs. | $2 \times 2 \times 3 = 12$ <br> PGCD (48, 84) = 12 |

## plus petit commun multiple (PPCM) nom masculin

♦ Plus petit entier différent de zéro qui est à la fois multiple de deux ou plusieurs nombres.

*Exemple:* Calculer le PPCM de 42 et 48.

| Méthode | Exemple |
|---|---|
| 1. Décomposer chaque nombre en facteurs premiers. | $42 = 2 \times 3 \times 7$<br>$48 = 2 \times 2 \times 2 \times 2 \times 3$ |
| 2. Relever tous les facteurs premiers nécessaires pour représenter l'un et l'autre des nombres décomposés. | $42 = \mathbf{2} \times \mathbf{3} \times \mathbf{7}$<br>$48 = \mathbf{2} \times \mathbf{2} \times \mathbf{2} \times 2 \times 3$<br>2, 2, 2, 2, 3 et 7 sont les facteurs premiers nécessaires pour représenter à la fois 42 et 48. |
| 3. Effectuer le produit des facteurs premiers relevés précédemment. | $2 \times 2 \times 2 \times 2 \times 3 \times 7 = 336$<br>PPCM (42, 48) = 336 |

## poids d'une donnée statistique nom masculin

♦ Importance relative de la valeur d'une donnée statistique par rapport aux autres.

➜ Voir **moyenne pondérée.**

## point nom masculin

♦ Portion de l'espace dont toutes les dimensions sont nulles.

Dans le plan cartésien, un point P de coordonnées $x$ et $y$ se note $P(x, y)$.

*Exemple:*

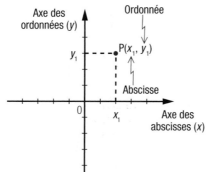

## point de fuite

♦ Point de convergence de lignes normalement parallèles utilisé dans les représentations d'objets tridimensionnels.

➜ Voir **perspective.**

*Exemple:*

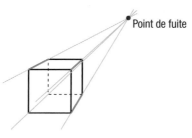

a

b

c

d

e

f

g

h

i

j

k

l

m

n

o

**p**

q

r

s

t

u

v

w

x

y

z

**point de partage**

◆ Point partageant un segment dans un rapport donné.

> Un point P partage un segment AB dont les extrémités sont A($x_1, y_1$) et B($x_2, y_2$).
> Si P est situé à une fraction $r$ de la distance entre les points A et B à partir du point A,
> ses coordonnées sont:
>
> $\left(x_1 + r(x_2 - x_1), y_1 + r(y_2 - y_1)\right)$, où $r$ est un nombre réel compris entre 0 et 1.

*Exemple:* On calcule de la façon suivante les coordonnées du point de partage P
d'un segment dont les extrémités sont A(1, 3) et B(9, 15) dans un rapport 1 : 3 à partir
du point A.

Sachant que 1 : 3 correspond à $\frac{1}{4}$, on trouve:

$$P\left(1 + \tfrac{1}{4}(9 - 1), 3 + \tfrac{1}{4}(15 - 3)\right) = \left(1 + \tfrac{1}{4}(8), 3 + \tfrac{1}{4}(12)\right)$$
$$= (1 + 2, 3 + 3)$$
$$= (3, 6)$$

Les coordonnées du point de partage P sont (3, 6).

**point d'inflexion**

◆ TS et SN Dans la représentation graphique d'une fonction, point où la courbe passe
d'une forme convexe à une forme non convexe, et inversement.

*Exemple:*

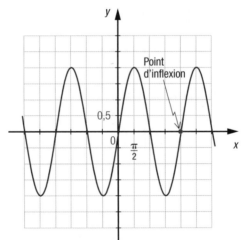

### point d'intersection

**❶** ◆ Point de rencontre entre deux courbes.

Pour déterminer algébriquement les coordonnées du point d'intersection $(x, y)$ de deux droites d'équation $y = a_1x + b_1$ et $y = a_2x + b_2$, on résout le système d'équations ainsi formé par la **méthode de comparaison,** de **substitution** ou de **réduction.**

*Exemple :* Déterminer le point d'intersection P des droites d'équation
$y = 2x - 3$ et $y = -x + 3$.
$2x - 3 = -x + 3$
$\quad 3x = 6$
$\quad\; x = 2$

Remplacer $x$ par 2 dans l'une des deux équations.
$y = 2(2) - 3$
$y = 1$

Les coordonnées du point d'intersection P sont donc $(2, 1)$.

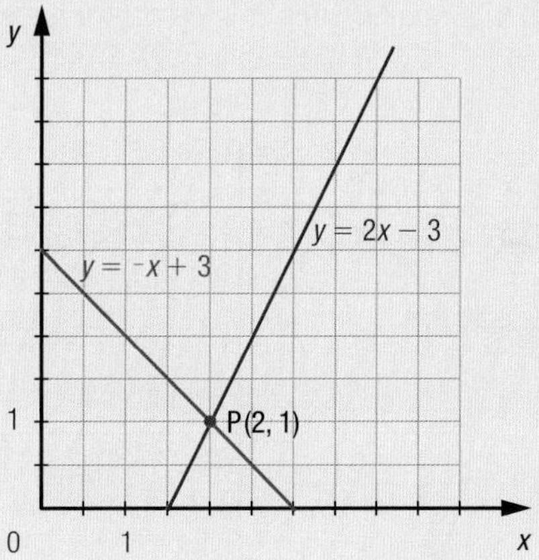

**❷** ◆ Dans le plan cartésien, point de rencontre des deux axes, appelé *origine.*

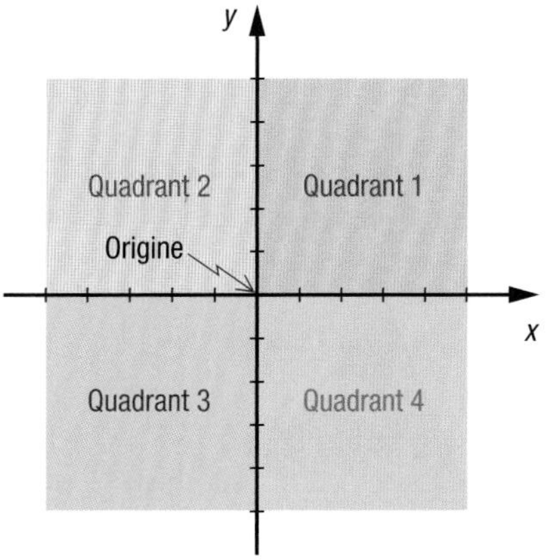

**❸** ◆ CST ➜ Voir **nœud d'intersection.**

### point trigonométrique

♦ TS et SN Point du **cercle trigonométrique** obtenu par une rotation autour de l'origine de la partie positive de l'axe des abscisses.

- Les coordonnées d'un point trigonométrique P(θ) sont (cos θ, sin θ), où θ est la mesure de l'angle trigonométrique, soit l'angle situé entre le rayon passant par le point trigonométrique et la demi-droite positive de l'axe des abscisses.

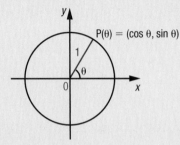

- Les principaux points trigonométriques et leurs coordonnées sont les suivants.

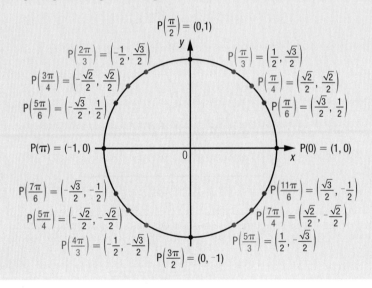

### polyèdre nom masculin

♦ Solide limité par des faces planes polygonales.

*Exemples:*

1)

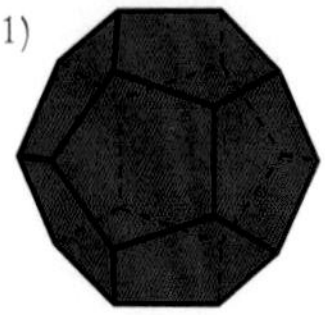

2)

3)

### polyèdre convexe
◆ Polyèdre dont les segments joignant deux de ses points quelconques sont entièrement inclus dans la portion d'espace qu'il délimite.

*Exemple:* Un prisme à base triangulaire est un polyèdre convexe.

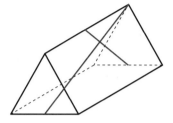

### polyèdre non convexe
◆ Polyèdre dont au moins un segment joignant deux de ses points n'est pas entièrement contenu dans la portion d'espace délimitée par ce polyèdre.

*Exemple:*

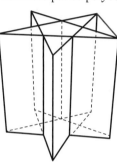

### polygone nom masculin
◆ Figure plane formée par une ligne brisée fermée.

*Exemples:*

1)     2)    3)

Dans un polygone:
- le point de rencontre de deux côtés est appelé *sommet*;
- les côtés ayant un sommet commun sont dits *adjacents*;
- les angles ayant un côté commun sont dits *consécutifs*.

a
b
c
d
e
f
g
h
i
j
k
l
m
n
o
**p**
q
r
s
t
u
v
w
x
y
z

## Nom de certains polygones selon leur nombre de côtés

| Nombre de côtés | Nom du polygone | Exemple |
|:---:|:---:|:---:|
| 3 | Triangle | 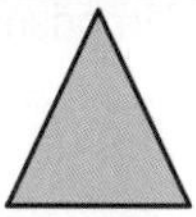 |
| 4 | Quadrilatère |  |
| 5 | Pentagone |  |
| 6 | Hexagone | 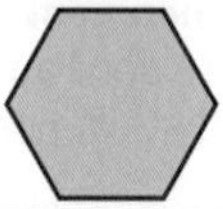 |
| 7 | Heptagone | 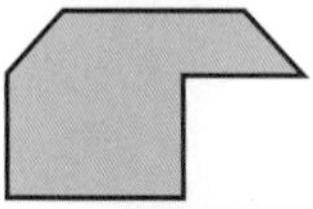 |
| 8 | Octogone | 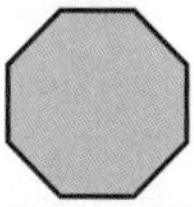 |
| 9 | Ennéagone |  |
| 10 | Décagone | 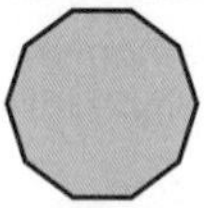 |
| 11 | Hendécagone | 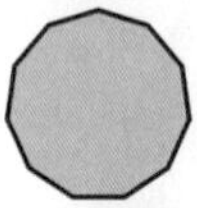 |
| 12 | Dodécagone | |

**polygone convexe**

◆ Polygone dont la mesure de chaque angle intérieur est inférieure à 180°. Un polygone est convexe lorsque le segment qui joint deux de ses points quelconques est inclus dans l'aire délimitée par ce polygone.

*Exemples :*

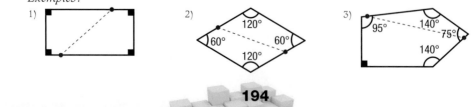

1)

2) 120° 60° 60° 120°

3) 95° 140° 75° 140°

### polygone de contraintes

♦ Représentation graphique de l'**ensemble-solution** d'un système d'inéquations du premier degré à deux inconnues traduisant un ensemble de contraintes.

Le polygone de contraintes est dit *borné* lorsque la figure qui le représente est fermée. Autrement, le polygone de contraintes est dit *non borné*.

*Exemples :*

1) $y \geq 2$   $y \leq 2x$   $x + 2y \leq 12$

2) $x \geq 0$   $y \geq 0$   $x + 2y \geq 12$   $2x + y \geq 8$

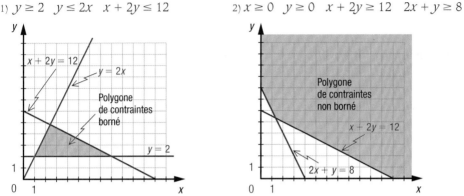

### polygone non convexe

♦ Polygone dont la mesure d'au moins un des angles intérieurs est supérieure à 180°. Un polygone est non convexe lorsqu'au moins un segment qui joint deux de ses points n'est pas entièrement contenu dans l'aire délimitée par ce polygone.

*Exemples :*

1)

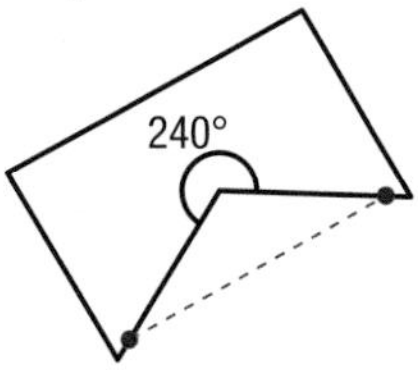

2)

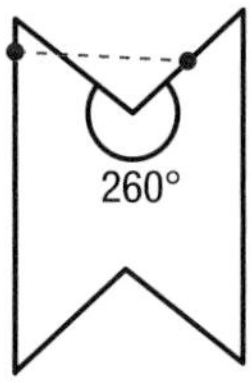

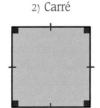

### polygone régulier

♦ Polygone dont tous les côtés et tous les angles sont isométriques.

*Exemples :* Les polygones ci-dessous sont réguliers.

1) Triangle équilatéral    2) Carré    3) Pentagone régulier    4) Hexagone régulier

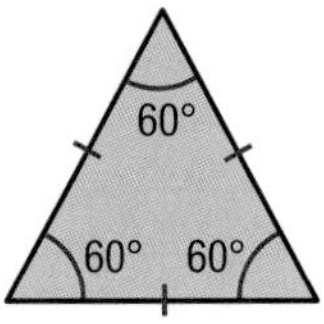

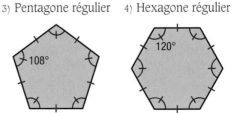

### polynôme nom masculin

♦ Expression algébrique comportant un ou plusieurs **termes.**

*Exemple :* $3x^2 + xy - 2x - 8$ est un polynôme comportant quatre termes.

**population** nom féminin
♦ En statistique, ensemble des êtres, des choses ou des faits qui sont objets de l'étude.

Une population peut être homogène ou hétérogène. Elle est dite *homogène* si les éléments qui la composent ont une caractéristique semblable. Dans le cas contraire, la population est dite *hétérogène.*

**positif, positive** adjectif
❶ ♦ Qui est plus grand ou égal à zéro.
➜ Voir **nombre positif.**

❷ ♦ Sur un intervalle du domaine, une fonction est positive si les valeurs de la **variable dépendante** sont positives.
*Exemple :* La fonction *f* ci-dessous est positive sur $]-\infty, -1] \cup [2, +\infty[$.

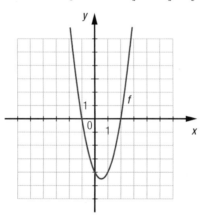

**position** nom féminin
♦ Dans l'expression d'un nombre, place occupée par un chiffre, laquelle détermine la valeur que prend ce chiffre dans ce nombre.

Dans le système de numération en base dix, chaque position vaut 10 fois la valeur de la position située immédiatement à sa droite. Ainsi, une centaine vaut 10 fois la valeur d'une dizaine.

| Valeur | Position |
|---|---|
| 1 | unités |
| $10 \times 1 = 10$ | dizaines |
| $10 \times 10 = 100$ | centaines |
| $10 \times 100 = 1\,000$ | unités de mille |
| $10 \times 1\,000 = 10\,000$ | dizaines de mille |
| $10 \times 10\,000 = 100\,000$ | centaines de mille |
| $10 \times 100\,000 = 1\,000\,000$ | unités de millions |
| $10 \times 1\,000\,000 = 10\,000\,000$ | dizaines de millions |
| $10 \times 10\,000\,000 = 100\,000\,000$ | centaines de millions |
| $10 \times 100\,000\,000 = 1\,000\,000\,000$ | unités de milliards |

**postulat** nom masculin
Proposition que l'on convient d'admettre comme vraie, par exemple dans le but de démontrer une **proposition** ou un **théorème.**

**pourcentage** [%] nom masculin
♦ Rapport dont le second terme est 100. Un pourcentage s'exprime aussi sous forme décimale en divisant sa valeur par 100.
*Exemple:* $45\% = \frac{45}{100}$ ou $45\% = 0{,}45$

> On calcule le pourcentage d'un nombre en effectuant une multiplication.
> $a\%$ de $b$ est $a\% \times b$
>
> *Exemple:* Calculer $23\%$ de 150.
> $23\% \times 150 = \frac{23}{100} \times 150$   ou   $23\% \times 150 = 0{,}23 \times 150$
> $\qquad\qquad\quad = 34{,}5$ $\qquad\qquad\qquad\qquad\qquad = 34{,}5$

**précision** nom féminin
♦ En statistique, nombre ajouté et enlevé à une mesure estimée pour créer un intervalle incluant presque certainement la vraie valeur.
*Exemple:* On estime la moyenne du revenu familial d'une petite ville à 50 000 $ avec une précision de ± 4 000 $. On est donc à peu près certain que la vraie moyenne du revenu familial de cette ville se situe dans l'intervalle [46 000 $, 54 000 $].

**prédiction** nom féminin
Action d'annoncer un événement futur encore inconnu, mais susceptible de se produire.

**premier, première** adjectif
➜ Voir **nombre premier** et **facteur premier.**

**preuve** nom féminin
Raisonnement destiné à établir la véracité d'un énoncé ou servant à valider un calcul ou la justesse de la solution d'un problème.
*Exemple:*
$$x + 5 = 8$$
$$x + 5 - 5 = 8 - 5$$
$$x = 3$$
Preuve: $3 + 5 = 8$

**prévision** nom féminin
Action de prévoir un événement futur. Étude chiffrable ou non d'un événement, d'une grandeur ou d'un ensemble de grandeurs futurs. La modélisation mathématique peut servir, dans certains cas, à prévoir le comportement d'une variable dans le temps.

**principe de Condorcet** nom masculin

♦ CST **Procédure de vote** où chaque électeur ou électrice classe les candidats par ordre de préférence. Après analyse des résultats, le candidat ou la candidate qui défait tous les autres dans une confrontation un à un est vainqueur.

Cette méthode :

- nuance l'interprétation des résultats d'un vote ;
- aide à choisir un candidat ou une candidate bénéficiant généralement d'un haut degré de satisfaction de l'électorat ;
- est complexe à mettre en œuvre.

*Exemple :*

**Résultats d'une élection**

| Nombre d'électeurs qui ont ordonné les candidats de cette façon | 20 | 35 | 24 | 12 | 19 | 23 |
|---|---|---|---|---|---|---|
| 1er choix | A | A | B | B | C | C |
| 2e choix | B | C | A | C | A | B |
| 3e choix | C | B | C | A | B | A |

Selon cette méthode :
- 20 + 35 + 19 = 74 électeurs préfèrent A à B.
- 24 + 12 + 23 = 59 électeurs préfèrent B à A.
- 20 + 35 + 24 = 79 électeurs préfèrent A à C.
- 12 + 19 + 23 = 54 électeurs préfèrent C à A.
- 20 + 24 + 12 = 56 électeurs préfèrent B à C.
- 35 + 19 + 23 = 77 électeurs préfèrent C à B.

Comme les électeurs préfèrent A aux candidats B et C, A l'emporte.

❶ Voir **Condorcet.**

**priorité des opérations** nom féminin

♦ Ordre à respecter pour effectuer les calculs dans une chaîne d'opérations, soit :
1. les opérations entre parenthèses ;
2. l'exponentiation ;
3. les multiplications et les divisions, dans l'ordre d'apparition de gauche à droite ;
4. les additions et les soustractions, dans l'ordre d'apparition de gauche à droite.

*Exemple :* 
$$30 - 3^2 \times 4 + (8 - 6) = 30 - 3^2 \times 4 + 2$$
$$= 30 - 9 \times 4 + 2$$
$$= 30 - 36 + 2$$
$$= {}^-6 + 2$$
$$= {}^-4$$

## prisme nom masculin
♦ Polyèdre ayant deux faces isométriques et parallèles appelées *bases.*
Les parallélogrammes reliant ces deux bases sont appelés *faces latérales.*

*Exemples :*

1)

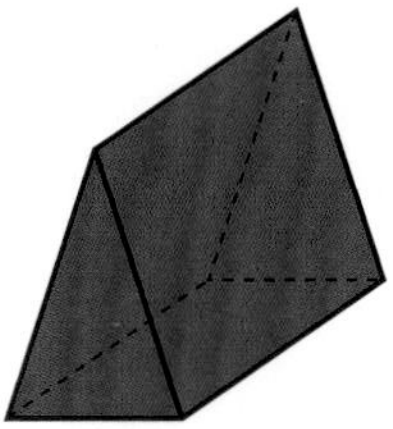

2)

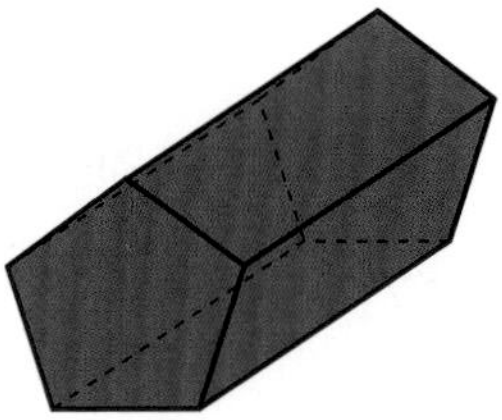

3)

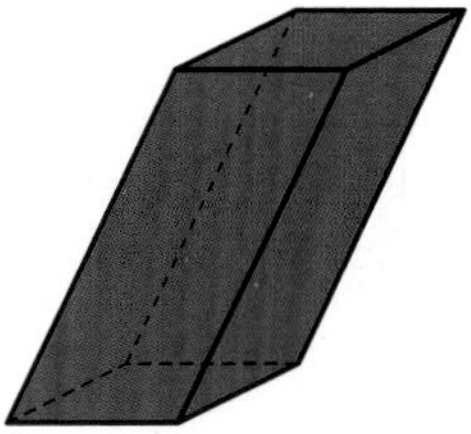

### prisme droit nom masculin
♦ Prisme ayant des faces latérales rectangulaires.

*Exemple :* Prisme droit à base pentagonale.

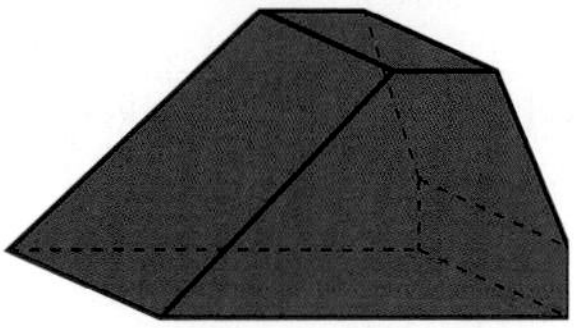

### prisme régulier nom masculin
♦ Prisme droit dont les bases sont des polygones réguliers isométriques.

*Exemple :* Prisme régulier à base hexagonale.

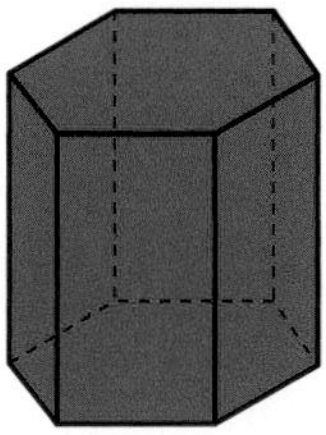

## probabilité nom féminin
❶ ♦ Branche des mathématiques qui cherche à mesurer le caractère aléatoire de ce qui est à venir.

❷ ♦ [P(A)] Nombre entre 0 et 1 quantifiant la possibilité qu'un **événement** se produise. Pour un événement, il s'agit du rapport entre le nombre de résultats favorables et le nombre de résultats possibles de l'**expérience aléatoire.**

$$\text{Probabilité d'un événement} = \frac{\text{nombre de résultats favorables}}{\text{nombre de résultats possibles}}$$

*Exemple :* Lorsqu'on tire une carte dans un jeu de 52 cartes, la probabilité de l'événement « la carte est de cœur » se calcule ainsi :

$$P(\text{la carte est de cœur}) = \frac{\text{nombre de cartes de cœur}}{\text{nombre total de cartes}} = \frac{13}{52} = \frac{1}{4} \text{ ou } 25\,\%$$

a
b
c
d
e
f
g
h
i
j
k
l
m
n
o
p
q
r
s
t
u
v
w
x
y
z

- La probabilité d'un événement composé de plusieurs **événements élémentaires** est égale à la somme des probabilités des événements élémentaires.

*Exemple :* On tire une carte dans un jeu de 52 cartes. Voici deux événements élémentaires associés à cette situation :

A : la carte est de trèfle.

B : la carte est de cœur.

La probabilité de l'événement « la carte est de trèfle ou la carte est de cœur » se note comme suit :

$$P(A \text{ ou } B) = P(A \cup B) = P(A) + P(B)$$
$$= \frac{13}{52} + \frac{13}{52}$$
$$= \frac{26}{52}$$
$$= \frac{1}{2}$$

- La probabilité d'un événement élémentaire d'une **expérience aléatoire à plusieurs étapes** est égale au produit des probabilités des événements intermédiaires à chaque étape de cet événement.

*Exemple :* Un sac contient 3 billes rouges et 4 billes blanches. On tire une première bille, on la remet dans le sac et on en tire une deuxième. On veut connaître la probabilité de l'événement « tirer une bille rouge suivie d'une bille blanche ».

$$P(\text{rouge suivie de blanche}) = P(\text{rouge}) \times P(\text{blanche})$$
$$= \frac{3}{7} \times \frac{4}{7}$$
$$= \frac{12}{49}$$

### probabilité conditionnelle [P(B|A)]

◆ Probabilité qu'un événement se produise sachant qu'un autre événement s'est déjà produit.

La probabilité que l'événement B se produise sachant que l'événement A s'est déjà produit se note $P(B|A)$ et on la calcule ainsi :

$$P(B \text{ étant donné } A) = P(B|A) = \frac{P(A \text{ et } B)}{P(A)} = \frac{P(A \cap B)}{P(A)}, \text{ où } P(A) \neq 0.$$

*Exemple :* On tire une bille dans un sac en contenant 10 numérotées de 1 à 10. Voici deux événements possibles :

A : le nombre est pair.

B : le nombre est supérieur à 4.

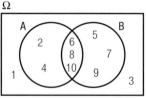

La probabilité d'obtenir un nombre supérieur à 4 sachant que la bille tirée est un nombre pair se calcule ainsi :

$$P(B \text{ étant donné } A) = P(B|A) = \frac{P(A \cap B)}{P(A)} = \frac{\frac{3}{10}}{\frac{5}{10}} = \frac{3}{5}$$

### probabilité fréquentielle
♦ Résultat obtenu à la suite d'une expérimentation.

Probabilité fréquentielle = $\dfrac{\text{nombre de fois que le résultat attendu s'est réalisé}}{\text{nombre de fois que l'expérience a été répétée}}$

Une probabilité fréquentielle est utile lorsque la **probabilité,** aussi dite **probabilité théorique,** est impossible à calculer. On l'appelle également *probabilité expérimentale* ou *estimée.*

*Exemple:* Dans les 12 dernières parties de hockey, un gardien de but a arrêté 324 des 360 rondelles lancées sur lui. La probabilité fréquentielle que ce gardien arrête la rondelle se calcule ainsi:

Probabilité fréquentielle = $\dfrac{324}{360} = \dfrac{9}{10} = 90\,\%$

### probabilité géométrique à deux dimensions
♦ Rapport entre une partie A à deux dimensions d'un objet géométrique L à deux dimensions ayant une aire finie et cet objet L.

Probabilité géométrique de A = $\dfrac{\text{aire A}}{\text{aire L}}$

*Exemple:* On choisit au hasard un point dans le carré ci-contre. La probabilité que ce point se situe dans le triangle bleu est donnée par:

$P(\text{point dans la partie bleue}) = \dfrac{\text{aire du triangle bleu}}{\text{aire du carré}} = \dfrac{\frac{8 \times 8}{2}}{8 \times 8} = \dfrac{1}{2}$

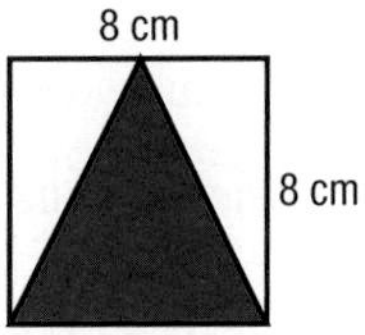

8 cm

8 cm

### probabilité géométrique à trois dimensions
♦ Rapport entre une partie A à trois dimensions d'un objet géométrique L à trois dimensions ayant un volume fini et cet objet L.

Probabilité géométrique de A = $\dfrac{\text{volume A}}{\text{volume L}}$

*Exemple:* On choisit au hasard un point dans le cylindre ci-dessous. La probabilité que ce point se situe dans la sphère rouge est donnée par:

$P(\text{point dans la sphère rouge}) = \dfrac{\text{volume de la sphère rouge}}{\text{volume du cylindre}}$

$= \dfrac{\frac{4\pi 2^3}{3}}{2^2\pi \times 8}$

$= \dfrac{\frac{32\pi}{3}}{32\pi}$

$= \dfrac{1}{3}$

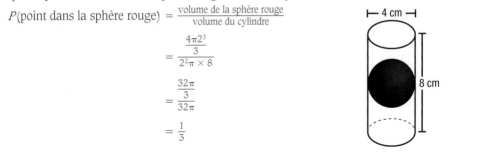

⊢ 4 cm ⊣

8 cm

### probabilité géométrique à une dimension
♦ Rapport entre une partie A à une dimension d'un objet géométrique L à une dimension de longueur finie et cet objet L.

> Probabilité géométrique de A = $\frac{\text{longueur A}}{\text{longueur L}}$

*Exemple :* On choisit au hasard un point sur les côtés du triangle ci-contre. La probabilité que ce point se situe sur le côté AB est donnée par :

$P(\text{point sur } \overline{AB}) = \frac{\text{longueur } \overline{AB}}{\text{périmètre du triangle}} = \frac{5}{12}$

### probabilité subjective
♦ Probabilité estimée par la personne qui fait l'expérience à partir de son jugement ou de ses expériences passées.

*Exemple :* J'estime la probabilité de réussir mon prochain examen de mathématique à 90 %.

### probabilité théorique nom féminin
➤ Voir **probabilité.**

## procédure de vote nom féminin
♦ CST Ensemble des règles et des formalités à respecter lors d'un vote ou d'une élection.

> Il existe plusieurs procédures de vote. En voici quelques-unes :
> - la **règle de la majorité** ;
> - la **règle de la pluralité** ;
> - la **méthode de Borda** ;
> - le **principe de Condorcet.**

## produit nom masculin
♦ Résultat d'une multiplication.

*Exemple :* Le produit de 5 et 6 est 30, car $5 \times 6 = 30$.

### produit cartésien
♦ Le produit cartésien de deux ensembles A et B, noté A × B, est l'ensemble de tous les couples $(x, y)$ où $x$ est élément de A et $y$ est élément de B.

*Exemple :* Si A = {a, b, c} et B = {d, e}, alors le produit cartésien de A et B est :
A × B = {(a, d), (a, e), (b, d), (b, e), (c, d), (c, e)}.

### produit scalaire
♦ TS et SN Opération sur deux vecteurs qui donne un résultat scalaire. Le produit scalaire des vecteurs $\vec{u}$ et $\vec{v}$ se note $\vec{u} \cdot \vec{v}$ et se lit « $\vec{u}$ produit scalaire $\vec{v}$ ».

> - Géométriquement, $\vec{u} \cdot \vec{v} = \|\vec{u}\| \times \|\vec{v}\| \times \cos\theta$, où θ est l'angle formé par les deux vecteurs.
>
> *Exemple :* $\vec{u} \cdot \vec{v} = 2 \times 3 \times \cos 35° \approx 4{,}91$ cm

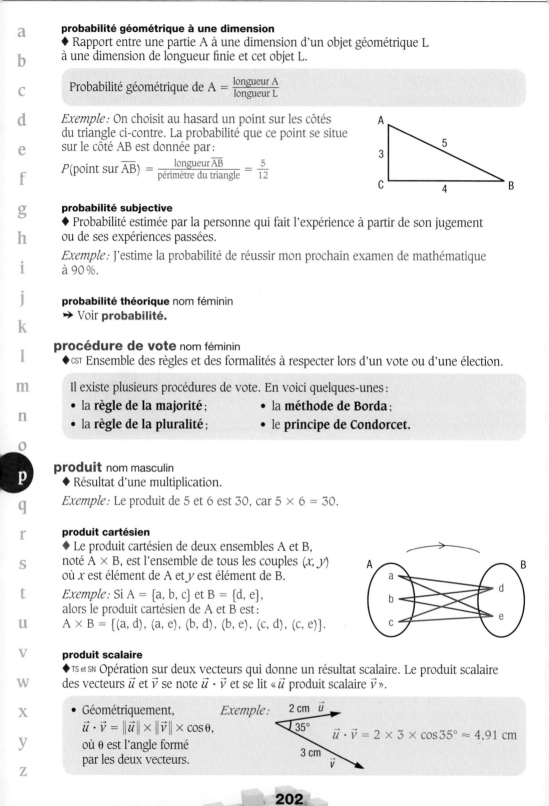

- Algébriquement, soit $\vec{u} = (a, b)$ et $\vec{v} = (c, d)$, alors $\vec{u} \cdot \vec{v} = ac + bd$.
  *Exemple:* Si $\vec{u} = (3, 1)$ et $\vec{v} = (2, 5)$, alors $\vec{u} \cdot \vec{v} = 3 \times 2 + 1 \times 5 = 11$.
- Le produit scalaire de deux vecteurs possède les propriétés suivantes.

| Propriété | Énoncé |
|---|---|
| La commutativité | $\vec{u} \cdot \vec{v} = \vec{v} \cdot \vec{u}$ |
| L'associativité des scalaires | $k_1\vec{u} \cdot k_2\vec{v} = k_1 k_2 (\vec{u} \cdot \vec{v})$ |
| La distributivité sur une somme vectorielle | $\vec{u} \cdot (\vec{v} + \vec{w}) = \vec{u} \cdot \vec{v} + \vec{u} \cdot \vec{w}$ |

## profondeur nom féminin

♦ Une des trois dimensions d'un objet dans une représentation en trois dimensions, les deux autres étant la largeur et la hauteur. La profondeur est aussi appelée *épaisseur.*

*Exemple:*

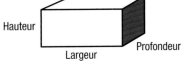

## programmation linéaire nom féminin

♦ Méthode mathématique consistant à rechercher la solution d'un problème en la formulant comme l'**optimisation** d'une fonction linéaire à plusieurs variables soumises à diverses contraintes exprimées elles-mêmes sous forme d'inéquations linéaires.

## progression nom féminin

♦ **Suite numérique** où chaque terme est déduit du terme précédent par une loi constante.

### progression arithmétique

♦ Suite numérique où chaque terme est égal au terme précédent augmenté d'une constante.

*Exemple:*

$$
\begin{array}{ccccccccccc}
+4 & & +4 & & +4 & & +4 & & +4 & & +4 \\
1 & & 5 & & 9 & & 13 & & 17 & & 21 & \ldots
\end{array}
$$

### progression géométrique

♦ Suite numérique où chaque terme est égal au terme précédent multiplié par une constante.

*Exemple:*

$$
\begin{array}{ccccccccccc}
\times 2 & & \times 2 & & \times 2 & & \times 2 & & \times 2 & & \times 2 \\
1 & & 2 & & 4 & & 8 & & 16 & & 32 & \ldots
\end{array}
$$

## projection nom féminin

❶ Opération mathématique prédisant l'évolution possible d'une variable dans un environnement constant.

❷ ♦ Transformation consistant à faire correspondre les points d'une figure avec une surface de référence.

**projection centrale**

♦ Représentation d'un objet en trois dimensions, qui respecte la ligne d'horizon
et la position de cet objet dans l'espace par rapport au point d'observation. Une projection
centrale fait intervenir un ou plusieurs **points de fuite.**

• **Projection centrale à un point de fuite**

Les arêtes parallèles associées à une dimension du solide convergent vers un point
de fuite situé sur la ligne d'horizon. La face représentée dans le plan frontal n'est
pas déformée par rapport à la réalité.

*Exemple :* Dessiner un prisme droit en utilisant la projection centrale
à un point de fuite.

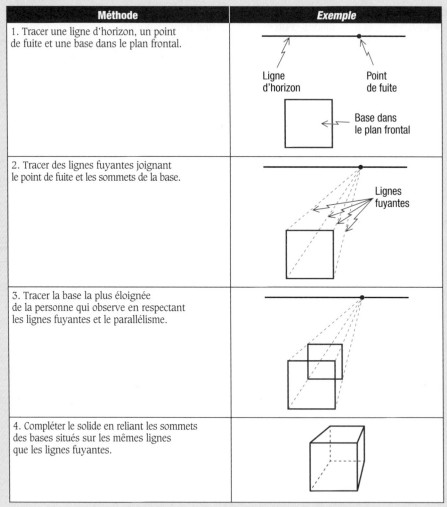

| Méthode | Exemple |
|---|---|
| 1. Tracer une ligne d'horizon, un point de fuite et une base dans le plan frontal. | Ligne d'horizon — Point de fuite — Base dans le plan frontal |
| 2. Tracer des lignes fuyantes joignant le point de fuite et les sommets de la base. | Lignes fuyantes |
| 3. Tracer la base la plus éloignée de la personne qui observe en respectant les lignes fuyantes et le parallélisme. | |
| 4. Compléter le solide en reliant les sommets des bases situés sur les mêmes lignes que les lignes fuyantes. | |

- ## Projection centrale à deux points de fuite

Les arêtes associées à une dimension du solide convergent vers un **point de fuite** situé sur la ligne d'horizon, et les arêtes associées à une autre dimension du solide convergent vers un autre point de fuite aussi situé sur la ligne d'horizon.

*Exemple:* Dessiner un prisme droit en utilisant la projection centrale à deux points de fuite.

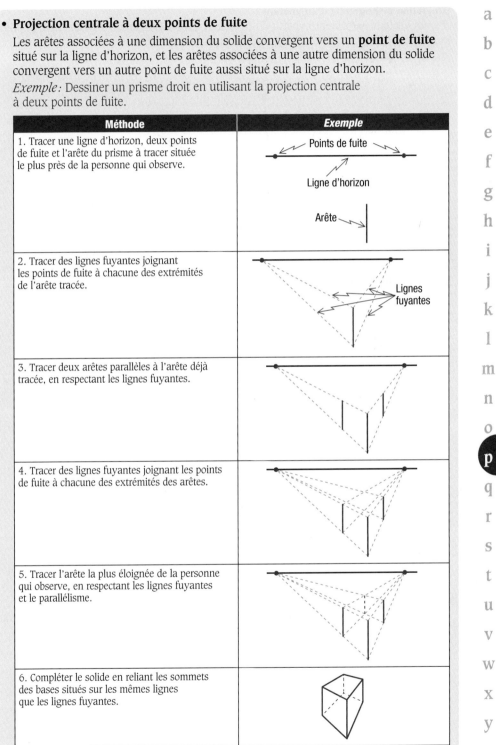

| Méthode | Exemple |
|---|---|
| 1. Tracer une ligne d'horizon, deux points de fuite et l'arête du prisme à tracer située le plus près de la personne qui observe. | Points de fuite / Ligne d'horizon / Arête |
| 2. Tracer des lignes fuyantes joignant les points de fuite à chacune des extrémités de l'arête tracée. | Lignes fuyantes |
| 3. Tracer deux arêtes parallèles à l'arête déjà tracée, en respectant les lignes fuyantes. | |
| 4. Tracer des lignes fuyantes joignant les points de fuite à chacune des extrémités des arêtes. | |
| 5. Tracer l'arête la plus éloignée de la personne qui observe, en respectant les lignes fuyantes et le parallélisme. | |
| 6. Compléter le solide en reliant les sommets des bases situés sur les mêmes lignes que les lignes fuyantes. | |

### projection orthogonale d'un vecteur

♦ TS et SN Vecteur AB' obtenu à partir d'un vecteur AB sur une droite $d$ passant par le point A et tel que B' est le **projeté orthogonal** de B sur la droite $d$.

*Exemple :* Le vecteur $\overrightarrow{AB'}$ est la projection orthogonale du vecteur $\overrightarrow{AB}$ sur $d$.

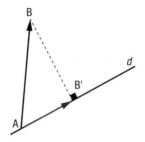

### projection parallèle

♦ Représentation de figures en trois dimensions faisant intervenir trois axes sécants en un même point. Chaque axe est associé à une dimension de la figure : la largeur, la hauteur et la profondeur. Les deux perspectives principales utilisées dans la projection parallèle sont appelées **perspective axonométrique** et **perspective cavalière**.

En projection parallèle :

- les arêtes tracées sur chaque axe servent de base au dessin du solide ;
- des arêtes parallèles dans la réalité sont représentées par des arêtes parallèles sur le dessin ;
- des arêtes isométriques dans la réalité sont représentées par des arêtes isométriques sur le dessin.

*Exemple :*

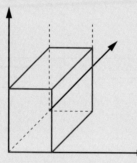

### projeté orthogonal nom masculin

♦ TS et SN Étant donné une droite $d$ et un point A hors de cette droite, le projeté A' de A sur $d$ est le point d'intersection de $d$ avec la perpendiculaire menée de A sur $d$.

*Exemple :* Le point A' est le projeté orthogonal du point A sur $d$.

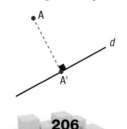

**proportion** nom féminin

♦ En mathématiques, égalité entre deux rapports ou deux taux.

*Exemples:*

1) $5 : 12 = 15 : 36$

2) $\frac{8}{3} = \frac{32}{12}$

**proportionnel, proportionnelle** adjectif

♦ Se dit de deux grandeurs ou plus dont les mesures sont et restent dans des rapports égaux.

*Exemple:* J'achète 3 barquettes de framboises pour 5 $. Si j'en achète 12, soit 4 fois plus, alors le prix sera également 4 fois plus élevé, c'est-à-dire $4 \times 5\,\$ = 20\,\$$. Les deux situations sont donc proportionnelles.

**proposition** nom féminin

Énoncé vrai ou faux ne contenant aucun élément variable.

*Exemples:*

1) Ce cercle ● est vert est une proposition fausse.

2) $7 + 2 = 9$ est une proposition vraie.

**propriété** nom féminin

♦ Caractéristique particulière d'un objet.

*Exemple:* Le triangle équilatéral a pour propriétés de posséder 3 côtés isométriques et 3 angles isométriques.

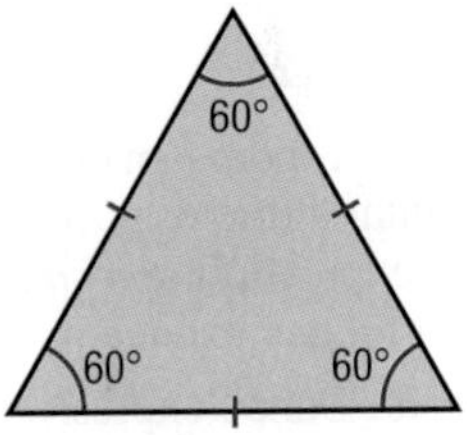

**propriétés des radicaux**

♦ Caractéristiques particulières des radicaux permettant de les utiliser dans des calculs.

| Propriété | Exemple |
|---|---|
| $\sqrt[n]{a^m} = a^{\frac{m}{n}}$, sauf si $n$ est pair **et** $a^m < 0$ | $\sqrt[8]{9^4} = 9^{\frac{4}{8}} = 9^{\frac{1}{2}} = 3$ |
| Pour $a \geq 0$ et $b \geq 0$: $\sqrt{a} \times \sqrt{b} = \sqrt{ab}$ | $\sqrt{12} \times \sqrt{3} = \sqrt{12 \times 3} = \sqrt{36} = 6$ |
| Pour $a \geq 0$ et $b > 0$: $\frac{\sqrt{a}}{\sqrt{b}} = \sqrt{\frac{a}{b}}$ | $\frac{\sqrt{18}}{\sqrt{2}} = \sqrt{\frac{18}{2}} = \sqrt{9} = 3$ |

a
b
c
d
e
f
g
h
i
j
k
l
m
n
o
**p**
q
r
s
t
u
v
w
x
y
z

**propriétés d'une fonction**

◆ Propriétés définies par divers éléments, dont :
- la **variation** (croissance, décroissance et constance) ;
- les **extremums** (minimum et maximum) ;
- le **signe** (positif ou négatif) ;
- l'**abscisse à l'origine** (zéro de la fonction) ;
- l'**ordonnée à l'origine** (valeur initiale).

**propriétés d'une opération**

◆ Caractéristiques particulières d'une opération.

Voici les principales propriétés des opérations :

| Propriété | Opération |
|---|---|
| L'associativité | $a + (b + c) = (a + b) + c$<br>$a \times (b \times c) = (a \times b) \times c$ |
| La commutativité | $a + b = b + a$<br>$a \times b = b \times a$ |
| La distributivité | $a \times (b + c) = a \times b + a \times c$<br>$a \times (b - c) = a \times b - a \times c$<br>$(b + c) \div a = b \div a + c \div a$ |
| L'élément neutre | $a + 0 = a$<br>$a \times 1 = a$ |
| L'élément absorbant | $a \times 0 = 0$ |

**puissance** nom féminin

◆ Résultat d'une **exponentiation**.

Dans l'expression $a^n = m$, $m$ est la puissance. On dit que la $n^e$ puissance de $a$ est $m$.

➜ Voir **loi des exposants**.

*Exemple :* Dans l'expression $5^3 = 125$, la base est 5, l'exposant est 3 et la puissance est 125. On dira : « 5 exposant 3 égale 125 » ou « la $3^e$ puissance de 5 est 125 ».

**puissance en base deux**

◆ Puissance exprimée sous sa **forme exponentielle** en base deux.

*Exemple :* 8 exprimé sous forme d'une puissance en base deux s'écrit $2^3$.

La représentation binaire d'un nombre s'effectue en décomposant ce nombre en somme de puissances de 2.

*Exemple :* $36 = 32 + 4$

$36 = 2^5 + 2^2$

$36 = 1 \times 2^5 + 0 \times 2^4 + 0 \times 2^3 + 1 \times 2^2 + 0 \times 2^1 + 0 \times 2^0$

$(36)_{dix} = (100\,100)_{binaire}$

**puissance en base dix**

◆ Puissance exprimée sous sa forme exponentielle en base dix.

*Exemple :* 10 000 exprimé sous forme d'une puissance en base dix s'écrit $10^4$.

Les préfixes du **système international d'unités** (SI) renvoient à des puissances particulières en base dix et permettent de simplifier l'écriture de certaines unités de mesure. Voici quelques exemples.

| Puissance de 10 | Nombre | Préfixe | Symbole | Exemple |
|---|---|---|---|---|
| $10^9$ | 1 000 000 000 | giga | G | 6,5 GW = 6,5 × $10^9$ watts |
| $10^6$ | 1 000 000 | méga | M | 2 MHz = 2 × $10^6$ hertz |
| $10^3$ | 1 000 | kilo | k | 100 kJ = 100 × $10^3$ joules |
| $10^2$ | 100 | hecto | h | 5 hm = 5 × $10^2$ mètres |
| $10^1$ | 10 | déca | da | 3 dal = 3 × $10^1$ litres |
| $10^{-1}$ | 0,1 | déci | d | 55 dB = 55 × $10^{-1}$ bel |
| $10^{-2}$ | 0,01 | centi | c | 2,5 cl = 2,5 × $10^{-2}$ litre |
| $10^{-3}$ | 0,001 | milli | m | 7 mm = 7 × $10^{-3}$ mètre |
| $10^{-6}$ | 0,000 001 | micro | μ | 4,8 μN = 4,8 × $10^{-6}$ newton |
| $10^{-9}$ | 0,000 000 001 | nano | n | 150 ns = 150 × $10^{-9}$ seconde |

**pyramide** nom féminin

◆ Polyèdre constitué d'une seule base polygonale et de faces latérales triangulaires ayant un sommet commun appelé **apex.**

*Exemple :* La figure ci-contre est une pyramide à base hexagonale.

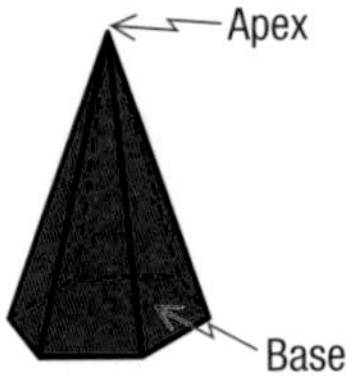

**pyramide droite**

◆ Pyramide dont la perpendiculaire à la base, menée depuis l'**apex,** passe par le centre de cette base.

*Exemple :* La figure ci-contre est une pyramide droite à base carrée.

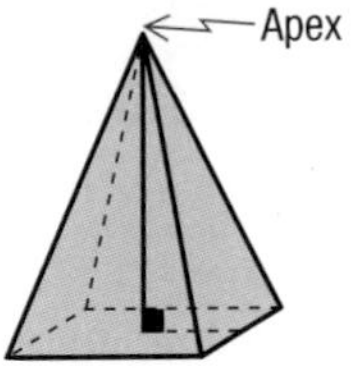

**pyramide régulière**

◆ Pyramide droite dont la base est un **polygone régulier.**

*Exemple :* La figure ci-contre est une pyramide régulière à base pentagonale.

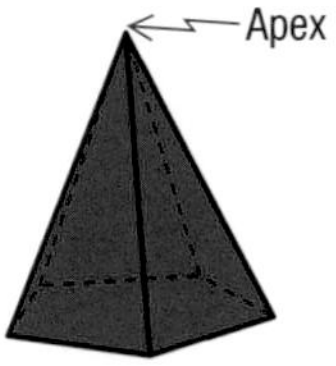

### quadrant nom masculin

♦ Chacune des quatre régions du plan cartésien délimitée par les axes. Les quadrants sont numérotés de 1 à 4 dans le sens antihoraire.

*Exemple :*

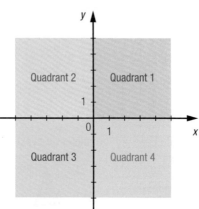

### quadrilatère nom masculin

♦ Polygone à quatre côtés.

*Exemples :*

1)   2)   3)   4)

### quantité nom féminin

❶ ♦ Donnée numérique.

❷ ♦ Nombre servant à dénombrer une collection d'éléments ou à mesurer une grandeur.

*Exemples :*

1) La quantité de poissons dans ce bocal est 2.

2) La quantité de lait dans ce contenant est 2 litres.

**quart** nom masculin

♦ Une des quatre parties égales d'un tout.

*Exemple:* La partie en rouge représente un quart de cercle.

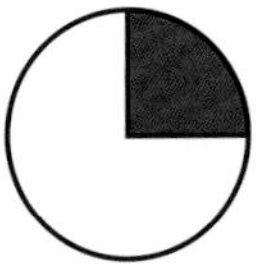

**quartile** nom masculin

♦ Valeur partageant une distribution ordonnée en quatre sous-ensembles, appelés *quarts,* comprenant le même nombre de données. On note généralement le premier quartile par $Q_1$, le deuxième, par $Q_2$ et le troisième, par $Q_3$.

On constate que:

- le deuxième quartile est la **médiane** de la distribution;
- la médiane des données qui précèdent $Q_2$ est $Q_1$;
- la médiane des données qui suivent $Q_2$ est $Q_3$;
- chaque quart contient autant que possible le même nombre de données;
- l'étendue interquartile correspond à la différence entre le 3$^e$ quartile et le 1$^{er}$ quartile.

*Exemple:* Voici quelques données recueillies lors d'un sondage.

8   12   14 ┊ 15   15   17   20   22   23   24 ┊ 24   26   29

$$Q_1 \qquad\qquad Q_2 \qquad\qquad Q_3$$
$$\text{Méd}$$

$Q_1 = \dfrac{14 + 15}{2} = 14,5$

$Q_2 = 20$

$Q_3 = \dfrac{24 + 24}{2} = 24$

**quintile** nom masculin

♦ Valeur partageant une distribution ordonnée en cinq sous-ensembles comprenant autant que possible le même nombre de données.

**quotient** nom masculin

♦ Résultat d'une division.

*Exemple:* Le quotient de 20 sur 5 est égal à 4, car 20 ÷ 5 = 4.

# R r

a
b
c
d
e
f
g
h
i
j
k
l
m
n
o
p
q
r
s
t
u
v
w
x
y
z

### racine carrée [$\sqrt{\phantom{x}}$] nom féminin

♦ Soit $x$ un nombre positif. Une racine carrée de $x$ est un nombre réel qui, élevé au carré, donne $x$. Tout nombre positif $x$ possède deux racines carrées : l'une est positive et égale à $\sqrt{x}$ ; l'autre est négative et égale à $-\sqrt{x}$.

*Exemple :* Les racines carrées de 16 sont $\sqrt{16} = 4$ et $-\sqrt{16} = -4$, puisque $4^2 = 16$ et $(-4)^2 = 16$.

- L'expression $\sqrt{x}$ est appelée un **radical** ; c'est aussi le nom qu'on donne au signe $\sqrt{\phantom{x}}$ lui-même.
- L'expression située sous le signe $\sqrt{\phantom{x}}$ s'appelle le **radicande**.

### racine cubique [$\sqrt[3]{\phantom{x}}$] nom féminin

♦ Soit $x$ un nombre réel. La racine cubique de $x$ est le nombre qui, élevé au cube, donne $x$. La racine cubique de $x$ est notée $\sqrt[3]{x}$. Tout nombre réel $x$ possède une et une seule racine cubique et celle-ci a le même signe que $x$.

*Exemples :*
1) La racine cubique de 27 est $\sqrt[3]{27} = 3$, puisque $3^3 = 27$.
2) La racine cubique de -64 est $\sqrt[3]{-64} = -4$, puisque $(-4)^3 = -64$.

### racine $n^e$ [$\sqrt[n]{\phantom{x}}$] nom féminin

♦ Soit $x$ un nombre réel et $n$ un nombre naturel strictement positif. Une racine $n^e$ de $x$ est un nombre qui, affecté de l'exposant $n$, donne $x$. La racine $n^e$ de $x$ se note $\sqrt[n]{x}$.

*Exemple :* La racine cinquième de 32, notée $\sqrt[5]{32}$, est 2, car $2^5 = 32$.

- Une racine $2^e$ d'un nombre est l'une des deux racines carrées de ce nombre.
- Une racine $3^e$ d'un nombre est sa racine cubique.
- Un nombre $x$ ne possède pas nécessairement une racine $n^e$ quels que soient $x$ et $n$. En effet, aucun nombre négatif n'a de racine $n^e$ réelle si $n$ est pair.

### radian [rad] nom masculin

♦ TS et SN Unité de mesure d'angle. Dans un cercle, un radian est la mesure de l'**angle au centre** qui intercepte un arc de longueur égale à celle du rayon du cercle.

- Lorsque l'unité de mesure d'un angle n'est pas mentionnée, on convient qu'elle est donnée en radians. Un angle plein mesure $2\pi$ rad, soit environ 6,28 rad.
- La proportion suivante permet de convertir des radians en degrés, et inversement.
$\frac{n°}{360°} = \frac{\theta \text{ rad}}{2\pi \text{ rad}}$, où $n$ et $\theta$ sont des nombres réels.

*Exemple :* Soit un angle de 45°.

$$\frac{45°}{360°} = \frac{\theta \text{ rad}}{2\pi \text{ rad}}$$

$$\theta = 45° \times 2\pi \text{ rad} \div 360°$$

$$= \frac{\pi}{4} \text{ rad}$$

*Exemple :*

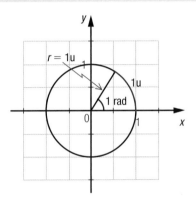

### radical [√¯] nom masculin

❶ ♦ Expression numérique ou algébrique exprimée à l'aide du symbole $\sqrt{\phantom{x}}$.

❷ Nom donné au symbole $\sqrt{\phantom{x}}$.

### radicande nom masculin

♦ Nombre ou expression algébrique se trouvant sous le **radical.**

*Exemples :*

1) Dans $\sqrt{81} = 9$, le radicande est 81.

2) Dans $\sqrt{3x - 4}$, le radicande est $3x - 4$.

### raison nom féminin

♦ Dans une suite, nombre constant qu'il faut additionner (pour une **suite arithmétique**) ou multiplier (pour une **suite géométrique**) à un terme pour obtenir le suivant.

*Exemples :*

1) Dans la suite arithmétique 1  5  9  13  17  …, la raison est 4.

$$+4 \quad +4 \quad +4 \quad +4 \quad +4$$

2) Dans la suite géométrique 3  9  27  81  243  …, la raison est 3.

$$\times 3 \quad \times 3 \quad \times 3 \quad \times 3 \quad \times 3$$

a b c d e f g h i j k l m n o p q **r** s t u v w x y z

## raisonnement déductif nom masculin

♦ Raisonnement fondé sur des faits (données, lois, règles, etc.) ou sur des hypothèses explicites décrivant une situation ou un problème, utilisé pour résoudre ce problème, atteindre un but ou formuler une conclusion.

## rang nom masculin

♦ Dans une suite, position occupée par un terme.

*Exemple:* Dans la suite 1, 5, 9, 13, 17, ..., le terme 13 occupe le 4ᵉ rang.

### rang centile

♦ CST Mesure de position indiquant le **pourcentage** de données inférieures ou égales à une donnée dans la distribution.

La formule ci-dessous permet de calculer le rang centile d'une donnée. Si le résultat n'est pas un nombre entier, on l'arrondit à l'unité supérieure.

$$\text{Rang centile d'une donnée} = \left( \frac{\text{nombre de données inférieures à cette donnée} + \frac{\text{nombre de données égales à cette donnée}}{2}}{\text{nombre total de données}} \right) \times 100$$

*Exemple:* Un élève a obtenu 74 % à son examen de mathématiques. Il sait que 12 des 30 élèves de sa classe ont obtenu un résultat inférieur à lui, mais aucun le même que lui. Le rang centile $R_{100}$ de cet élève est déterminé de la façon suivante.

$$R_{100}(74) = \left( \frac{12 + \frac{1}{2}}{30} \right) \times 100 \approx 41,67$$

Cet élève est donc au 42ᵉ rang centile.

### rang cinquième

Mesure de position d'une donnée dans une série statistique ordonnée et divisée en cinq parties égales.

La formule ci-dessous permet de calculer le rang cinquième d'une donnée. Si le résultat n'est pas un nombre entier, on l'arrondit à l'unité supérieure.

$$\text{Rang cinquième d'une donnée} = \left( \frac{\text{nombre de données supérieures à cette donnée} + \frac{\text{nombre de données égales à cette donnée}}{2}}{\text{nombre total de données}} \right) \times 5$$

*Exemple:* Jérémy mesure 1,7 m. Lors d'une étude statistique sur un échantillon de 100 personnes, on en a trouvé 31 plus grandes que Jérémy et 2 de la même taille. Le rang cinquième $R_5$ de Jérémy est déterminé de la façon suivante.

$$R_5(1,7) = \left( \frac{31 + \frac{3}{2}}{100} \right) \times 5 \approx 1,625$$

Jérémy est donc au 2ᵉ rang cinquième.

## rangée nom féminin

♦ Alignement horizontal des valeurs dans un tableau. On emploie aussi le mot *ligne* pour parler d'une rangée.

**rapport** nom masculin

♦ Mode de comparaison entre deux quantités ou deux grandeurs de même nature exprimées dans les mêmes unités et faisant intervenir la notion de division.

*Exemple:* Johannie mesure 160 cm, alors que Noémie mesure 170 cm. Noémie est plus grande que Johannie dans un rapport de $\frac{17}{16}$ ou $17:16$.

**rapport de similitude**

♦ Rapport des mesures des côtés homologues de deux **figures semblables.**

Rapport de similitude $= \dfrac{\text{mesure d'un côté de la figure image}}{\text{mesure du côté homologue de la figure initiale}}$

Lorsque le rapport de similitude est :
- compris entre 0 et 1, la figure image est une réduction de la figure initiale ;
- égal à 1, la figure image est une reproduction exacte de la figure initiale ;
- supérieur à 1, la figure image est un agrandissement de la figure initiale.

*Exemple:* Le rapport de similitude $k$ entre les deux triangles semblables ci-dessous est :
$k = \dfrac{\text{m A'B'}}{\text{m AB}} = \dfrac{4}{2} = 2.$

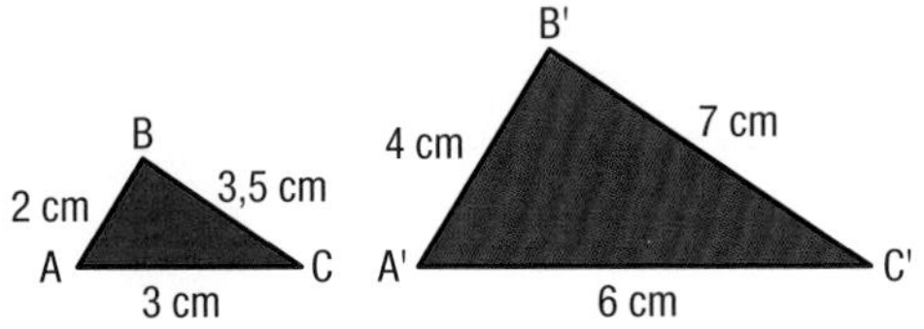

**rapport d'homothétie**

♦ **Scalaire** associé à une homothétie.

Le rapport d'homothétie $k$ se calcule ainsi :
$k = \dfrac{\text{Distance du centre d'homothétie O au point image A'}}{\text{Distance du centre d'homothétie O au point initial A}} = \dfrac{\text{m } \overline{OA'}}{\text{m } \overline{OA}}$

Lorsque le rapport d'homothétie est :
- compris entre $-1$ et $1$, la figure image est une réduction de la figure initiale ;
- égal à $-1$ ou à $1$, la figure image est isométrique à la figure initiale ;
- inférieur à $-1$ ou supérieur à $1$, la figure image est un agrandissement de la figure initiale ;
- négatif, la figure image et la figure initiale sont situées de part et d'autre du centre d'homothétie.

*Exemple:* Le triangle A'B'C' est l'image du triangle ABC par l'homothétie $h$ de centre O et de rapport 0,5.

$\dfrac{\text{m } \overline{OA'}}{\text{m } \overline{OA}} = \dfrac{\text{m } \overline{OB'}}{\text{m } \overline{OB}} = \dfrac{\text{m } \overline{OC'}}{\text{m } \overline{OC}} = 0,5$

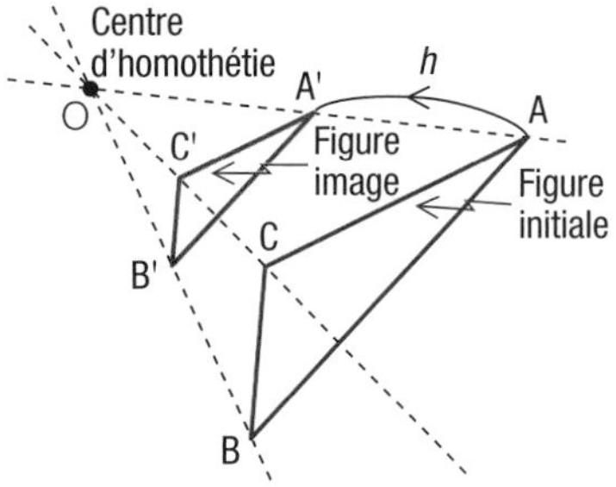

**rapports équivalents**

♦ Rapports ayant le même quotient.

*Exemple:* $5:2$ et $15:6$ sont des rapports équivalents, car $\frac{5}{2} = \frac{15}{6}$.

a
b
c
d
e
f
g
h
i
j
k
l
m
n
o
p
q
**r**
s
t
u
v
w
x
y
z

**rapport trigonométrique**
♦ Dans un triangle rectangle, nombre exprimant le rapport des longueurs de deux côtés.

Les rapports trigonométriques sont : le sinus, le cosinus, la tangente, la cosécante, la sécante et la cotangente. Pour le triangle rectangle ci-dessous, on a :

$\sin A = \dfrac{\text{mesure de la cathète opposée à l'angle A}}{\text{mesure de l'hypoténuse}} = \dfrac{a}{c}$

$\cos A = \dfrac{\text{mesure de la cathète adjacente à l'angle A}}{\text{mesure de l'hypoténuse}} = \dfrac{b}{c}$

$\tan A = \dfrac{\text{mesure de la cathète opposée à l'angle A}}{\text{mesure de la cathète adjacente à l'angle A}} = \dfrac{a}{b}$

$\operatorname{cosec} A = \dfrac{\text{mesure de l'hypoténuse}}{\text{mesure de la cathète opposée à l'angle A}} = \dfrac{c}{a}$

$\sec A = \dfrac{\text{mesure de l'hypoténuse}}{\text{mesure de la cathète adjacente à l'angle A}} = \dfrac{c}{b}$

$\cot A = \dfrac{\text{mesure de la cathète adjacente à l'angle A}}{\text{mesure de la cathète opposée à l'angle A}} = \dfrac{b}{a}$

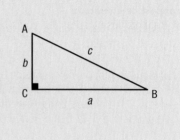

**rapporteur** nom masculin
♦ Instrument de mesure des angles en degrés.

Origine

Ligne de foi

**rationalisation** nom féminin
♦ TS et SN Transformation en **nombre rationnel** du dénominateur irrationnel d'une expression écrite sous la forme fractionnaire.

Lorsqu'une telle expression présente au moins un radical au dénominateur, il est parfois possible de rationaliser ce dénominateur en multipliant l'expression par une fraction-unité appropriée.

| Rationalisation | Exemple |
|---|---|
| Pour $b > 0 : \dfrac{a}{\sqrt{b}} \times \dfrac{\sqrt{b}}{\sqrt{b}} = \dfrac{a\sqrt{b}}{b}$ | $\dfrac{10}{\sqrt{5}} \times \dfrac{\sqrt{5}}{\sqrt{5}} = \dfrac{10\sqrt{5}}{5} = 2\sqrt{5}$ |
| Pour $b \geq 0$, $c \geq 0$ et $b \neq c$ :<br>$\dfrac{a}{\sqrt{b}+\sqrt{c}} \times \dfrac{\sqrt{b}-\sqrt{c}}{\sqrt{b}-\sqrt{c}} = \dfrac{a(\sqrt{b}-\sqrt{c})}{b-c}$<br>$\dfrac{a}{\sqrt{b}-\sqrt{c}} \times \dfrac{\sqrt{b}+\sqrt{c}}{\sqrt{b}+\sqrt{c}} = \dfrac{a(\sqrt{b}+\sqrt{c})}{b-c}$ | $\dfrac{3}{\sqrt{5}+\sqrt{2}} \times \dfrac{\sqrt{5}-\sqrt{2}}{\sqrt{5}-\sqrt{2}} = \dfrac{3(\sqrt{5}-\sqrt{2})}{5-2} = \dfrac{3(\sqrt{5}-\sqrt{2})}{3} = \sqrt{5}-\sqrt{2}$<br><br>$\dfrac{7}{\sqrt{6}-\sqrt{3}} \times \dfrac{\sqrt{6}+\sqrt{3}}{\sqrt{6}+\sqrt{3}} = \dfrac{7(\sqrt{6}+\sqrt{3})}{6-3} = \dfrac{7(\sqrt{6}+\sqrt{3})}{3}$ |

**rayon** nom masculin
♦ Segment ou longueur d'un segment reliant un point quelconque d'un cercle à son centre.

*Exemple :*

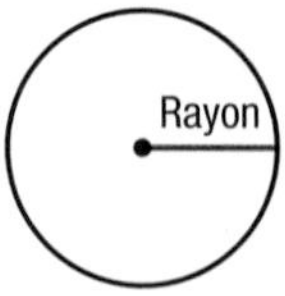

Rayon

La mesure du rayon est égale à la moitié de la mesure du **diamètre**.

**recensement** nom masculin
♦ Dénombrement détaillé d'une population.

**réciproque** nom féminin
♦ La réciproque d'une fonction $f$ de $x$ dans $y$, aussi appelée *fonction réciproque*, est la relation notée $f^{-1}$, de $y$ dans $x$, telle que, pour tous les éléments du domaine de $f$, on a $y = f(x)$, si et seulement si $x = f^{-1}(y)$.

> Graphiquement, la fonction réciproque s'obtient en effectuant une réflexion d'axe $y = x$.

*Exemple:* Un électricien demande 50 $ de l'heure et 75 $ pour son déplacement. On étudie la relation décrivant le coût total en fonction du temps travaillé. Soit $x$ le nombre d'heures travaillées et $y$ le coût total, on a $y = 50x + 75$. La réciproque de cette relation s'obtient comme suit: on étudie la relation décrivant le nombre d'heures travaillées en fonction du coût total. Soit $x$ le coût total et $y$ le nombre d'heures travaillées, la relation devient:
$$x = 50y + 75$$
$$y = \frac{x - 75}{50}.$$

**rectangle** nom masculin
♦ Quadrilatère ayant quatre angles droits et deux paires de côtés opposés isométriques.
*Exemple:*

**réduction** nom féminin
❶ ♦ Démarche ayant pour but de trouver une fraction équivalente à une fraction donnée, de telle sorte que le numérateur et le dénominateur n'aient plus de diviseurs communs autres que 1 (et $-1$).
*Exemple:* La réduction de la fraction $\frac{15}{18}$ donne la fraction $\frac{5}{6}$ et s'obtient en divisant le numérateur et le dénominateur par 3.

$$\overset{\div 3}{\overbrace{\frac{15}{18} = \frac{5}{6}}}_{\div 3}$$

❷ ♦ Méthode permettant de résoudre algébriquement des systèmes d'équations dont les équations se ramènent à la forme $ax + by = c$, où a, b et c sont des nombres réels.

*Exemple:* $3x + y = 7$ et $2x + 4y = -2$

| Méthode de réduction | Exemple |
|---|---|
| 1. Former, si nécessaire, un système d'équations équivalent dans lequel les coefficients d'une des inconnues sont égaux. | $3x + y = 7 \quad (\times 2) \leftrightarrow \quad 6x + 2y = 14$ <br> $2x + 4y = -2 \quad (\times 3) \leftrightarrow \quad 6x + 12y = -6$ |
| 2. Former une équation à une seule inconnue en soustrayant les membres correspondants des équations du système. Puis, résoudre l'unique équation obtenue. | $6x + 2y = 14$ <br> $\underline{-(6x + 12y = -6)}$ <br> $-10y = 20$ <br> $\boxed{y = -2}$ |
| 3. Remplacer la valeur de l'inconnue ainsi obtenue dans l'une des équations initiales afin de calculer la valeur de l'autre inconnue. | $3x + -2 = 7$ <br> $3x = 9$ <br> $x = 3$ |

a
b
c
d
e
f
g
h
i
j
k
l
m
n
o
p
q
**r**
s
t
u
v
w
x
y
z

**réflexion** [s] nom féminin

❶ ◆ **Transformation géométrique** associant à une figure initiale une figure image, qui est symétrique à la figure initiale par rapport à une droite donnée, appelée *axe de réflexion.*

- L'**axe de réflexion** est la droite par rapport à laquelle s'effectue la réflexion.
- Tout point et son image sont les extrémités d'un segment perpendiculaire à l'axe de réflexion qui coupe ce segment en son milieu.

*Exemple:* Le triangle A'B'C' est l'image du triangle ABC par la réflexion *s* d'axe *d.*

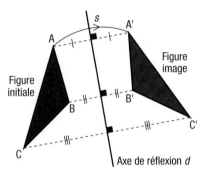

❷ ◆ Dans le plan cartésien, une réflexion *s* par rapport à l'un des axes (axe des abscisses ou axe des ordonnées) peut être définie à l'aide d'une règle.

- La réflexion par rapport à l'axe des abscisses peut être définie à l'aide de la règle suivante.

$s_x: (x, y) \mapsto (x, -y)$

*Exemple:* Le quadrilatère A'B'C'D' est l'image par la réflexion $s_x$ du quadrilatère ABCD.

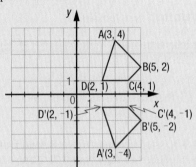

- La réflexion par rapport à l'axe des ordonnées peut être définie à l'aide de la règle suivante.

$s_y: (x, y) \mapsto (-x, y)$

*Exemple:* Le quadrilatère A'B'C'D' est l'image par la réflexion $s_y$ du quadrilatère ABCD.

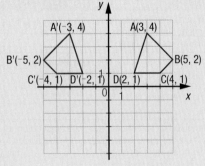

❸ ◆ ᴛꜱ Dans le plan cartésien, une réflexion *s* par rapport à l'un des axes (axe des abscisses ou axe des ordonnées) peut être définie à l'aide d'une matrice de transformation.

- La réflexion *s* par rapport à l'axe des abscisses peut être définie à l'aide de la matrice de réflexion $s_x = \begin{pmatrix} 1 & 0 \\ 0 & -1 \end{pmatrix}$.
- La réflexion *s* par rapport à l'axe des ordonnées peut être définie à l'aide de la matrice de réflexion $s_y = \begin{pmatrix} -1 & 0 \\ 0 & 1 \end{pmatrix}$.

*Exemple :* On détermine de la façon suivante les coordonnées des sommets du triangle A'B'C', image par la réflexion $s_x$ du triangle ABC.

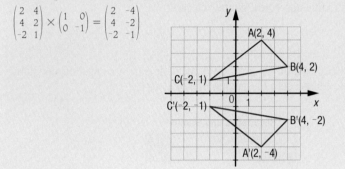

$$\begin{pmatrix} 2 & 4 \\ 4 & 2 \\ -2 & 1 \end{pmatrix} \times \begin{pmatrix} 1 & 0 \\ 0 & -1 \end{pmatrix} = \begin{pmatrix} 2 & -4 \\ 4 & -2 \\ -2 & -1 \end{pmatrix}$$

**région** nom féminin

◆ Portion d'un plan délimitée par une ligne fermée appelée *frontière*.

*Exemple :*

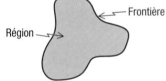

**région-solution**

◆ Portion du plan cartésien dont les points vérifient une ou plusieurs **inéquations.**

*Exemples :*

1) Soit le système d'inéquations suivant.
$y \le 2x + 1$  $y \le 3$
$y \ge 0$  $y \le -x + 4$
La région-solution est dite *fermée*.

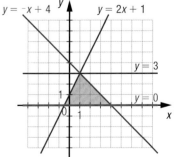

2) Soit le système d'inéquations suivant.
$y \ge -3x + 5$
$y \ge -0,5x + 3$
La région-solution est dite *non fermée*.

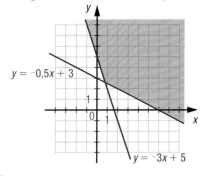

**règle** nom féminin

❶ ◆ Égalité ou inégalité traduisant une régularité entre deux variables ou plus.

*Exemple:* La règle de la suite 4, 7, 10, 13, 16, ... peut s'écrire $t = 3n + 1$, où $n$ est un nombre entier.

❷ ◆ Lien décrivant une relation entre les éléments de deux ensembles.

❸ Formule ou méthode permettant de résoudre des problèmes mathématiques.

**règle de la majorité**

◆ CST **Procédure de vote** où le candidat ou la candidate qui remporte la majorité absolue, c'est-à-dire plus de la moitié des votes, gagne l'élection.

Cette méthode:
- est simple et rapide à mettre en œuvre;
- peut engendrer l'élection d'un candidat ou d'une candidate qui déplaît à une partie de l'électorat, mais celle-ci sera toujours inférieure à 50%.

*Exemple:*

**Résultats d'une élection**

| Candidat(e) | Nombre de votes obtenus |
|:-----------:|:-----------------------:|
| A | 53 |
| B | 32 |
| C | 15 |

La moitié des votes est: $\frac{1}{2}(53 + 32 + 15) = 50$.

A a obtenu 53 votes et $53 > 50$. Selon la règle de la majorité, A l'emporte.

**règle de la pluralité**

◆ CST **Procédure de vote** où le candidat ou la candidate qui remporte le plus grand nombre de votes gagne l'élection.

Cette méthode:
- est simple et rapide à mettre en œuvre;
- peut engendrer l'élection d'un candidat ou d'une candidate qui déplaît à une grande partie de l'électorat.

*Exemple:*

**Résultats d'une élection**

| Candidat(e) | Nombre de votes obtenus |
|:-----------:|:-----------------------:|
| A | 27 |
| B | 32 |
| C | 15 |

Selon la règle de la pluralité, B l'emporte.

**règle des signes**

◆ Règle permettant de déterminer le signe, positif ou négatif, du résultat d'une multiplication ou d'une division de nombres.

- La multiplication ou la division de deux nombres de même signe donne un résultat positif.

  *Exemples :*
  1) $-3 \times -4 = 12$
  2) $12 \div 3 = 4$

- La multiplication ou la division de deux nombres de signes contraires donne un résultat négatif.

  *Exemples :*
  1) $2 \times -5 = -10$
  2) $-24 \div 4 = -6$

**règles de transformation des équations**

◆ Règles permettant d'obtenir des équations équivalentes afin d'en calculer les solutions. Ces règles doivent donc conserver les solutions de l'équation initiale.

Les deux règles sont les suivantes.

1. Additionner ou soustraire le même nombre aux deux membres de l'équation.

*Exemple :*

$2x + 4 = 2 + x$

$2x + 4 - x = 2 + x - x$

$x + 4 = 2$

$x + 4 - 4 = 2 - 4$

$x = -2$

2. Multiplier ou diviser les deux membres de l'équation par un même nombre différent de 0.

*Exemple :*

$\frac{2x}{3} = 4$

$\frac{2x}{3} \times 3 = 4 \times 3$

$2x = 12$

$\frac{2x}{2} = \frac{12}{2}$

$x = 6$

### règles de transformation des inéquations

♦ Règles permettant d'obtenir des inéquations équivalentes à l'inéquation initiale afin d'en calculer les solutions.

Les trois règles sont les suivantes.

1. Additionner ou soustraire un même nombre aux deux membres d'une inéquation. Cette règle conserve le sens de l'inéquation.

*Exemple:*

$-4x + 7 < 1 - 5x$

$-4x + 7 + 5x < 1 - 5x + 5x$

$x + 7 < 1$

$x + 7 - 7 < 1 - 7$

$x < {}^-6$

2. Multiplier ou diviser les deux membres d'une inéquation par un même nombre strictement positif. Cette règle conserve le sens de l'inéquation.

*Exemple:*

$\frac{3x}{5} \leq 6$

$\frac{3x}{5} \times 5 \leq 6 \times 5$

$3x \leq 30$

$\frac{3x}{3} \leq \frac{30}{3}$

$x \leq 10$

3. Multiplier ou diviser les deux membres d'une inéquation par un même nombre strictement négatif. Cette règle renverse le sens de l'inéquation.

*Exemple:*

$-4x \leq 8$

$\frac{-4x}{-4} \geq \frac{8}{-4}$

$x \geq {}^-2$

### règle d'une fonction

♦ Loi qui associe à chaque élément du **domaine** de la fonction un unique élément de son **codomaine.** Cette règle associe donc à chaque valeur de la **variable indépendante** $x$, la valeur correspondante de la **variable dépendante** $y$. On l'exprime souvent ainsi: $y = f(x)$.

## régularité nom féminin

❶ ♦ Phénomène répétitif permettant de déterminer, à partir d'une figure donnée, les figures suivantes dans une **frise.**

❷ ♦ Lien additif ou multiplicatif entre les termes d'une suite pouvant être déduit à partir soit de la règle, soit de quelques termes consécutifs de la suite.

*Exemple:* Dans la suite 3, 8, 13, 18, 23 … chaque terme s'obtient en additionnant 5 au terme qui le précède. La régularité de cette suite est donc +5.

➜ Voir **raison.**

## relation (ou relation fonctionnelle) nom féminin

♦ Lien entre deux variables.

Dans une relation fonctionnelle entre deux variables, celle dont la variation:

- entraîne la variation de l'autre est appelée *variable indépendante*;
- réagit à la variation de l'autre est appelée *variable dépendante.*

### relation de Chasles
♦ TS et SN Identité vectorielle portant sur l'addition de vecteurs.
ⓘ Voir **Chasles,** Michel.

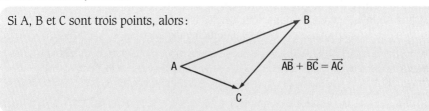

Si A, B et C sont trois points, alors : $\overrightarrow{AB} + \overrightarrow{BC} = \overrightarrow{AC}$

### relation de Pythagore
♦ Dans un triangle rectangle, le carré de la mesure de l'**hypoténuse** est égal à la somme des carrés des mesures des **cathètes.**

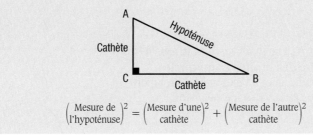

$$\binom{\text{Mesure de}}{\text{l'hypoténuse}}^2 = \binom{\text{Mesure d'une}}{\text{cathète}}^2 + \binom{\text{Mesure de l'autre}}{\text{cathète}}^2$$

ⓘ Voir **Pythagore.**

*Exemple :*
$(m\ \overline{AB})^2 = (m\ \overline{AC})^2 + (m\ \overline{BC})^2$
$12^2 = 10^2 + (m\ \overline{BC})^2$
$(m\ \overline{BC})^2 = 12^2 - 10^2$
$m\ \overline{BC} = \sqrt{12^2 - 10^2}$
$m\ \overline{BC} = \sqrt{44} = 2\sqrt{11} \approx 6,63$ cm

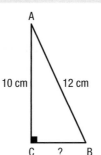

### relation d'Euler
♦ Identité portant sur le nombre de sommets, d'arêtes et de faces d'un polyèdre.

Soit $S$ le nombre de sommets, $A$ le nombre d'arêtes et $F$ le nombre de faces d'un polyèdre :
$S - A + F = 2$

ⓘ Voir **Euler,** Leonhard.

*Exemple :* Le polyèdre ci-dessous a 9 arêtes et 5 faces. La relation d'Euler permet de trouver le nombre de sommets.
$S - A + F = 2$
$S - 9 + 5 = 2$
$S - 4 = 2$
$S = 6$
Le polyèdre a donc 6 sommets.

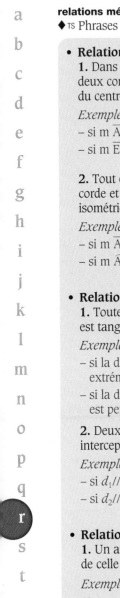

**relations métriques dans un cercle**

◆ ɪꜱ Phrases mathématiques exprimant un lien entre les diverses grandeurs dans un cercle.

- **Relations entre des segments d'un cercle et ce cercle**

  **1.** Dans un même cercle ou dans deux cercles isométriques, deux cordes isométriques sont situées à la même distance du centre, et réciproquement.

  *Exemple:* Dans le cercle de centre O:
  - si m $\overline{AD}$ = m $\overline{BC}$, alors m $\overline{EO}$ = m $\overline{FO}$;
  - si m $\overline{EO}$ = m $\overline{FO}$, alors m $\overline{AD}$ = m $\overline{BC}$.

  **2.** Tout diamètre perpendiculaire à une corde partage cette corde et chacun des arcs qu'elle sous-tend en deux parties isométriques, et réciproquement.

  *Exemple:* Dans le cercle de centre O:
  - si m $\overline{AE}$ = m $\overline{EC}$, alors m $\widehat{AB}$ = m $\widehat{BC}$ et m $\widehat{AD}$ = m $\widehat{DC}$;
  - si m $\widehat{AB}$ = m $\widehat{BC}$ et m $\widehat{AD}$ = m $\widehat{DC}$, alors m $\overline{AE}$ = m $\overline{EC}$.

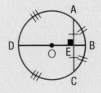

- **Relations entre des droites et un cercle**

  **1.** Toute perpendiculaire à l'extrémité d'un rayon est tangente au cercle, et réciproquement.

  *Exemple:* Dans le cercle de centre O:
  - si la droite *d* est perpendiculaire au rayon OP à son extrémité, alors elle est tangente au cercle en P;
  - si la droite *d* est tangente au cercle en P, alors elle est perpendiculaire au rayon OP à son extrémité.

  **2.** Deux parallèles, sécantes ou tangentes à un cercle, interceptent sur le cercle deux arcs isométriques.

  *Exemple:* Dans le cercle de centre O:
  - si $d_1$//$d_2$, alors m $\widehat{AB}$ = m $\widehat{DC}$;
  - si $d_2$//$d_3$, alors m $\widehat{BE}$ = m $\widehat{CE}$.

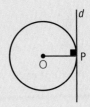

- **Relations entre des angles et un cercle**

  **1.** Un angle inscrit a pour mesure la moitié de celle de l'arc compris entre ses côtés.

  *Exemple:* m $\angle ABC = \dfrac{m\,\widehat{AC}}{2} = \dfrac{m\,\angle AOC}{2}$

  Si m $\angle AOC = 130°$, alors

  m $\angle ABC = \dfrac{130°}{2} = 65°$

  **2.** L'angle dont le sommet est situé entre un cercle et son centre O a pour mesure la demi-somme des mesures des arcs compris entre ses côtés prolongés.

  *Exemple:* m $\angle AEB = \dfrac{m\,\widehat{AB} + m\,\widehat{CD}}{2} = \dfrac{m\,\angle AOB + m\,\angle COD}{2}$

  Si m $\widehat{AB} = 30°$ et m $\widehat{CD} = 130°$, alors

  m $\angle AEB = \dfrac{30° + 130°}{2} = 80°$

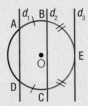

**3.** L'angle dont le sommet est situé à l'extérieur d'un cercle a pour mesure la demi-différence des mesures des arcs compris entre ses côtés.

*Exemple:* m $\angle$ AEB $= \dfrac{m \widehat{AB} - m \widehat{CD}}{2} = \dfrac{m \angle AOB - m \angle COD}{2}$

Si m $\widehat{AB} = 110°$ et m $\widehat{CD} = 30°$, alors

m $\angle$ AEB $= \dfrac{110° - 30°}{2} = 40°$

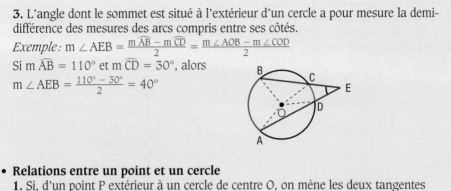

- **Relations entre un point et un cercle**

**1.** Si, d'un point P extérieur à un cercle de centre O, on mène les deux tangentes aux points A et B du cercle, alors $\overline{OP}$ est la bissectrice de l'angle APB et m $\overline{PA}$ = m $\overline{PB}$.

*Exemple:*

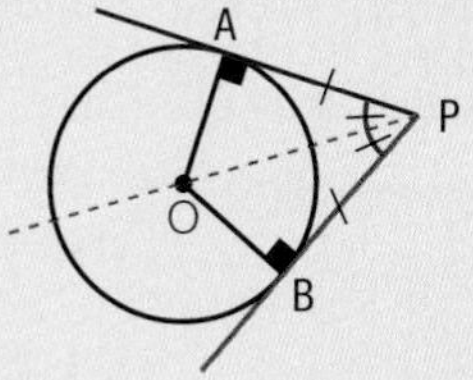

**2.** Si, d'un point P extérieur à un cercle, on mène deux sécantes PB et PD, alors m $\overline{PA}$ × m $\overline{PB}$ = m $\overline{PC}$ × m $\overline{PD}$.

*Exemple:*
$2,7 \times m \overline{PB} = 2,4 \times (2,4 + 4,8)$
m $\overline{PB} = 6,4$ cm
Donc m $\overline{AB} = 6,4 - 2,7 = 3,7$ cm

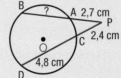

**3.** Si, d'un point P extérieur à un cercle, on mène une sécante PB et une tangente PC, alors m $\overline{PA}$ × m $\overline{PB}$ = $(m \overline{PC})^2$.

*Exemple:*
m $\overline{PC} = \sqrt{0,8 \times (0,8 + 1,8)}$
m $\overline{PC} = \sqrt{2,08} \approx 1,44$ cm

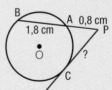

**4.** Lorsque deux cordes se coupent dans un cercle, le produit des mesures des segments de l'une est égal au produit des mesures des segments de l'autre.
m $\overline{AE}$ × m $\overline{CE}$ = m $\overline{BE}$ × m $\overline{DE}$

*Exemple:*
$0,3 \times 1,2 = m \overline{BE} \times 1,3$
m $\overline{BE} \approx 0,28$ cm

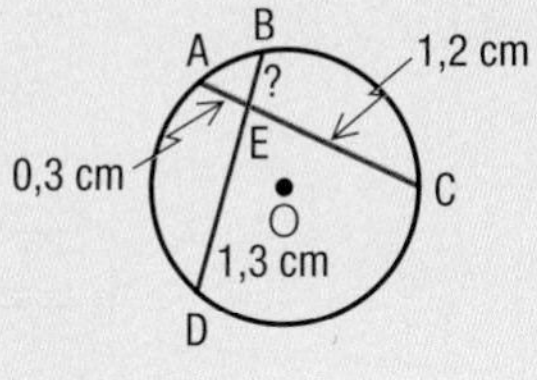

a
b
c
d
e
f
g
h
i
j
k
l
m
n
o
p
q
r
s
t
u
v
w
x
y
z

**relations métriques dans un triangle rectangle**

♦ Dans un triangle rectangle, phrases mathématiques exprimant un lien entre les mesures des différents segments formés par les côtés du triangle, la hauteur relative à l'hypoténuse et les projections des cathètes sur l'hypoténuse.

En abaissant la hauteur issue du sommet de l'angle droit d'un triangle rectangle, on détermine trois triangles rectangles semblables.

$\triangle ABC \sim \triangle ADB \sim \triangle BDC$

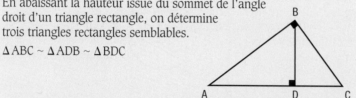

**1.** Dans un triangle rectangle, la mesure de chaque côté de l'angle droit est la moyenne proportionnelle entre la mesure de sa projection sur l'hypoténuse et celle de l'hypoténuse entière, c'est-à-dire :

$\dfrac{m\,\overline{AD}}{m\,\overline{AB}} = \dfrac{m\,\overline{AB}}{m\,\overline{AC}}$ ou $(m\,\overline{AB})^2 = m\,\overline{AD} \times m\,\overline{AC}$

$\dfrac{m\,\overline{CD}}{m\,\overline{BC}} = \dfrac{m\,\overline{BC}}{m\,\overline{AC}}$ ou $(m\,\overline{BC})^2 = m\,\overline{CD} \times m\,\overline{AC}$

*Exemple :*

$(m\,\overline{BC})^2 = m\,\overline{CD} \times m\,\overline{AC}$

$(m\,\overline{BC})^2 = 5 \times (12 + 5)$

$(m\,\overline{BC})^2 = 5 \times 17$

$(m\,\overline{BC})^2 = 85$

$m\,\overline{BC} = \sqrt{85} \approx 9{,}22$ cm

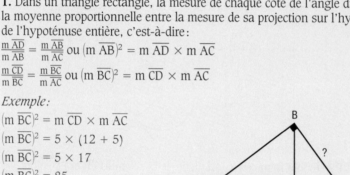

**2.** Dans un triangle rectangle, la mesure de la hauteur issue du sommet de l'angle droit est la moyenne proportionnelle entre les mesures des deux segments qu'elle détermine sur l'hypoténuse, c'est-à-dire :

$\dfrac{m\,\overline{AD}}{m\,\overline{BD}} = \dfrac{m\,\overline{BD}}{m\,\overline{CD}}$ ou $(m\,\overline{BD})^2 = m\,\overline{AD} \times m\,\overline{CD}$

*Exemple :*

$(m\,\overline{BD})^2 = m\,\overline{AD} \times m\,\overline{CD}$

$(m\,\overline{BD})^2 = 12 \times 5$

$(m\,\overline{BD})^2 = 60$

$m\,\overline{BD} = \sqrt{60} = 2\sqrt{15} \approx 7{,}75$ cm

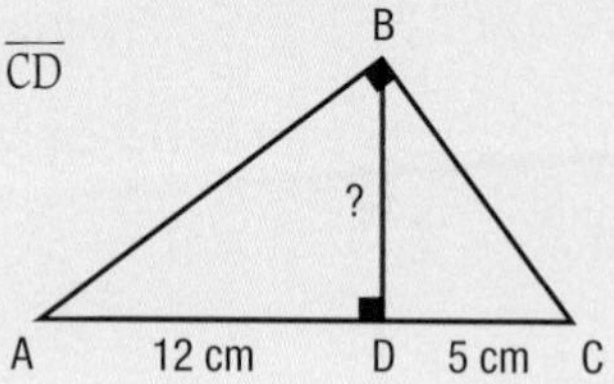

**3.** Dans un triangle rectangle, le produit des mesures de l'hypoténuse et de la hauteur correspondante est égal au produit des mesures des côtés de l'angle droit, c'est-à-dire :

$m\,\overline{AC} \times m\,\overline{BD} = m\,\overline{AB} \times m\,\overline{BC}$

*Exemple :*

$m\,\overline{AC} \times m\,\overline{BD} = m\,\overline{AB} \times m\,\overline{BC}$

$7{,}5 \times m\,\overline{BD} = 6 \times 4{,}5$

$7{,}5 \times m\,\overline{BD} = 27$

$m\,\overline{BD} = \dfrac{27}{7{,}5}$

$m\,\overline{BD} = 3{,}6$ cm

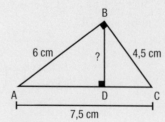

**repérage** nom masculin
♦ Procédure servant à déterminer la position d'un point dans un plan ou dans l'espace, à l'aide des éléments de repère de ce plan ou de cet espace.

**repère cartésien** nom masculin
♦ Ensemble d'éléments définissant un système de **coordonnées.** Les éléments du repère cartésien sont l'origine O, les axes perpendiculaires (**axe des abscisses** et **axe des ordonnées**) et les graduations sur ces axes. À partir de ces données de base, on peut associer chaque point du plan à un couple de coordonnées $(x, y)$ unique, et inversement.

*Exemple:*

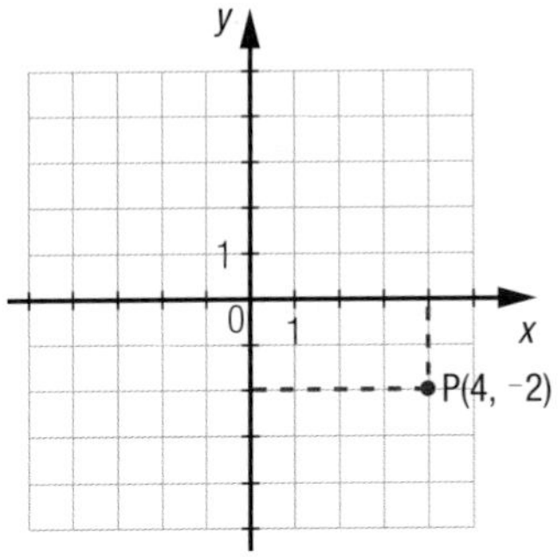

**reproduction à l'échelle** nom féminin
♦ Agrandissement ou réduction d'un objet réel ou d'une figure, de telle façon que l'objet ou la figure de départ et l'objet ou la figure transformée soient semblables. Les plans, les cartes géographiques, les planches anatomiques et les modèles miniatures sont des exemples de reproduction à l'**échelle.**

**réseau** nom masculin
❶ ♦ Graphique illustrant toutes les possibilités d'une expérience aléatoire à plusieurs étapes et précisant le nombre de résultats possibles.

*Exemple:* On veut déterminer le nombre de chemins possibles pour se rendre de la ville A à la ville B en passant par la ville C. Il y a 2 chemins pour se rendre de la ville A à la ville C et 3 chemins pour se rendre de la ville C à la ville B.

Le réseau ci-dessous illustre bien toutes les possibilités.

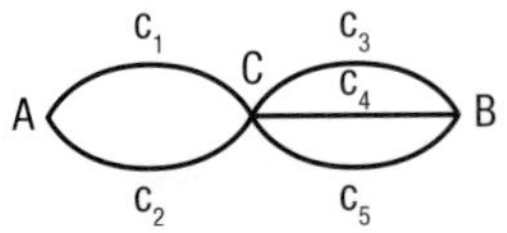

Il y a donc $2 \times 3 = 6$ possibilités de se rendre de A à B en passant par C.

❷ ♦ csт **Graphe connexe** orienté et valué.

*Exemple:*

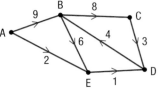

**réseau connexe**

♦ CST Réseau dans lequel il est possible de joindre toute paire de **nœuds** par une chaîne de branches du réseau.

*Exemple :*

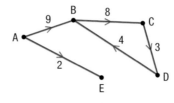

**réseau non connexe**

♦ CST Réseau dans lequel il existe au moins une paire de **nœuds** qu'on ne peut pas joindre par une chaîne de branches du réseau.

*Exemple :*

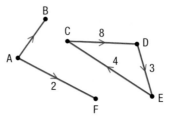

## résolution d'équations nom féminin

♦ Démarche visant à trouver la ou les valeurs d'une inconnue qui vérifient l'équation.

- **Équation du deuxième degré**

Diverses stratégies permettent de résoudre une équation du deuxième degré à une inconnue de la forme $ax^2 + bx + c = 0$, où $a \neq 0$.

| Factorisation | Exemple : $x^2 - 7x + 8 = -4$ |
|---|---|
| 1. Obtenir une équation de la forme $ax^2 + bx + c = 0$. | $x^2 - 7x + 8 = -4$ <br> $x^2 - 7x + 12 = 0$ |
| 2. Factoriser le polynôme $ax^2 + bx + c$. | $x^2 - 7x + 12 = 0$ <br> $(x - 3)(x - 4) = 0$ |
| 3. Appliquer la loi du produit nul, c'est-à-dire : $(x - x_1)(x - x_2) = 0$ si et seulement si $(x - x_1) = 0$ ou $(x - x_2) = 0$. | $(x - 3)(x - 4) = 0$ <br> si et seulement si <br> $(x - 3) = 0$ ou $(x - 4) = 0$ |
| 4. Résoudre les équations obtenues. | $x = 3$ et $x = 4$ |

| Formule quadratique | Exemple : $x^2 + 6x + 11 = 3$ |
|---|---|
| 1. Obtenir une équation de la forme $ax^2 + bx + c = 0$. | $x^2 + 6x + 11 = 3$ <br> $x^2 + 6x + 8 = 0$ |
| 2. Trouver les solutions en remplaçant a, b et c par leur valeur respective dans la formule quadratique $$x = \frac{-b \pm \sqrt{b^2 - 4ac}}{2a}.$$ | Sachant que $a = 1$, $b = 6$ et $c = 8$, on a : $$x = \frac{-6 \pm \sqrt{6^2 - 4(1)(8)}}{2(1)}$$ $$x = \frac{-6 \pm \sqrt{4}}{2}$$ $$x = \frac{-6 \pm 2}{2}$$ $x = -2$ et $x = -4$. |

- **Équation exponentielle à une inconnue**

Il est possible de résoudre une équation exponentielle à une inconnue de diverses façons.

| Méthode 1 | Exemple |
|---|---|
| 1.1 Exprimer les deux membres de l'équation dans une même base. | $3^{2x} = 27^{x-1}$<br>$3^{2x} = 3^{3(x-1)}$<br>$3^{2x} = 3^{3x-3}$ |
| 1.2 De l'égalité des bases, on peut alors déduire l'égalité des exposants et résoudre l'équation ainsi obtenue. | Puisque les deux membres de l'équation ont 3 comme base, on a:<br>$2x = 3x - 3$<br>$^-x = -3$<br>$x = 3$ |

| Méthode 2 | Exemple: $5(3)^x - 8 = 17$ |
|---|---|
| 2.1 Obtenir une équation dans laquelle la base affectée de l'exposant qui comporte l'inconnue est isolée.<br>*Note: L'équation n'a de solutions que si le membre formé du terme constant est positif.* | $5(3)^x - 8 = 17$<br>$5(3)^x = 25$<br>$3^x = 5$ |
| 2.2 Passer de la forme d'écriture exponentielle à la forme d'écriture logarithmique et résoudre l'équation ainsi obtenue. | $3^x = 5 \leftrightarrow x = \log_3 5$<br>$x = \dfrac{\log 5}{\log 3}$<br>$x \approx 1,46$ |

- ◆ TS et SN **Équation logarithmique à une inconnue**

Il est possible de résoudre une équation logarithmique à une inconnue de la façon suivante.

| Méthode | Exemple: $3 \log_2(7x) + 2 = 14$ |
|---|---|
| 1. Obtenir une équation dans laquelle le logarithme est isolé. | $3 \log_2(7x) + 2 = 14$<br>$3 \log_2(7x) = 12$<br>$\log_2(7x) = 4$ |
| 2. Passer de la forme d'écriture logarithmique à la forme d'écriture exponentielle et résoudre l'équation ainsi obtenue. | $\log_2(7x) = 4 \leftrightarrow 7x = 2^4$<br>$7x = 16$<br>$x = \dfrac{16}{7}$ |

- ◆ TS et SN **Équation racine carrée à une inconnue**

Il est possible de résoudre une équation racine carrée à une inconnue de la façon suivante.

| Méthode | Exemple: $2\sqrt{3x - 5} - 7 = 1$ |
|---|---|
| 1. Obtenir une équation dans laquelle l'un des deux membres est formé d'un radical et l'autre, d'un terme constant.<br>*Note: L'équation n'a de solutions que si le terme constant est positif.* | $2\sqrt{3x - 5} - 7 = 1$<br>$2\sqrt{3x - 5} = 8$<br>$\sqrt{3x - 5} = 4$ |
| 2. Élever au carré chaque membre de l'équation afin d'éliminer le radical et de résoudre l'équation ainsi obtenue. | $(\sqrt{3x - 5})^2 = (4)^2$<br>$3x - 5 = 16$<br>$3x = 21$<br>$x = 7$ |

a
b
c
d
e
f
g
h
i
j
k
l
m
n
o
p
q
r
s
t
u
v
w
x
y
z

- **◆TS et SN Équation rationnelle à une inconnue**

| Méthode | Exemple |
|---|---|
| Résoudre l'équation en respectant les règles habituelles de transformation des équations et en tenant compte des restrictions, s'il y a lieu, comme le fait qu'on ne peut diviser un nombre par 0. | $3 = \dfrac{4}{2x-1} + 1$ $\left(\text{Tenir compte de la restriction } 2x-1 \neq 0, \text{ donc } x \neq \dfrac{1}{2}.\right)$ <br> $2 = \dfrac{4}{2x-1}$ <br> $2(2x-1) = 4$ <br> $4x - 2 = 4$ <br> $x = \dfrac{3}{2}$ $\left(\text{Cette réponse tient compte de la restriction } x \neq \dfrac{1}{2}.\right)$ |

- **◆TS et SN Équation trigonométrique à une inconnue**

Il est possible de résoudre une équation trigonométrique à une inconnue, c'est-à-dire une équation sinus, cosinus ou tangente, de la façon suivante.

| Méthode | Exemple : $6\sin 4\left(x - \dfrac{\pi}{2}\right) - 2 = 1$ |
|---|---|
| 1. Obtenir une équation dans laquelle l'argument du sinus, du cosinus ou de la tangente est isolé. | $6\sin 4\left(x - \dfrac{\pi}{2}\right) - 2 = 1$ <br> $6\sin 4\left(x - \dfrac{\pi}{2}\right) = 3$ <br> $\sin 4\left(x - \dfrac{\pi}{2}\right) = \dfrac{1}{2}$ |
| 2. Pour une équation sinusoïdale (sinus ou cosinus), déterminer les deux valeurs $\theta_1$ et $\theta_2$ sur $[0, 2\pi[$ qui vérifient l'équation. <br><br> Pour une équation tangente, déterminer la valeur de $\theta$ sur $[0, \pi]$ qui vérifie l'équation. | Puisque $\sin \dfrac{\pi}{6} = \dfrac{1}{2}$ et $\sin \dfrac{5\pi}{6} = \dfrac{1}{2}$, on a : <br> $\theta_1 = \dfrac{\pi}{6}$ $\qquad \theta_2 = \dfrac{5\pi}{6}$ <br> *Note : Pour trouver $\sin\theta = \dfrac{1}{2}$, on peut utiliser : $\theta = \arcsin\dfrac{1}{2}$.* |
| 3. Pour une équation sinusoïdale, former deux équations à partir des valeurs trouvées de $\theta_1$ et $\theta_2$. <br><br> Pour une équation tangente, former une équation à partir de la valeur trouvée de $\theta$. | $4\left(x - \dfrac{\pi}{2}\right) = \dfrac{\pi}{6}$ $\qquad 4\left(x - \dfrac{\pi}{2}\right) = \dfrac{5\pi}{6}$ |
| 4. Afin de tenir compte de la périodicité, additionner au membre de droite : <br> – $2n\pi$ pour une fonction sinusoïdale ; <br> – $n\pi$ pour une fonction tangente ; <br> où $n$ est un nombre entier. | $4\left(x - \dfrac{\pi}{2}\right) = \dfrac{\pi}{6} + 2n\pi$ $\qquad 4\left(x - \dfrac{\pi}{2}\right) = \dfrac{5\pi}{6} + 2n\pi$ |
| 5. Résoudre la ou les équations ainsi formées. | $4\left(x - \dfrac{\pi}{2}\right) = \dfrac{\pi}{6} + 2n\pi$ $\qquad 4\left(x - \dfrac{\pi}{2}\right) = \dfrac{5\pi}{6} + 2n\pi$ <br> $\left(x - \dfrac{\pi}{2}\right) = \dfrac{\pi}{24} + \dfrac{n\pi}{2}$ $\qquad \left(x - \dfrac{\pi}{2}\right) = \dfrac{5\pi}{24} + \dfrac{n\pi}{2}$ <br> $x = \dfrac{13\pi}{24} + \dfrac{n\pi}{2}$ $\qquad\qquad x = \dfrac{17\pi}{24} + \dfrac{n\pi}{2}$ |
| 6. Écrire l'ensemble-solution. | De façon générale, lorsque $n$ est un nombre entier, les solutions sont : <br> $x = \dfrac{13\pi}{24} + \dfrac{n\pi}{2}$ et $x = \dfrac{17\pi}{24} + \dfrac{n\pi}{2}$ <br> L'ensemble-solution est : $\left\{..., \dfrac{1\pi}{24}, \dfrac{5\pi}{24}, \dfrac{13\pi}{24}, \dfrac{17\pi}{24}, \dfrac{25\pi}{24}, \dfrac{29\pi}{24}, ...\right\}$ |

- ◆ TS et SN **Équation valeur absolue à une inconnue**

Il est possible de résoudre une équation valeur absolue à une inconnue de la façon suivante.

| Méthode | Exemple: $3\lvert x - 6\rvert + 5 = 14$ |
|---|---|
| 1. Obtenir une équation dans laquelle l'un des deux membres est formé d'une valeur absolue et l'autre, d'un terme constant. *Note: L'équation n'a de solutions que si le terme constant est positif.* | $3\lvert x - 6\rvert + 5 = 14$ $3\lvert x - 6\rvert = 9$ $\lvert x - 6\rvert = 3$ |
| 2. Éliminer la valeur absolue en appliquant la définition de la valeur absolue et établir la ou les équations à résoudre. | Puisque la valeur absolue égale 3, l'argument $x - 6$ vaut 3 ou $^-$3, donc: $x - 6 = 3$   ou   $x - 6 = ^-3$ |
| 3. Effectuer la résolution de l'équation ou des équations. | $x - 6 = 3$     $x - 6 = ^-3$ $x = 9$     $x = 3$ |
| 4. Énoncer l'ensemble-solution. | $x = 3$ et $x = 9$ |

## résolution d'inéquations nom féminin

◆ Démarche visant à trouver l'ensemble-solution des valeurs possibles d'une inconnue qui vérifient l'inéquation.

- **Inéquation du deuxième degré à une inconnue**

Il est possible de résoudre une inéquation du deuxième degré à une inconnue de la façon suivante.

| Méthode | Exemple: $x^2 - 7x + 8 \leq ^-4$ |
|---|---|
| 1. Substituer un symbole d'égalité au symbole d'inégalité de l'inéquation. | $x^2 - 7x + 8 = ^-4$ |
| 2. Obtenir une équation de la forme $ax^2 + bx + c = 0$, où $a \neq 0$. | $x^2 - 7x + 12 = 0$ |
| 3. Résoudre l'équation. | $x^2 - 7x + 12 = 0$ $(x - 3)(x - 4) = 0$ si et seulement si $(x - 3) = 0$ ou $(x - 4) = 0$ Donc $x = 3$ et $x = 4$. |
| 4. Représenter les solutions sur une droite numérique par des points pleins ou vides selon que l'équation fait partie ou non de l'inéquation et déduire son ensemble-solution. | L'ensemble-solution est: $\{x \in \mathbb{R} \mid 3 \leq x \leq 4\}$. |

**231**

- **Inéquation exponentielle à une inconnue**

Il est possible de résoudre une inéquation exponentielle à une inconnue de la façon suivante.

| Méthode | Exemple : $2(3)^{10x} - 32 \geq 454$ |
|---------|---------|
| 1. Substituer un symbole d'égalité au symbole d'inégalité de l'inéquation. | $2(3)^{10x} - 32 = 454$ |
| 2. Obtenir une équation dans laquelle la base affectée de l'exposant qui comporte l'inconnue est isolée. *Note : L'équation n'a de solutions que si le membre formé du terme constant est positif.* | $2(3)^{10x} - 32 = 454$ <br> $2(3)^{10x} = 486$ <br> $3^{10x} = 243$ |
| 3. Passer de la forme d'écriture exponentielle à la forme d'écriture logarithmique et résoudre l'équation ainsi obtenue. | $3^{10x} = 243 \leftrightarrow 10x = \log_3 243$ <br> $10x = \dfrac{\log 243}{\log 3}$ <br> $10x = 5$ <br> $x = \dfrac{1}{2}$ |
| 4. Représenter la solution sur une droite numérique par un point plein ou vide selon que la solution de l'équation fait partie ou non de la solution de l'inéquation. | |
| 5. Déduire l'ensemble-solution de l'inéquation. | <br> L'ensemble-solution est : $\left\{ x \in \mathbb{R} \,\middle|\, x \geq \dfrac{1}{2} \right\}$. |

- ◆ TS et SN **Inéquation logarithmique à une inconnue**

Il est possible de résoudre une inéquation logarithmique à une inconnue de la façon suivante.

| Méthode | Exemple : $-12 \log_4 (-2x) \geq -6$ |
|---------|---------|
| 1. Substituer un symbole d'égalité au symbole d'inégalité de l'inéquation. | $-12 \log_4(-2x) = -6$ |
| 2. Obtenir une équation dans laquelle le logarithme est isolé. | $-12 \log_4(-2x) = -6$ <br> $\log_4(-2x) = \dfrac{1}{2}$ |
| 3. Passer de la forme d'écriture logarithmique à la forme d'écriture exponentielle et résoudre l'équation ainsi obtenue. | $\log_4(-2x) = \dfrac{1}{2} \leftrightarrow -2x = 4^{\frac{1}{2}}$ <br> $-2x = \pm 2$ <br> $x = -1 \text{ ou } x = 1$ |
| 4. Déduire l'ensemble-solution de l'inéquation en tenant compte de la restriction de positivité de l'argument. | L'argument d'un logarithme devant être supérieur à 0, on a : <br> $-2x > 0$ <br> $x < 0$ <br><br> Sur la droite numérique, les nombres supérieurs ou égaux à $-1$ et inférieurs à 0 vérifient l'inéquation. L'ensemble-solution est : <br> <br> L'ensemble-solution est : $\{ x \in \mathbb{R} \mid -1 \leq x < 0 \}$. |

- ◆ TS et SN **Inéquation racine carrée à une inconnue**

Il est possible de résoudre une inéquation racine carrée à une inconnue
de la façon suivante.

| Méthode | Exemple : $-2\sqrt{5x - 10} + 6 < -4$ |
|---------|----------------------------------------|
| 1. Obtenir une inéquation dans laquelle l'un des deux membres est uniquement formé d'un radical et l'autre, d'un terme constant. *Note : L'inéquation n'a de solutions que si le terme constant est positif.* | $-2\sqrt{5x - 10} + 6 < -4$ <br> $-2\sqrt{5x - 10} < -10$ <br> $\sqrt{5x - 10} > 5$ |
| 2. En comparant l'inéquation obtenue avec la restriction de positivité du radical, établir la ou les inéquations à résoudre. | Puisque le radicande doit être positif, on a $5x - 10 \geq 0$. L'ensemble-solution doit donc satisfaire à la fois à $\sqrt{5x - 10} > 5$ et $5x - 10 \geq 0$. |
| 3. Effectuer la résolution de l'inéquation ou des inéquations. | $\sqrt{5x - 10} > 5$ et $5x - 10 \geq 0$ <br> $(\sqrt{5x - 10})^2 > 5^2$ $\qquad 5x \geq 10$ <br> $5x - 10 > 25$ $\qquad\qquad x \geq 2$ <br> $5x > 35$ <br> $x > 7$ |
| 4. Énoncer l'ensemble-solution. | L'ensemble-solution est : $\{x \in \mathbb{R} \mid x > 7\}$. |

- ◆ TS et SN **Inéquation rationnelle à une inconnue**

Il est possible de résoudre une inéquation rationnelle à une inconnue
de la façon suivante.

| Méthode | Exemple : $\frac{8}{3 - x} \leq 2$ |
|---------|-------------------------------------|
| 1. Substituer un symbole d'égalité au symbole d'inégalité de l'inéquation. | $\frac{8}{3 - x} = 2$ |
| 2. Résoudre l'équation en tenant compte des restrictions du dénominateur, s'il y a lieu. | $\frac{8}{3 - x} = 2$, où $3 - x \neq 0$, donc $x \neq 3$ <br> $8 = 2(3 - x)$ <br> $8 = 6 - 2x$ <br> $2x = -2$ <br> $x = -1$ |
| 3. Représenter les valeurs critiques sur une droite numérique par des points pleins ou vides selon le cas. | |
| 4. Déduire l'ensemble-solution de l'inéquation. | Sur la droite numérique, les nombres inférieurs ou égaux à $-1$ ou supérieurs à 3 vérifient l'inéquation. <br> <br> L'ensemble-solution est : $\{x \in \mathbb{R} \mid x \leq -1 \cup x > 3\}$. |

a b c d e f g h i j k l m n o p q r s t u v w x y z

- ◆ TS et SN **Inéquation trigonométrique à une inconnue**

  Il est possible de résoudre une inéquation trigonométrique à une inconnue, c'est-à-dire une inéquation sinus, cosinus ou tangente, de la façon suivante.

| Méthode | Exemple : $2\cos\frac{\pi}{2}(x-3) - \sqrt{3} < 0$ |
|---|---|
| 1. Substituer un symbole d'égalité au symbole d'inégalité de l'inéquation. | $2\cos\frac{\pi}{2}(x-3) - \sqrt{3} = 0$ |
| 2. Obtenir une équation dans laquelle l'argument du sinus, du cosinus ou de la tangente est isolé.<br><br>Résoudre la ou les équations ainsi formées. | $2\cos\frac{\pi}{2}(x-3) = \sqrt{3}$<br>$\cos\frac{\pi}{2}(x-3) = \frac{\sqrt{3}}{2}$ |
| 3. Pour une équation sinusoïdale (sinus ou cosinus), déterminer les valeurs de $\theta_1$ et $\theta_2$ sur $[0, 2\pi[$ qui vérifient l'équation.<br><br>Pour une équation tangente, déterminer la valeur $\theta$ sur $[0, \pi]$ qui vérifie l'équation. | Puisque $\cos\frac{\pi}{6} = \frac{\sqrt{3}}{2}$ et $\cos\frac{11\pi}{6} = \frac{\sqrt{3}}{2}$, on a :<br>$\theta_1 = \frac{\pi}{6}$  $\qquad\qquad$  $\theta_2 = \frac{11\pi}{6}$<br><br>*Note : Pour trouver* $\cos\theta = \frac{\sqrt{3}}{2}$, *on peut utiliser :*<br>$\theta = arc\cos\frac{\sqrt{3}}{2}$. |
| 4. Pour une équation sinusoïdale (sinus ou cosinus), former deux équations à partir des valeurs trouvées de $\theta_1$ et $\theta_2$.<br><br>Pour une équation tangente, former une équation à partir de la valeur trouvée de $\theta$. | $\frac{\pi}{2}(x-3) = \frac{\pi}{6}$  $\qquad\qquad$  $\frac{\pi}{2}(x-3) = \frac{11\pi}{6}$ |
| 5. Afin de tenir compte de la périodicité, additionner au membre de droite :<br>– $2n\pi$ pour une fonction sinusoïdale ;<br>– $n\pi$ pour une fonction tangente ;<br>où $n$ est un nombre entier. | $\frac{\pi}{2}(x-3) = \frac{\pi}{6} + 2n\pi$  $\qquad$  $\frac{\pi}{2}(x-3) = \frac{11\pi}{6} + 2n\pi$<br>$(x-3) = \frac{1}{3} + 4n$  $\qquad\qquad$  $(x-3) = \frac{11}{3} + 4n$<br>$x = \frac{10}{3} + 4n$  $\qquad\qquad\quad$  $x = \frac{20}{3} + 4n$ |
| 6. Déduire l'ensemble-solution à l'aide du symbole d'inégalité de l'inéquation. | Puisque les solutions obtenues sont $x = \frac{10}{3} + 4n$ et $x = \frac{20}{3} + 4n$, où $n \in \mathbb{Z}$, on veut la portion du graphique située strictement sous l'axe des abscisses, car $2\cos\frac{\pi}{2}(x-3) - \sqrt{3} < 0$.<br><br><br><br>L'ensemble-solution est :<br>$x \in \left\{ \ldots \cup \left]-\frac{2}{3}, \frac{8}{3}\right[ \cup \left]\frac{10}{3}, \frac{20}{3}\right[ \cup \left]\frac{22}{3}, \frac{34}{3}\right[ \cup \ldots \right\}$. |

- ◆ TS et SN **Inéquation valeur absolue à une inconnue**

Il est possible de résoudre une inéquation valeur absolue à une inconnue de la façon suivante.

| Méthode | Exemple : $4\|3x - 3\| - 6 \leq 18$ |
|---|---|
| 1. Substituer un symbole d'égalité au symbole d'inégalité de l'inéquation. | $4\|3x - 3\| - 6 = 18$ |
| 2. Obtenir une équation dans laquelle l'un des deux membres est formé d'une valeur absolue et l'autre, d'un terme constant. *Note : L'équation n'a de solutions que si le terme constant est positif.* | $4\|3x - 3\| = 24$ $\|3x - 3\| = 6$ |
| 3. Éliminer la valeur absolue en appliquant la définition de la valeur absolue et établir la ou les équations à résoudre. | Puisque la valeur absolue est égale à 6, l'argument $3x - 3$ vaut 6 ou $-6$, donc : $3x - 3 = 6 \qquad$ ou $\qquad 3x - 3 = -6$ |
| 4. Effectuer la résolution de l'équation ou des équations. | $3x - 3 = 6 \qquad\qquad 3x - 3 = -6$ $3x = 9 \qquad\qquad\quad 3x = -3$ $x = 3 \qquad\qquad\quad x = -1$ |
| 5. Représenter les solutions sur une droite numérique par des points pleins ou vides selon que la solution de l'équation ou des équations fait partie ou non de celles de l'inéquation. | |
| 6. Déduire l'ensemble-solution de l'inéquation. | Sur la droite numérique, les nombres compris entre $-1$ et 3 vérifient l'inéquation. L'ensemble-solution est : $\{x \in \mathbb{R} \mid -1 \leq x \leq 3\}$. |

a
b
c
d
e
f
g
h
i
j
k
l
m
n
o
p
q
r
s
t
u
v
w
x
y
z

**résolution d'un système d'équations** nom féminin

◆ Démarche consistant à trouver les valeurs vérifiant simultanément toutes les équations du système.

---

### Système formé de deux équations du premier degré à deux inconnues

**1.** On peut résoudre graphiquement un système d'équations. La solution correspond au point d'intersection des droites.

*Exemple:* Soit le système d'équations suivant.

$y = 2x - 2$
$y = -x + 4$

Point d'intersection: $(2, 2)$

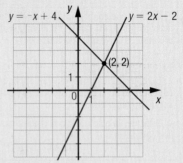

**2.** On peut résoudre un système d'équations à l'aide d'une table de valeurs. On cherche alors une valeur de la variable indépendante pour laquelle les valeurs de la variable dépendante sont identiques.

*Exemple:* Soit le système d'équations suivant.

$y_1 = 2x - 2$
$y_2 = -x + 4$

La solution est $(2, 2)$.

| $x$ | $y_1$ | $y_2$ |
|-----|-------|-------|
| -1 | -4 | 5 |
| 0 | -2 | 4 |
| 1 | 0 | 3 |
| 2 | 2 | 2 |
| 3 | 4 | 1 |

**3.** Il existe plusieurs méthodes algébriques pour résoudre un système d'équations, dont les méthodes de comparaison, de substitution et de réduction.

*Exemples:*

| Méthode de comparaison | Méthode de substitution | Méthode de réduction |
|---|---|---|
| $y = 4x + 6$ <br> $y = -5x + 21$ | $y = 2x - 5$ <br> $x + y = 10$ | $2x + 3y = 5$ <br> $4x - 5y = -12$ |
| $4x + 6 = -5x + 21$ <br> $9x + 6 = 21$ <br> $9x = 15$ <br> $x = \dfrac{5}{3}$ | $x + (2x - 5) = 10$ <br> $3x - 5 = 10$ <br> $3x = 15$ <br> $x = 5$ | $2x + 3y = 5 \rightarrow 4x + 6y = 10$ <br> $4x - 5y = -12$ <br><br> $\begin{array}{r} 4x + 6y = 10 \\ -(4x - 5y = -12) \\ \hline 11y = 22 \\ y = 2 \end{array}$ |
| $y = 4\left(\dfrac{5}{3}\right) + 6$ <br> $y = \dfrac{20}{3} + 6$ <br> $y = \dfrac{38}{3}$ | $y = 2(5) - 5$ <br> $y = 5$ | $2x + 3(2) = 5$ <br> $x = -\dfrac{1}{2}$ |
| La solution est $\left(\dfrac{5}{3}, \dfrac{38}{3}\right)$. | La solution est $(5, 5)$. | La solution est $\left(-\dfrac{1}{2}, 2\right)$. |

## résoudre verbe transitif
Trouver une solution à un problème.

### résoudre un triangle
◆ Déterminer les mesures de tous les côtés d'un triangle et de tous ses angles à partir de quelques données.

> Alors que le sinus, le cosinus et la tangente permettent de calculer les rapports trigonométriques associés à des mesures d'angles données, l'arc sinus, l'arc cosinus et l'arc tangente permettent d'effectuer le travail inverse, c'est-à-dire calculer les mesures d'angles à partir de la valeur des rapports correspondants.
>
> *Exemple:* Résoudre le triangle ci-contre.
>
> $\sin B = \frac{10}{12} = \frac{5}{6}$
>
> $B = \arcsin\left(\frac{5}{6}\right)$
>
> $m\angle B \approx 56{,}44°$
>
> Donc $m\angle A \approx 180° - 90° - 56{,}44° \approx 33{,}56°$.
>
> On a aussi $10^2 + a^2 = 12^2$
>
> $a = \sqrt{12^2 - 10^2}$
>
> $a = \sqrt{44} \approx 6{,}63$ cm

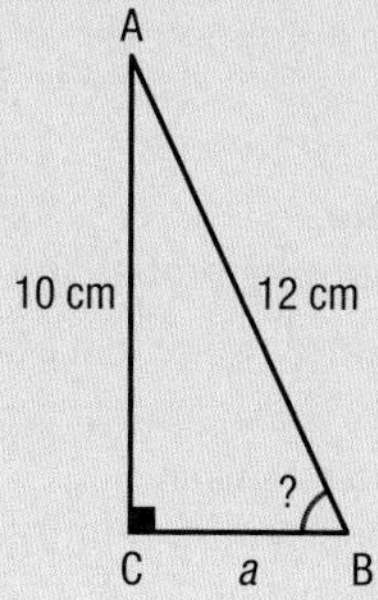

## reste nom masculin
◆ Quantité obtenue à la suite d'une division dont le dividende n'est pas divisible exactement par le diviseur. Un reste est toujours supérieur à 0 et inférieur au diviseur.

*Exemple:* $23 \div 3 = 7$ reste 2.

## résultante nom féminin
◆ TS et SN Vecteur obtenu par l'addition de vecteurs, aussi appelé *vecteur résultant*.

> Pour trouver la résultante, on place les vecteurs à additionner bout à bout, en joignant l'origine d'un vecteur à l'extrémité d'un autre. La résultante est le vecteur partant de l'origine du premier vecteur et se terminant à l'extrémité du dernier vecteur.
>
> *Exemple:* La résultante de $\vec{u} + \vec{v} + \vec{w}$ est le vecteur en rouge.

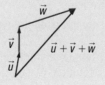

## résultat nom masculin
◆ Solution d'un problème ou aboutissement d'une démarche mathématique.

### résultat certain
◆ Résultat dont la probabilité de l'obtenir est égale à 1.

**résultat impossible**

❶ ◆ Résultat dont la probabilité de l'obtenir est égale à 0.

*Exemple:* On lance un dé à six faces. Obtenir 7 est un résultat impossible.

❷ ◆ Dans la résolution d'une équation, résultat menant à une aberration lorsqu'on isole l'inconnue.

> La résolution d'une équation donne un résultat impossible, entre autres, si on obtient:
> - $x^2 = a$ et que $a$ est un nombre inférieur à 0 ; extraire la racine carrée d'un nombre négatif étant impossible dans l'ensemble des nombres réels, le résultat est impossible ;
> - $x = \frac{a}{0}$ ; la division par 0 n'étant pas admise dans l'ensemble des nombres réels, le résultat est impossible.

**résultat possible**

◆ Résultat ayant une probabilité non nulle de se réaliser lors d'une **expérience aléatoire**.

*Exemple:* On lance un dé à six faces. Les résultats possibles sont 1, 2, 3, 4, 5 ou 6.

**réunion** [∪] nom féminin

◆ Opération consistant à réunir tous les éléments de deux ensembles A et B pour en former un nouveau. La réunion des ensembles A et B se note A ∪ B.

*Exemple:* Soit A l'ensemble des nombres impairs inférieurs à 10 et B l'ensemble des multiples de 3 inférieurs à 10.

A = {1, 3, 5, 7, 9}
B = {3, 6, 9}
A ∪ B = {1, 3, 5, 6, 7, 9}

La réunion correspond à la partie en rouge dans le diagramme.

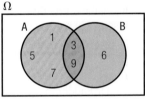

**rotation** [r] nom féminin

❶ ◆ Transformation géométrique associant à une figure initiale une figure image isométrique selon un centre, un angle et un sens de rotation donnés.

> Dans une rotation:
> - le centre de rotation est un point fixe ;
> - l'angle de rotation est une mesure qui peut être représentée par une flèche de rotation ;
> - il existe deux sens de rotation: horaire et antihoraire. On indique ce sens en attribuant un signe à l'angle de rotation. Le signe positif correspond au sens antihoraire et le signe négatif, au sens horaire.

*Exemple:* Le triangle A'B'C' est l'image du triangle ABC par la rotation *r* de centre P et d'angle ‾60°.

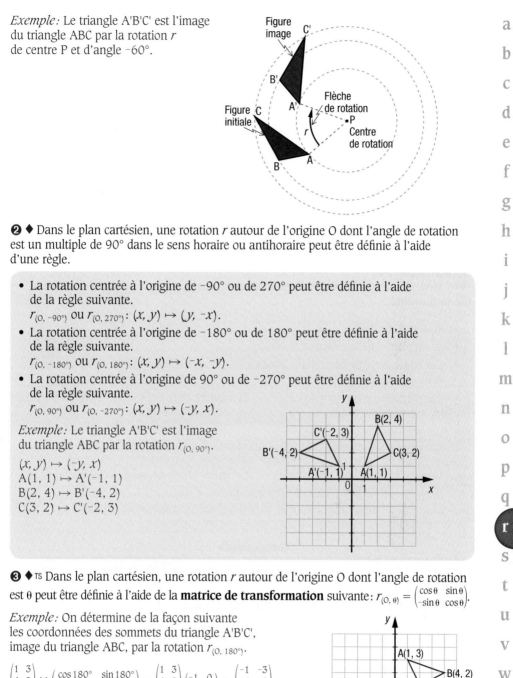

❷ ◆ Dans le plan cartésien, une rotation *r* autour de l'origine O dont l'angle de rotation est un multiple de 90° dans le sens horaire ou antihoraire peut être définie à l'aide d'une règle.

- La rotation centrée à l'origine de ‾90° ou de 270° peut être définie à l'aide de la règle suivante.
  $r_{(0, -90°)}$ ou $r_{(0, 270°)}: (x, y) \mapsto (y, -x)$.
- La rotation centrée à l'origine de ‾180° ou de 180° peut être définie à l'aide de la règle suivante.
  $r_{(0, -180°)}$ ou $r_{(0, 180°)}: (x, y) \mapsto (-x, -y)$.
- La rotation centrée à l'origine de 90° ou de ‾270° peut être définie à l'aide de la règle suivante.
  $r_{(0, 90°)}$ ou $r_{(0, -270°)}: (x, y) \mapsto (-y, x)$.

*Exemple:* Le triangle A'B'C' est l'image du triangle ABC par la rotation $r_{(0, 90°)}$.

$(x, y) \mapsto (-y, x)$
$A(1, 1) \mapsto A'(-1, 1)$
$B(2, 4) \mapsto B'(-4, 2)$
$C(3, 2) \mapsto C'(-2, 3)$

❸ ◆ ᴛꜱ Dans le plan cartésien, une rotation *r* autour de l'origine O dont l'angle de rotation est θ peut être définie à l'aide de la **matrice de transformation** suivante: $r_{(0, \theta)} = \begin{pmatrix} \cos\theta & \sin\theta \\ -\sin\theta & \cos\theta \end{pmatrix}$.

*Exemple:* On détermine de la façon suivante les coordonnées des sommets du triangle A'B'C', image du triangle ABC, par la rotation $r_{(0, 180°)}$.

$$\begin{pmatrix} 1 & 3 \\ 4 & 2 \\ 2 & 1 \end{pmatrix} \times \begin{pmatrix} \cos 180° & \sin 180° \\ -\sin 180° & \cos 180° \end{pmatrix} = \begin{pmatrix} 1 & 3 \\ 4 & 2 \\ 2 & 1 \end{pmatrix} \begin{pmatrix} -1 & 0 \\ 0 & -1 \end{pmatrix} = \begin{pmatrix} -1 & -3 \\ -4 & -2 \\ -2 & -1 \end{pmatrix}$$

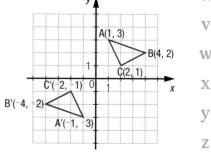

**scalaire** nom masculin

♦ Grandeur entièrement définie par un seul **nombre réel** ou complexe.

**scrutin** nom masculin

♦ CST Ensemble des **procédures de vote** ou d'élection.

**scrutin majoritaire**

♦ CST Mode de scrutin consistant à élire un candidat ou une candidate selon la **règle de la pluralité.**

Le scrutin majoritaire :

• est simple et rapide à mettre en œuvre ;

• peut engendrer l'élection d'un candidat ou d'une candidate qui déplaît à une grande partie de l'électorat ;

• peut permettre à un parti de remporter la majorité des sièges sans obtenir la majorité des votes, et vice versa.

*Exemple :* Des élections au scrutin majoritaire ont lieu dans un pays. Trois partis présentent un candidat ou une candidate dans chaque circonscription. La personne qui obtient le plus de votes dans une circonscription gagne un siège. Le parti qui gagne le plus grand nombre de sièges dirigera le gouvernement.

Voici un tableau présentant le pourcentage des votes obtenus par le candidat ou la candidate de chaque parti dans chaque circonscription.

**Circonscription**

| Parti | 1 | 2 | 3 | 4 | 5 | 6 | 7 | 8 | 9 | 10 |
|---|---|---|---|---|---|---|---|---|---|---|
| A | 25 % | 30 % | 18 % | 35 % | 31 % | 27 % | 36 % | 39 % | 20 % | 32 % |
| B | 32 % | 38 % | 47 % | 33 % | 24 % | 34 % | 22 % | 35 % | 29 % | 35 % |
| C | 43 % | 32 % | 35 % | 32 % | 45 % | 39 % | 42 % | 26 % | 51 % | 33 % |

Le parti A gagne un siège dans les circonscriptions 4 et 8, le parti B, dans les circonscriptions 2, 3 et 10 et le parti C, dans les circonscriptions 1, 5, 6, 7 et 9. Le parti C dirigera le gouvernement.

**scrutin proportionnel**

♦ csт Mode de scrutin consistant à attribuer à chaque groupe de candidats un nombre de sièges proportionnel au nombre de votes que ce groupe a obtenu.

Le scrutin proportionnel:
- prend en compte chaque vote dans l'attribution des sièges;
- répartit les élus en traduisant assez fidèlement la volonté de l'électorat;
- crée plus souvent des situations de gouvernement minoritaire. La nécessité de former des coalitions entre les groupes peut alors ralentir les prises de décision.

*Exemple:* Des élections au scrutin proportionnel ont lieu dans un pays. Trois partis présentent un candidat ou une candidate dans chaque circonscription. Chaque parti gagne un nombre de sièges proportionnel au nombre de votes qu'il obtient dans l'ensemble des circonscriptions. Le parti qui gagne le plus grand nombre de sièges dirigera le gouvernement.

Voici un tableau présentant le pourcentage des votes obtenus par chaque parti dans chaque circonscription.

**Circonscription**

| Parti | 1 | 2 | 3 | 4 | 5 | 6 | 7 | 8 | 9 | 10 | Total |
|---|---|---|---|---|---|---|---|---|---|---|---|
| A | 25% | 30% | 18% | 35% | 31% | 27% | 36% | 39% | 20% | 32% | **29,3%** |
| B | 32% | 38% | 47% | 33% | 24% | 34% | 22% | 35% | 29% | 35% | **32,9%** |
| C | 43% | 32% | 35% | 32% | 45% | 39% | 42% | 26% | 51% | 33% | **37,8%** |

Le parti A obtient 29,3% des 10 sièges disponibles, soit 3 sièges, le parti B, 32,9%, soit 3 sièges et le parti C, 37,8%, soit 4 sièges. Le parti C dirigera le gouvernement.

## sécante [sec] nom féminin

❶ ♦ Droite qui coupe une figure géométrique ou une droite.

➙ Voir **droites sécantes.**

*Exemple:* La droite $d$ est une sécante du triangle ci-contre.

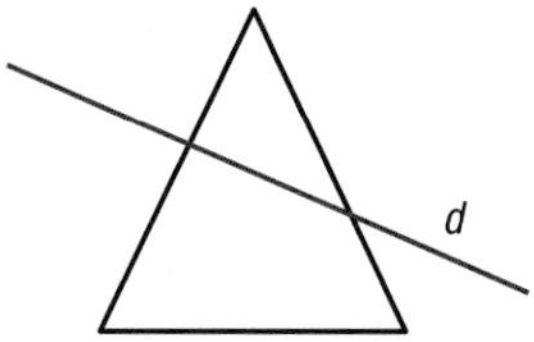

❷ ♦ Rapport trigonométrique inverse multiplicatif du cosinus d'un angle.

*Exemple:* $\sec x = \frac{1}{\cos x}$, où $\cos x \neq 0$

## seconde [s] nom féminin

❶ ♦ Unité de base du système international de mesures (SI) pour la mesure du temps. Il y a 60 secondes dans une minute et 3 600 secondes dans une heure.

❷ Unité de mesure d'angle égale à un trois mille six-centième $\left(\frac{1}{3\,600}\right)$ de degré. On l'appelle aussi *seconde d'arc* ou *seconde angulaire.*

## secteur nom masculin

♦ Portion d'un espace ou d'une figure géométrique.

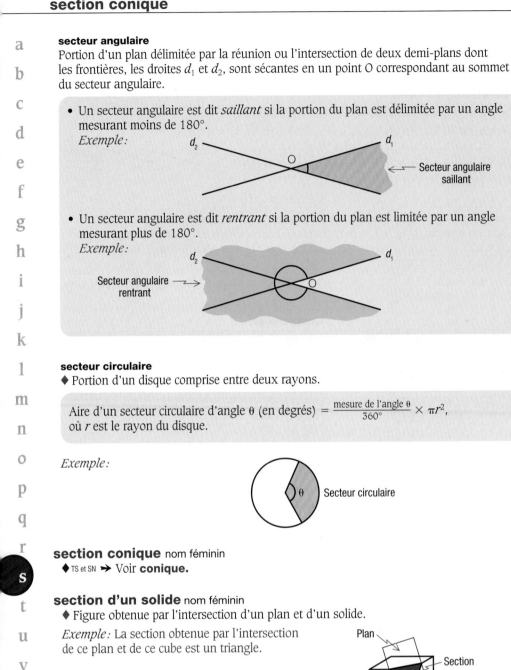

### secteur angulaire

Portion d'un plan délimitée par la réunion ou l'intersection de deux demi-plans dont les frontières, les droites $d_1$ et $d_2$, sont sécantes en un point O correspondant au sommet du secteur angulaire.

- Un secteur angulaire est dit *saillant* si la portion du plan est délimitée par un angle mesurant moins de 180°.
  *Exemple :*

  $d_2$     $d_1$
  O
  ←— Secteur angulaire saillant

- Un secteur angulaire est dit *rentrant* si la portion du plan est limitée par un angle mesurant plus de 180°.
  *Exemple :*

  $d_2$     $d_1$
  Secteur angulaire —→ rentrant
  O

### secteur circulaire

♦ Portion d'un disque comprise entre deux rayons.

Aire d'un secteur circulaire d'angle θ (en degrés) = $\frac{\text{mesure de l'angle } \theta}{360°} \times \pi r^2$, où $r$ est le rayon du disque.

*Exemple :*

θ — Secteur circulaire

## section conique nom féminin
♦ TS et SN → Voir **conique.**

## section d'un solide nom féminin
♦ Figure obtenue par l'intersection d'un plan et d'un solide.

*Exemple :* La section obtenue par l'intersection de ce plan et de ce cube est un triangle.

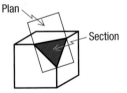

Plan
Section

## segment [$\overline{AB}$] nom masculin
♦ Portion de droite limitée par deux points.

*Exemple :* Segment AB de la droite $d$.

A      B
$d$

**sens** nom masculin

♦ L'une des deux façons de se déplacer sur une droite représentant une **direction** donnée.

*Exemples:*

1) Soit une translation *t* définie par la flèche de translation ci-contre. Son sens est déterminé par l'extrémité de la flèche.

2) ♦ TS et SN Les vecteurs ci-contre ont la même direction puisqu'ils forment le même angle avec l'horizontale, mais ils n'ont pas le même sens, car la flèche pointe dans des sens opposés.

### sens antihoraire

♦ Sens contraire à celui de la rotation des aiguilles d'une montre.

### sens horaire

♦ Sens de rotation des aiguilles d'une montre.

**signe** nom masculin

♦ Symbole représentant une opération mathématique.

> Les signes les plus utilisés sont:
> - + : signe de l'addition;
> - − : signe de la soustraction;
> - × : signe de la multiplication;
> - ÷ : signe de la division.

## signe d'une fonction nom masculin

♦ Propriété possédée par une fonction, positive ou négative.

> - Une fonction est positive sur un intervalle du domaine si, dans cet intervalle, les valeurs de la variable dépendante sont positives.
> - Une fonction est négative sur un intervalle du domaine si, dans cet intervalle, les valeurs de la variable dépendante sont négatives.

➜ Voir **positif** et **négatif**.

*Exemple:* La fonction *f* ci-contre est positive sur $]-\infty, -1] \cup [2, +\infty[$ et négative sur $[-1, 2]$.

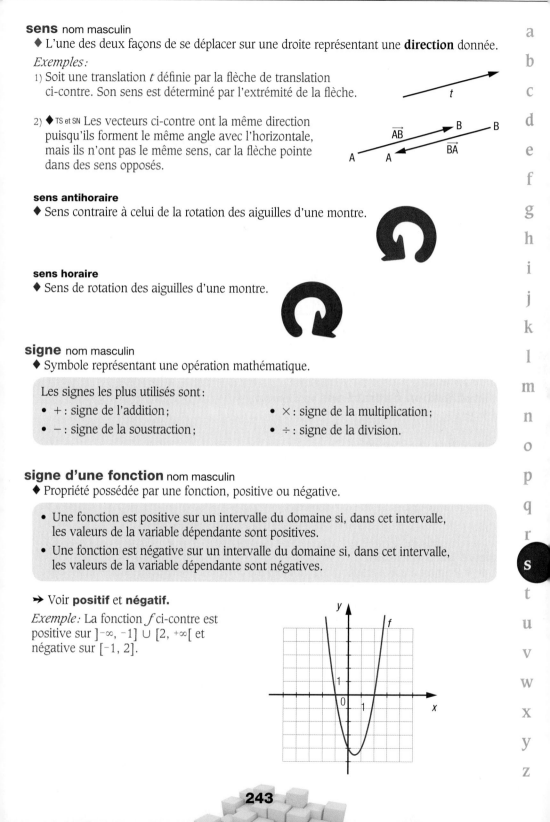

**similitude** nom féminin

❶ ♦ Propriété, pour deux figures, d'être semblables.

❷ ♦ Transformation géométrique résultant de la composition d'une **isométrie** (translation, rotation ou réflexion) et d'une **homothétie.**

> Une figure image obtenue par une similitude est semblable à la figure initiale.

*Exemple:* Le triangle image A'B'C' est l'image du triangle initial ABC selon une réflexion par rapport à l'axe des ordonnées. Le triangle A''B''C'' est l'image du triangle A'B'C' par une homothétie centrée à l'origine et de rapport 2.

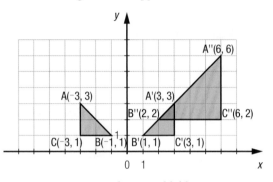

Les triangles ABC, A'B'C' et A''B''C'' sont donc semblables entre eux.

**simplification de fractions** nom féminin

♦ ➤ Voir **réduction, ❶**.

**simplifier** verbe transitif

♦ Diviser les deux termes d'une fraction par un même nombre.

**singleton** nom masculin

Ensemble comportant un seul élément.

*Exemple:* Soit l'ensemble A = {4}, l'ensemble A est un singleton.

**sinus** [sin] nom masculin

❶ ♦ Pour un angle A, rapport trigonométrique entre la mesure de la cathète opposée à l'angle A et la mesure de l'hypoténuse.

$$\sin A = \frac{\text{mesure de la cathète opposée à l'angle A}}{\text{mesure de l'hypoténuse}}$$

*Exemple:* Soit le triangle ABC ci-dessous.

$\sin A = \frac{5}{13}$

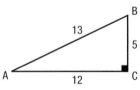

❷ ◆ TS et SN Dans un cercle de rayon unitaire et pour un angle donné θ, mesure de la **projection orthogonale** du rayon $\vec{r}$, sur l'axe des ordonnées.

*Exemple:*

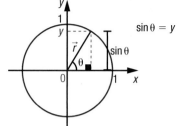

$\sin \theta = y$

**situation** nom féminin

Ensemble des circonstances dans lesquelles se trouve un problème mathématique.

**situation concrète**

Phénomène, condition de la vie courante.

**situation de proportionnalité**

◆ Situation à deux variables dans laquelle les rapports entre les valeurs associées des deux variables (à l'exception du couple (0, 0)) sont toujours équivalents.

- Dans une situation de proportionnalité (ou de variation directe):
  - les valeurs de la variable dépendante ($y$) sont obtenues en multipliant les valeurs de la variable indépendante ($x$) par une constante appelée *coefficient de proportionnalité*;
  - la règle est de la forme $y = ax$ où $a \neq 0$;
  - pour $y \neq 0$, le rapport $\frac{x}{y}$ est constant et appelé *rapport de proportionnalité*;
  - si l'une des variables est égale à zéro, alors l'autre variable l'est aussi.
- Une situation de proportionnalité peut être modélisée graphiquement au moyen d'une droite oblique passant par l'origine du plan cartésien.

*Exemple:* Soit la situation de proportionnalité dont la règle est $y = 2x$.

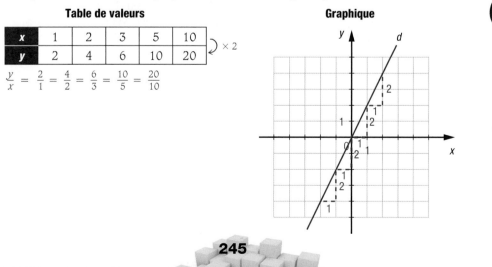

**Table de valeurs**

| x | 1 | 2 | 3 | 5 | 10 |
|---|---|---|---|---|----|
| y | 2 | 4 | 6 | 10 | 20 |

$\} \times 2$

$\frac{y}{x} = \frac{2}{1} = \frac{4}{2} = \frac{6}{3} = \frac{10}{5} = \frac{20}{10}$

**Graphique**

a
b
c
d
e
f
g
h
i
j
k
l
m
n
o
p
q
r
**s**
t
u
v
w
x
y
z

**situation de proportionnalité directe au carré**

◆ Situation à deux variables dans laquelle les rapports entre les valeurs associées des deux variables (à l'exception du couple $(0, 0)$) forment une suite arithmétique. La variable $y$ est donc directement proportionnelle au carré de $x$, c'est-à-dire $y = ax^2$ et $a \neq 0$.

Dans une situation de proportionnalité au carré, si l'une des variables est égale à zéro, alors l'autre variable l'est aussi.

*Exemple :* Soit la situation de proportionnalité directe au carré dont la règle est $y = 2x^2$.

**Table de valeurs**

| $x$ | 1 | 2 | 3 | 4 | 5 |
|---|---|---|---|---|---|
| $y$ | 2 | 8 | 18 | 32 | 50 |

$\Big\rangle \div$

**Graphique**

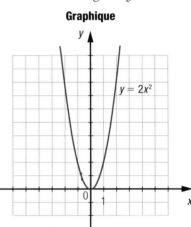

$y = 2x^2$

Soit les rapports $\frac{y}{x}$ suivants :

$\frac{2}{1} = \boxed{2}$, $\frac{8}{2} = \boxed{4}$, $\frac{18}{3} = \boxed{6}$, $\frac{32}{4} = \boxed{8}$, $\frac{50}{5} = \boxed{10}$

On obtient une suite arithmétique : 2, 4, 6, 8, 10, ...

**situation de variation directe**

◆ ➻ Voir **situation de proportionnalité.**

**situation de variation inverse**

◆ ➻ Voir **situation inversement proportionnelle.**

**situation équitable**

◆ Situation où l'**espérance mathématique** est égale à 0.

*Exemple :* Un sac contient 6 billes rouges et 4 billes vertes. Le jeu consiste à tirer au hasard une bille du sac. La mise initiale est de 10 $. Une bille verte fait gagner 5 $ et la mise initiale. Une bille rouge fait perdre la mise initiale. Cette situation est équitable puisque :

$\frac{4}{10} \times 15\,\$ + \frac{6}{10} \times {}^-10\,\$ = 0\,\$$

#### situation inversement proportionnelle

♦ Situation à deux variables dans laquelle le produit des valeurs associées des deux variables est constant.

- Dans une situation inversement proportionnelle, la règle est de la forme $y = \dfrac{a}{x}$, où $a \neq 0$;
- Une situation inversement proportionnelle peut être modélisée par une courbe et les axes $x$ et $y$ en sont les **asymptotes.**

*Exemple :* Soit la situation inversement proportionnelle dont la règle est $y = \dfrac{2}{x}$.

**Table de valeurs**

| x | 1 | 2 | 4 | 5 | 10 |
|---|---|---|---|---|---|
| y | 2 | 1 | 0,5 | 0,4 | 0,2 |

$\times$

$xy = 1 \times 2 = 2 \times 1 = 4 \times 0,5 = 5 \times 0,4 = 10 \times 0,2$

**Graphique**

$y = \dfrac{2}{x}$

#### situation-problème

Situation soulevant un ou plusieurs aspects d'une problématique qui nécessitent d'être résolus à l'aide de savoirs mathématiques.

Il existe plusieurs stratégies de résolution d'une situation-problème, notamment :
- la division d'un problème complexe en sous-problèmes ;
- les essais et erreurs ;
- le travail à rebours ;
- l'analyse d'un problème plus simple ;
- l'organisation et la justification d'une démarche en géométrie ;
- la représentation d'une situation par un dessin ;
- l'utilisation d'un tableau pour organiser et déduire des informations ;
- la substitution des nombres ;
- la modélisation au moyen d'une ou de plusieurs équations.

**solide** nom masculin

♦ Portion de l'espace à trois dimensions délimitée par une ou plusieurs surfaces fermées.

*Exemples :*

1)

2)

3)

**solide décomposable**

♦ Solide pouvant être fractionné en plusieurs solides plus simples.

*Exemple:* Le solide ci-dessous peut être décomposé en un cône circulaire droit, un cylindre circulaire droit et une demi-boule.

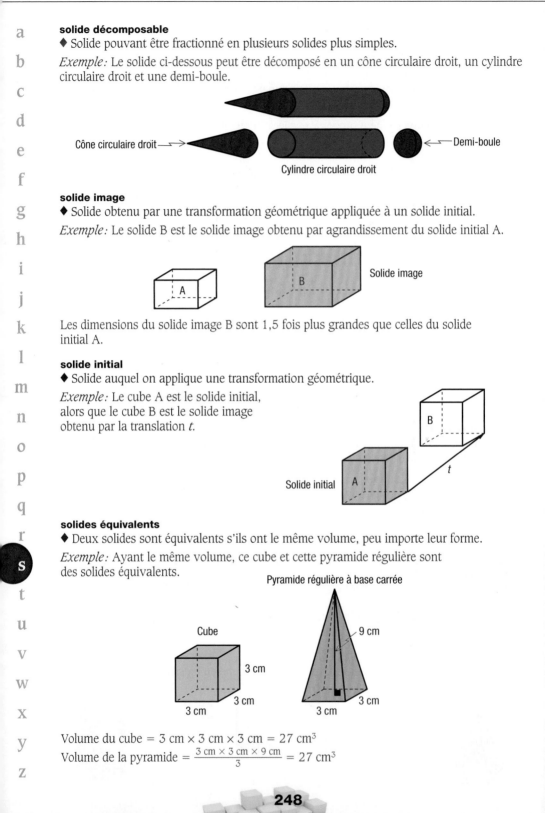

Cône circulaire droit ⟶

Cylindre circulaire droit

Demi-boule

**solide image**

♦ Solide obtenu par une transformation géométrique appliquée à un solide initial.

*Exemple:* Le solide B est le solide image obtenu par agrandissement du solide initial A.

A

B — Solide image

Les dimensions du solide image B sont 1,5 fois plus grandes que celles du solide initial A.

**solide initial**

♦ Solide auquel on applique une transformation géométrique.

*Exemple:* Le cube A est le solide initial, alors que le cube B est le solide image obtenu par la translation *t*.

B

Solide initial A

*t*

**solides équivalents**

♦ Deux solides sont équivalents s'ils ont le même volume, peu importe leur forme.

*Exemple:* Ayant le même volume, ce cube et cette pyramide régulière sont des solides équivalents.

Pyramide régulière à base carrée

Cube

3 cm, 3 cm, 3 cm

9 cm, 3 cm, 3 cm

Volume du cube = 3 cm × 3 cm × 3 cm = 27 cm³

Volume de la pyramide = $\frac{3 \text{ cm} \times 3 \text{ cm} \times 9 \text{ cm}}{3}$ = 27 cm³

### solides semblables

◆ Deux solides sont semblables si l'un est un agrandissement, une réduction ou la reproduction exacte de l'autre. Par exemple, les homothéties et les reproductions à l'échelle produisent des solides semblables.

> Dans deux solides semblables :
> - les angles homologues sont isométriques ;
> - les mesures des arêtes homologues sont proportionnelles.

*Exemple :* Les deux solides ci-dessous sont semblables puisque les dimensions du solide B sont 1,5 fois plus grandes que celles du solide A.

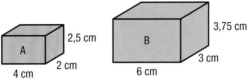

### solution nom féminin

◆ Système de valeurs des inconnues vérifiant une équation ou un système d'équations.

> *Solution* est un terme souvent employé pour désigner la réponse à un problème donné, mais la solution inclut aussi la démarche ayant permis de résoudre le problème. On préfèrera cependant le mot *résolution* pour désigner la démarche.

### solution avantageuse

◆ Dans une situation faisant intervenir un ensemble de contraintes, solution d'une fonction à optimiser menant à la valeur la plus élevée, appelée *maximum,* ou à la valeur la moins élevée, appelée *minimum,* selon le contexte.

*Exemple :* Voici un polygone de contraintes et les coordonnées de certains points. La règle de la fonction à optimiser est $z = 4x + 5y$.

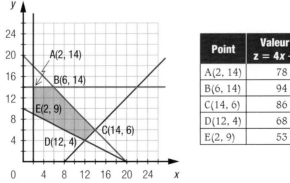

| Point | Valeur de $z = 4x + 5y$ |
|-------|-------------------------|
| A(2, 14) | 78 |
| B(6, 14) | 94 |
| C(14, 6) | 86 |
| D(12, 4) | 68 |
| E(2, 9) | 53 |

- Si l'objectif est de maximiser la fonction, les coordonnées du point B(6, 14) constituent la solution avantageuse.

- Si l'objectif est de minimiser la fonction, les coordonnées du point E(2, 9) constituent la solution avantageuse.

**solution optimale**

♦ Solution la plus avantageuse obtenue à l'aide de la règle d'une fonction, appelée *fonction à optimiser,* dans une situation faisant intervenir un ensemble de contraintes.

➜ Voir **solution avantageuse.**

**somme** nom féminin

♦ Résultat d'une addition.

*Exemple:* La somme de 5 et 6 est 11, car 5 + 6 = 11.

**sommet** nom masculin

❶ ♦ Dans un polygone, point de rencontre de deux côtés.

*Exemple:*

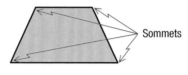

Sommets

❷ ♦ Dans un polyèdre, point commun à au moins deux arêtes.

*Exemple:*

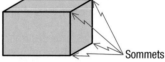

Sommets

❸ ♦ Dans une courbe, point, s'il existe, où la fonction atteint un maximum ou un minimum.

*Exemple:* Pour la fonction dont l'équation est $y = \frac{1}{2}(x - 3)^2 + 2$, le sommet est le point de coordonnées (3, 2).

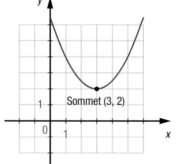

Sommet (3, 2)

❹ ♦ CST Dans un graphe, chaque point correspondant aux éléments de l'ensemble.

*Exemples:*

1) Dans le graphe ci-dessous, A, B, C, D et E sont des sommets.

2) Dans le graphe ci-dessous, 1, 2 et 3 sont des sommets.

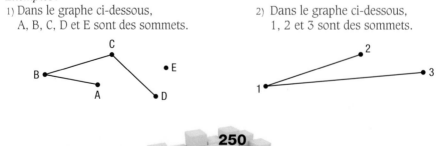

❺ ◆ TS et SN Points situés aux deux extrémités des axes d'une **ellipse**.

Les coordonnées des sommets d'une ellipse dont l'équation
est $\frac{(x-h)^2}{a^2} + \frac{(y-k)^2}{b^2} = 1$ sont $(h + a, k)$, $(h - a, k)$, $(h, k + b)$ et $(h, k - b)$.

*Exemple:* L'équation de l'ellipse ci-dessous est $\frac{(x-2)^2}{9} + \frac{(y+1)^2}{4} = 1$. Les sommets
de cette ellipse sont donc $(5, ^-1)$, $(^-1, ^-1)$, $(2, 1)$ et $(2, ^-3)$.

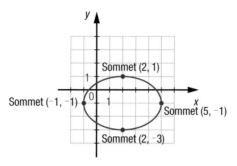

❻ ◆ TS et SN Points situés à l'extrémité de chaque branche d'une **hyperbole**.

- Les coordonnées des sommets
  d'une hyperbole dont l'équation est
  $\frac{(x-h)^2}{a^2} - \frac{(y-k)^2}{b^2} = 1$ sont $(h + a, k)$
  et $(h - a, k)$.

  *Exemple:* L'équation de l'hyperbole
  ci-dessous est $\frac{(x-2)^2}{9} - \frac{(y+1)^2}{4} = 1$.
  Les sommets de cette hyperbole sont
  donc $(5, ^-1)$ et $(^-1, ^-1)$.

- Les coordonnées des sommets
  d'une hyperbole dont l'équation est
  $\frac{(x-h)^2}{a^2} - \frac{(y-k)^2}{b^2} = ^-1$ sont $(h, k + b)$
  et $(h, k - b)$.

  *Exemple:* L'équation de l'hyperbole
  ci-dessous est $\frac{(x+1)^2}{9} - \frac{(y-1)^2}{16} = ^-1$.
  Les sommets de cette hyperbole sont
  donc $(^-1, 5)$ et $(^-1, ^-3)$.

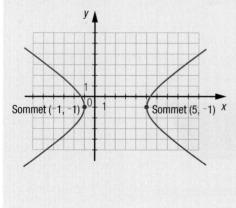

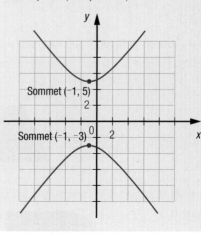

a
b
c
d
e
f
g
h
i
j
k
l
m
n
o
p
q
r
**s**
t
u
v
w
x
y
z

❼ ◆ TS et SN Point situé à l'extrémité d'une **parabole.**

Les coordonnées du sommet d'une parabole sont toujours (h, k), peu importe
si l'équation est $(y - k)^2 = 4c(x - h)$ ou $(x - h)^2 = 4c(y - k)$.

*Exemple:* L'équation de la parabole ci-dessous est $(y - 2)^2 = 4(x - 3)$. Le sommet
de cette parabole est donc (3, 2).

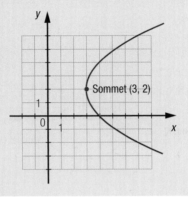

**sommets adjacents**

❶ ◆ CST Dans un graphe, sommets reliés par une arête.

*Exemple:* Dans le graphe ci-dessous, a et e, a et d, b et c, b et e, c et d, ainsi que d et e
sont des sommets adjacents.

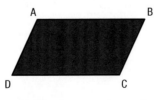

❷ ◆ Dans un polygone, sommets reliés par un même côté.

*Exemple:* Dans le parallélogramme ci-dessous, A et B, B et C, C et D, ainsi que A et D
sont des sommets adjacents.

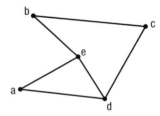

❸ ◆ Dans un polyèdre, sommets reliés par une même arête.

*Exemple:*

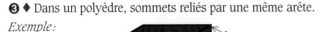

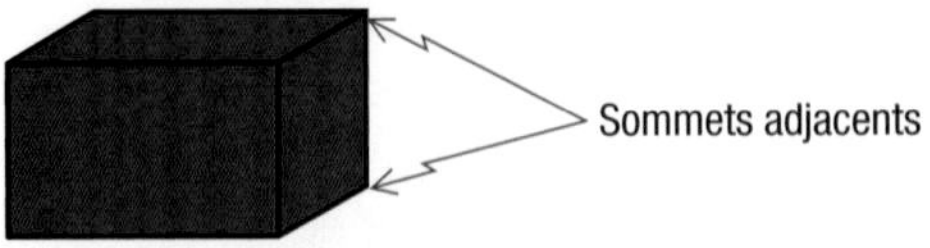

Sommets adjacents

## sondage nom masculin

◆ Recherche d'informations sur un sous-ensemble d'une population afin de tirer des conclusions sur l'ensemble de cette population.

## source de biais nom féminin

◆ En statistique, fait ou situation pouvant mener à des conclusions erronées.

Voici des sources de biais possibles :

- un échantillon non représentatif de la population ;
- une mauvaise formulation de la question ;
- l'attitude de la personne effectuant le sondage ;
- une représentation inadéquate des résultats obtenus ;
- une erreur de traitement lors de la compilation des données.

## sous-ensemble [⊂ ou ⊆] nom masculin

◆ Ensemble dont tous les éléments appartiennent à un autre ensemble.

*Exemple :* L'ensemble A est un sous-ensemble de l'ensemble B, car tous les éléments de A appartiennent à B.

A = {2, 4, 6, 8}
B = {1, 2, 3, 4, 5, 6, 7, 8, 9}

Alors A ⊆ B (A est un sous-ensemble de B).

## soustraction [−] nom féminin

◆ Opération permettant, à partir de deux nombres, d'en obtenir un autre appelé *différence.*

Le sens de la soustraction est d'enlever une quantité à une autre, de trouver une quantité manquante ou de comparer des quantités entre elles.

## sphère nom féminin

◆ Lieu des points de l'espace situés à une même distance d'un point appelé *centre.*
Une sphère est une **surface.**

- L'aire totale, $A_T$, d'une sphère de rayon $r$ se calcule ainsi : $A_T = 4\pi r^2$
- Le volume, $V$, d'une sphère de rayon $r$ se calcule ainsi : $V = \frac{4\pi r^3}{3}$

*Exemple :*

## statistique nom féminin

◆ Branche des mathématiques consistant à recueillir des informations, puis à les analyser afin d'établir des hypothèses utilisées pour prédire des événements.

**substitution** (méthode de) nom féminin
♦ Méthode de résolution algébrique de systèmes d'équations de la forme a$x$ + b$y$ = c et $y$ = a$x$ + b.

| Méthode | Exemple:<br>**5x + 3y = 10**<br>**y = 2x − 4** |
|---|---|
| 1. Remplacer l'inconnue isolée dans l'une des équations par l'expression qui lui est égale dans l'autre équation pour former une équation à une seule inconnue. | $5x + 3(2x − 4) = 10$ |
| 2. Résoudre l'équation obtenue. | $5x + 6x − 12 = 10$<br>$11x = 22$<br>$x = 2$ |
| 3. Remplacer la valeur obtenue dans l'une des équations de départ afin de déterminer la valeur de l'autre inconnue. | $y = 2(2) − 4$<br>$y = 0$ |

**suite** nom féminin
♦ Liste d'éléments placés dans un ordre déterminé.

### suite arithmétique
♦ Suite de nombres dans laquelle la différence entre deux termes consécutifs est une constante appelée **raison.**

*Exemple:* 5, 10, 15, 20, 25, ... est une suite arithmétique.

$\underset{-5}{\frown}$ $\underset{-5}{\frown}$ $\underset{-5}{\frown}$ $\underset{-5}{\frown}$

### suite géométrique
Suite de nombres dans laquelle le rapport entre deux termes consécutifs est une constante appelée **raison**.

*Exemple:* 5, 25, 125, 625, ... est une suite géométrique.

$\underset{\div5}{\frown}$ $\underset{\div5}{\frown}$ $\underset{\div5}{\frown}$

### suite numérique
♦ Liste de nombres placés dans un ordre déterminé.
*Exemple:* 1, 2, 3, 4, 5, 6, ...

**superficie** nom féminin
Mesure d'une surface délimitée par une figure.
➜ Voir **aire.**

**surface** nom féminin
♦ Portion continue d'un plan ou de l'ensemble des points qui limitent un solide.

*Exemples:* 1) Surface  2) Surface

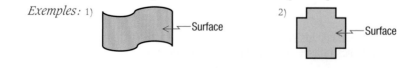

### surface conique
◆ TS et SN Surface engendrée par une droite, appelée *génératrice,* se déplaçant de façon circulaire autour d'un axe en passant par un point fixe, appelé *apex.*

*Exemple:*

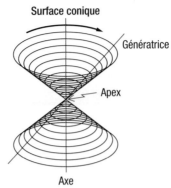

### surface courbe
◆ Surface sur laquelle il existe deux points qu'on ne peut relier par un segment de droite qu'elle contiendrait entièrement.

*Exemple:* Une sphère est une surface courbe.

### surface plane
◆ Surface qui contient entièrement le segment PQ, quels que soient les points P et Q.

*Exemples:* Le triangle et le parallélogramme sont des surfaces planes.

1)     2)

## symbole nom masculin
◆ Signe graphique utilisé, par convention, pour représenter une chose.
👁 Voir Annexe 5.

## symétrie glissée nom féminin
Transformation géométrique composée d'une réflexion (symétrie) d'axe *d,* suivie d'une translation *t* de même direction que l'axe *d.*

*Exemple:* On applique une réflexion d'axe *d* à la figure initiale rouge pour obtenir la figure bleue. On applique ensuite une translation *t* de même direction que l'axe *d* à la figure bleue pour obtenir la figure mauve.

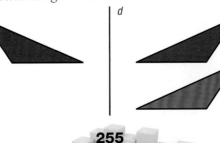

**système** nom masculin

♦ Ensemble d'objets et ensemble de règles et de conditions s'appliquant à ces objets.

### système de numération

♦ Système permettant d'écrire des nombres et d'effectuer des calculs.

Dans le système de numération en base dix, la valeur d'un chiffre dépend de sa position. C'est donc un système de type positionnel. Chaque position vaut 10 fois la valeur de la position située immédiatement à sa droite.

| Valeur | Position |
|---|---|
| 1 | unités |
| $10 \times 1 = 10$ | dizaines |
| $10 \times 10 = 100$ | centaines |
| $10 \times 100 = 1\,000$ | unités de mille |
| $10 \times 1\,000 = 10\,000$ | dizaines de mille |
| $10 \times 10\,000 = 100\,000$ | centaines de mille |
| $10 \times 100\,000 = 1\,000\,000$ | unités de millions |
| $10 \times 1\,000\,000 = 10\,000\,000$ | dizaines de millions |
| $10 \times 10\,000\,000 = 100\,000\,000$ | centaines de millions |
| $10 \times 100\,000\,000 = 1\,000\,000\,000$ | unités de milliards |

### système d'équations

♦ Ensemble d'au moins deux équations que l'on peut résoudre à l'aide de diverses stratégies.

➤ Voir **résolution d'un système d'équations.**

### système d'équations du premier degré à deux inconnues

♦ Ensemble de deux ou plusieurs équations du premier degré à deux inconnues devant être vérifiées simultanément.

➤ Voir **résolution d'un système d'équations.**

### système d'inéquations du premier degré à deux inconnues

♦ Ensemble de deux ou plusieurs inéquations du premier degré à deux inconnues qu'on cherche à vérifier simultanément.

Dans le plan cartésien, on peut représenter un système d'inéquations du premier degré à deux inconnues par le graphique de chaque équation et trouver la région du plan correspondant à l'ensemble-solution.

*Exemple:* Soit le système d'inéquations suivant:
$y \leq 2x - 3$ et $y \geq {}^-x + 4$.

L'ensemble-solution est représentée par la portion «ombrée» dans le graphique ci-contre.

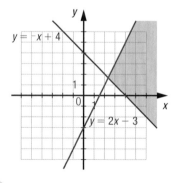

### système international d'unités [SI]

◆ Convention internationale définissant les différentes **unités de mesure** de longueur, de masse, de temps, de courant électrique, de température thermodynamique, de quantité de matière, d'intensité lumineuse, etc.

*Exemple:*

**Unités de base du SI**

| Grandeur de base | Nom |
|---|---|
| longueur | mètre |
| masse | kilogramme |
| temps | seconde |
| courant électrique | ampère |
| température thermodynamique | kelvin |
| quantité de matière | mole |
| intensité lumineuse | candela |

Le mètre est l'unité de longueur de base du SI. C'est un système décimal. Toutes les autres unités sont formées d'un préfixe et du mot *mètre*.

*Exemple:*

| Nom de l'unité de mesure | Symbole | Notation scientifique | Valeur par rapport au mètre |
|---|---|---|---|
| **pico**mètre | pm | $10^{-12}$ | 0,000 000 000 001 m |
| **nano**mètre | nm | $10^{-9}$ | 0,000 000 001 m |
| **micro**mètre | μm | $10^{-6}$ | 0,000 001 m |
| **milli**mètre | mm | $10^{-3}$ | 0,001 m |
| **centi**mètre | cm | $10^{-2}$ | 0,01 m |
| **déci**mètre | dm | $10^{-1}$ | 0,1 m |
| **mètre** | m | $10^{0}$ | 1 m |
| **déca**mètre | dam | $10^{1}$ | 10 m |
| **hecto**mètre | hm | $10^{2}$ | 100 m |
| **kilo**mètre | km | $10^{3}$ | 1 000 m |
| **méga**mètre | Mm | $10^{6}$ | 1 000 000 m |
| **giga**mètre | Gm | $10^{9}$ | 1 000 000 000 m |
| **téra**mètre | Tm | $10^{12}$ | 1 000 000 000 000 m |

a
b
c
d
e
f
g
h
i
j
k
l
m
n
o
p
q
r
s
t
u
v
w
x
y
z

### table de valeurs nom féminin

♦ Mode de représentation d'une **suite** mettant en relation le **rang** et le **terme** correspondant ou mode de représentation de deux éléments variables dont l'un dépend de l'autre.

*Exemples :* 1) Soit la suite numérique
4, 7, 10, …

| Rang | 1 | 2 | 3 | … |
|---|---|---|---|---|
| Terme | 4 | 7 | 10 | … |

2) On veut représenter la distance parcourue $y$ (en km) par un cycliste roulant à vitesse constante, en fonction du temps $x$ (en h).

| x | y |
|---|---|
| 0 | 0 |
| 1 | 20 |
| 2 | 40 |
| 3 | 60 |

### tableau nom masculin

♦ Présentation claire et concise facilitant la consultation d'une série de données.

*Exemple :*

**Altitude de certaines montagnes du Québec**

| Montagne | Altitude (en m) |
|---|---|
| Mont Tremblant | 968 |
| Mont Sainte-Anne | 800 |
| Mont Saint-Bruno | 213 |
| Mont Saint-Sauveur | 416 |

### tableau à double entrée

♦ Présentation d'une distribution à deux variables afin de qualifier le type et le sens de la **corrélation** possible entre ces deux variables dans une population donnée.

Dans un tableau à double entrée :

• les valeurs d'une variable sont présentées en colonne, celles de l'autre variable, en ligne ;

• les données peuvent être regroupées en classes ;

• la case inférieure droite montre l'effectif total de la distribution ;

• la corrélation est dite *linéaire* lorsque la majorité des éléments suivent l'une des deux diagonales du tableau.

*Exemple:* On veut savoir s'il existe un lien entre le nombre d'enfants dans une famille et le nombre d'années de vie commune des parents dans une population formée de 165 familles.

**Nombre d'enfants par famille**

| Nombre d'années de vie commune | 0 | 1 | 2 | 3 | 4 | 5 | Total |
|---|---|---|---|---|---|---|---|
| [0, 5[ | 8 | 10 | 4 | 1 | 0 | 0 | 23 |
| [5, 10[ | 5 | 12 | 8 | 3 | 0 | 0 | 28 |
| [10, 15[ | 3 | 7 | 13 | 2 | 2 | 0 | 27 |
| [15, 20[ | 1 | 5 | 15 | 4 | 3 | 1 | 29 |
| [20, 25[ | 0 | 3 | 12 | 7 | 5 | 2 | 29 |
| [25, 30[ | 1 | 2 | 11 | 10 | 3 | 2 | 29 |
| Total | 18 | 39 | 63 | 27 | 13 | 5 | 165 |

**tableau de données condensées**
♦ Présentation d'une distribution comportant un grand nombre de données, parfois répétitives. L'effectif est compilé pour chaque **modalité** ou valeur de la variable étudiée.

*Exemple:*

**Âge des élèves d'un groupe**

| Âge | Effectif |
|---|---|
| 13 | 9 |
| 14 | 15 |
| 15 | 6 |
| Total | 30 |

**tableau de données groupées en classes**
♦ Présentation d'un grand nombre de données, pas nécessairement répétitives.
Les données sont compilées et groupées en classes, chacune correspondant à un intervalle de la forme [borne inférieure, borne supérieure[.

Pour construire un tableau de données groupées en classes, il faut déterminer le nombre et l'amplitude des classes, c'est-à-dire l'écart entre les bornes de chaque classe.
- Un tableau de données groupées en classes compte habituellement de 5 à 15 classes.
- La formule suivante donne une estimation de l'amplitude des classes.

$$\text{Amplitude} = \frac{\text{étendue}}{\text{nombre de classes}}$$

*Exemple:*

**Résultats des élèves d'un groupe à l'examen de mathématiques**

| Résultats | [30, 40[ | [40, 50[ | [50, 60[ | [60, 70[ | [70, 80[ | [80, 90[ | [90, 100] | Total |
|---|---|---|---|---|---|---|---|---|
| Effectif | 2 | 5 | 3 | 2 | 10 | 8 | 5 | 35 |

a
b
c
d
e
f
g
h
i
j
k
l
m
n
o
p
q
r
s
**t**
u
v
w
x
y
z

**tableau de distribution**
◆ Présentation de la compilation de données recueillies lors d'une étude statistique.
La répartition des données s'exprime selon les effectifs ou les fréquences.

- L'effectif est le nombre d'occurences de chaque modalité ou valeur.
- La fréquence est égale au rapport d'un effectif à l'effectif total et s'exprime généralement en pourcentage.

$$\text{Fréquence (en pourcentage)} = \frac{\text{effectif d'une modalité ou d'une valeur}}{\text{effectif total}} \times 100$$

*Exemple:*

**Couleur préférée**

| Couleur | Effectif | Fréquence (%) |
|---------|----------|---------------|
| Rouge | 13 | 26 |
| Bleu | 18 | 36 |
| Vert | 12 | 24 |
| Jaune | 7 | 14 |
| **Total** | **50** | **100** |

**taille** [N ou n] nom féminin
◆ Nombre d'éléments d'une population ou d'un échantillon.

La taille d'une population est souvent notée *N,* celle d'un échantillon, *n.*

**tangente** [tan] nom féminin
❶ ◆ Dans un triangle rectangle, rapport entre la mesure de la cathète opposée à un angle et la mesure de la cathète adjacente à cet angle.

$$\tan A = \frac{\text{mesure de la cathète opposée à l'angle A}}{\text{mesure de la cathète adjacente à l'angle A}}$$

La tangente d'un angle est aussi le rapport du sinus au cosinus de cet angle.

$$\tan A = \frac{\sin A}{\cos A}$$

*Exemple:* Soit le triangle ABC ci-contre.

$\tan A = \frac{5}{12}$

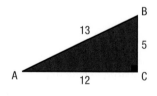

❷ ◆ TS et SN Soit P$(x, y)$, un point d'un cercle trigonométrique centré à l'origine et de rayon $r$. La tangente de $\theta$, l'angle formé par le rayon OP et l'axe positif des abscisses, est égale au rapport $\frac{y}{x}$.

*Exemple :*

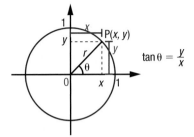

❸ ◆ Position limite d'une droite sécante à une courbe passant par deux points P et P' lorsque le point P' se rapproche de plus en plus du point P.

> • Par abus de langage, on dit souvent qu'une droite tangente touche une courbe en un seul point.
> • La tangente à un cercle en un point donné est perpendiculaire au rayon du cercle passant par ce point.
>
> *Exemple :*
>
>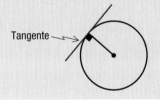

*Exemple :* La droite $d$ est tangente à la courbe au point P.

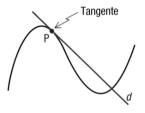

**taux** nom masculin
◆ Mode de comparaison entre deux quantités ou deux grandeurs, souvent de nature différente, exprimées à l'aide d'unités différentes et faisant intervenir la notion de division.

*Exemples :*

1) $\frac{2,99\,\$}{12 \text{ pommes}}$
2) $\frac{1,14\,\$}{1 \text{ litre d'essence}}$

**taux de variation**

♦ Dans une relation entre deux variables, comparaison entre deux variations correspondantes de ces variables.

Taux de variation = $\dfrac{\text{variation de la variable dépendante}}{\text{variation de la variable indépendante}}$

- En prenant deux points $(x_1, y_1)$ et $(x_2, y_2)$ de la table de valeurs de la relation entre deux variables, on peut calculer le taux de variation de la façon suivante :
  
  Taux de variation = $\dfrac{\Delta y}{\Delta x} = \dfrac{y_2 - y_1}{x_2 - x_1}$
- Graphiquement, le taux de variation est égal au rapport entre la variation des $y$ et la variation des $x$.

*Exemple :*

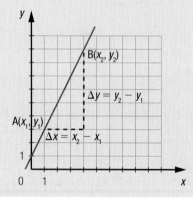

*Exemple :* Amélie possède 50 \$ dans son compte de banque et veut y déposer 10 \$ par semaine. Le taux de variation de l'avoir d'Amélie $y$ (en \$) en fonction du temps $x$ (en semaines) est 10 \$. Le graphique ci-dessous représente cette situation.

Taux de variation = $\dfrac{\Delta y}{\Delta x}$

$= \dfrac{40\,\$}{4 \text{ semaines}}$

$= 10\,\$\,/\,\text{semaine}$

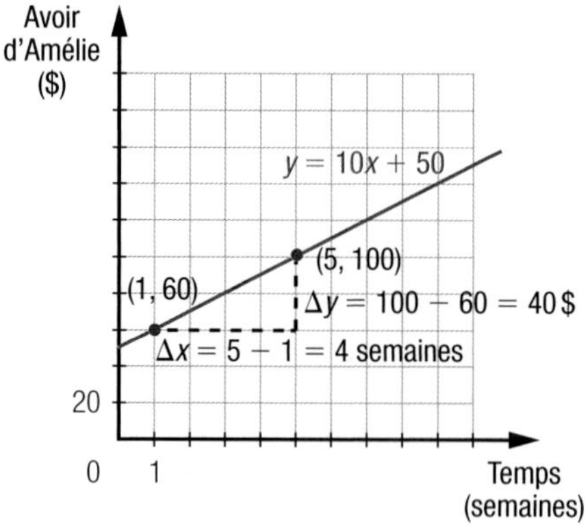

**taux équivalents**

♦ Taux ayant le même quotient.

*Exemple :* $\dfrac{2,99\,\$}{1\text{ kg}}$ et $\dfrac{8,97\,\$}{3\text{ kg}}$ sont des taux équivalents.

#### taux unitaire
◆ Taux dont le dénominateur est 1.

*Exemples:*
1) 5,99 $/kg          2) 100 km/h

### température nom féminin
◆ Grandeur caractéristique de l'état d'un corps plus ou moins chaud. La température est généralement mesurée en degré Celsius, en degré Fahrenheit ou en Kelvin.

*Exemple:* La température du corps humain est d'environ 37 °C.

### temps nom masculin
◆ Durée d'un phénomène.

Les principales unités de mesure du temps sont:
- la seconde;
- la minute (60 secondes);
- l'heure (60 minutes);
- le jour (24 heures);
- le mois (28, 29, 30 ou 31 jours);
- l'année (365 ou 366 jours).

### tendance nom féminin
◆ En statistique, valeur vers laquelle tendent des données observées sur une longue période.

➜ Voir **mesure de tendance centrale.**

### terme nom masculin
❶ ◆ Chaque nombre intervenant dans une addition ou dans une soustraction. Un terme peut aussi désigner les facteurs d'une multiplication ou d'une division.

*Exemple:* $3 + 8 \div 2 = 7$

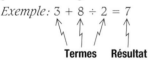

❷ ◆ Chaque élément d'une suite.

*Exemple:* Soit la suite 3, 9, 15, 21, 27, 33, ...

**Termes**

❸ ◆ Chaque composante d'un polynôme. Plus généralement, chaque élément d'une expression algébrique, composé d'un nombre ou d'un produit de variables et d'un **coefficient.**

*Exemple:* Dans l'expression algébrique $5x^2y + x + 12$, on compte 3 termes: $5x^2y$, $x$ et 12.

#### terme constant
◆ Terme composé uniquement d'un nombre ou dans lequel ne figure aucune variable.

*Exemple:* Dans $5x^2 - 3x + 4$, 4 est un terme constant.

**termes semblables**

♦ Termes composés des mêmes variables affectées des mêmes exposants. Les termes constants sont donc semblables entre eux.

*Exemples:*

1) $3xy^2$ et $-8xy^2$ sont des termes semblables.

2) 12 et 5 sont des termes semblables.

**tétraèdre** nom masculin

♦ Polyèdre composé de quatre faces triangulaires.

> Le tétraèdre régulier est un polyèdre composé de quatre faces triangulaires équilatérales isométriques.

*Exemple:*

**théorème** nom masculin

♦ Énoncé mathématique pour lequel existe une démonstration reposant sur des définitions, des axiomes ou des théorèmes déjà démontrés. L'énoncé d'un théorème se compose de suppositions appelées *hypothèses* et d'une conséquence appelée *conclusion.* L'énoncé d'une conjecture devient un théorème dès qu'on en a trouvé une démonstration.

**tiers** nom masculin

♦ Une des trois parties égales d'un tout. Un tiers est synonyme d'un troisième.

*Exemple:* La partie en rouge représente le tiers du cercle.

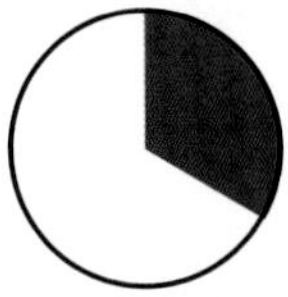

**tonne** [t] nom féminin

Unité de mesure de masse égale à 1 000 kilogrammes. On l'appelle aussi *tonne métrique.*

**trajectoire** nom féminin

Ligne décrivant le mouvement d'un point ou du centre de gravité d'un objet dans un espace.

## transformation géométrique nom féminin

◆ Application d'un plan ou d'un espace à lui-même. La transformation géométrique permet d'associer, à toute figure initiale, une figure image. Si un point de la figure initiale est identifié par A, alors le point homologue de la figure image est noté A' (se lit « A prime »).

- Les principales transformations géométriques sont:
  - la **translation**; – la **réflexion**;
  - la **rotation**; – l'**homothétie**.
- Les transformations géométriques associant des figures isométriques (translation, rotation et réflexion) sont des **isométries.**
- La transformation géométrique associant des figures semblables (homothétie) peut être appelée une **similitude.**
- Une transformation géométrique dans le plan cartésien consiste à associer les points de ce plan à d'autres points du même plan.
- Dans le plan cartésien, les transformations géométriques peuvent être définies en effectuant le produit d'une matrice de coordonnées d'une figure initiale donnée par une matrice de transformation.

## translation [*t*] nom féminin

❶ ◆ Transformation géométrique associant à toute figure initiale une figure image selon une direction, un sens et une longueur donnés.

- Le symbole *t* désigne une translation.
- Une flèche de translation décrit la translation: elle en indique la direction, le sens et la longueur.

*Exemple:* La figure A'B'C'D' ci-dessous est l'image de la figure initiale ABCD par la translation *t*.

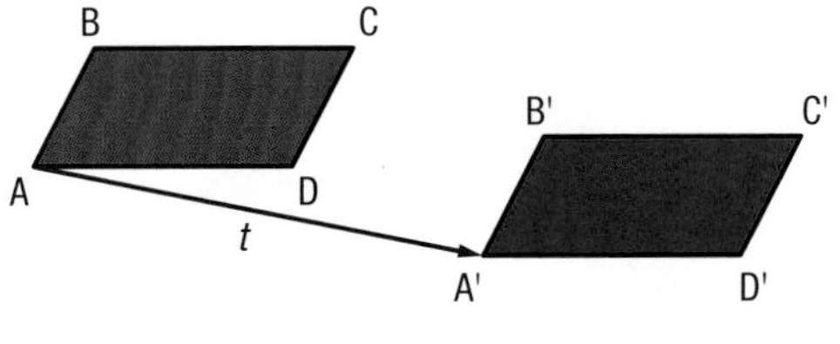

❷ ◆ Dans le plan cartésien, une translation *t* de a unités parallèlement à l'axe des abscisses et de b unités parallèlement à l'axe des ordonnées peut être définie de la façon suivante.

$t_{(a, b)}: (x, y) \rightarrow (x + a, y + b)$

*Exemple:* Le triangle A'B'C' est l'image du triangle ABC par la translation
$t_{(5, -4)}: (x, y) \mapsto (x + 5, y - 4)$

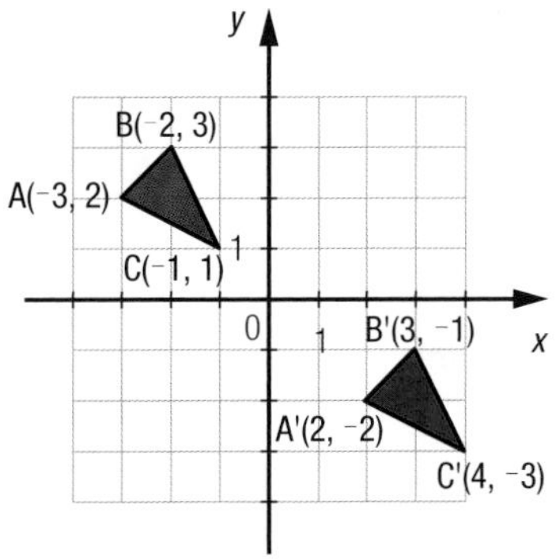

**265**

**❸** ◆ ᴛs Dans le plan cartésien, une translation *t* de a unités parallèlement à l'axe des abscisses et de b unités parallèlement à l'axe des ordonnées peut être définie à l'aide de la matrice de transformation suivante.

$$t_{(a,\, b)} = \begin{pmatrix} 1 & 0 \\ 0 & 1 \\ a & b \end{pmatrix}$$

À la matrice des coordonnées de la figure initiale, on ajoute une 3ᵉ colonne dont chaque élément est 1.

*Exemple :* On détermine ainsi les coordonnées des sommets du triangle A'B'C', image du triangle ABC, par la translation $t_{(-6,\, -3)}$.

$$\begin{pmatrix} 1 & 1 & 1 \\ 4 & 2 & 1 \\ 3 & 1 & 1 \end{pmatrix} \times \begin{pmatrix} 1 & 0 \\ 0 & 1 \\ -6 & -3 \end{pmatrix} = \begin{pmatrix} -5 & -2 \\ -2 & -1 \\ -3 & -2 \end{pmatrix}$$

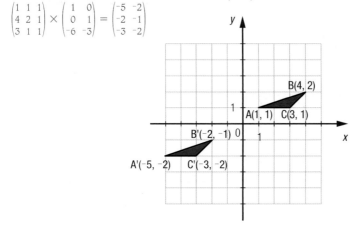

**trapèze** nom masculin
◆ Quadrilatère ayant deux côtés parallèles.
*Exemple :* $\overline{AD}\!/\!/\overline{BC}$

**trapèze isocèle**
◆ Trapèze dont les deux côtés non parallèles sont isométriques.
*Exemple :* $\overline{AD}\!/\!/\overline{BC}$ et $\overline{AB} \cong \overline{DC}$

**trapèze rectangle**
◆ Trapèze ayant deux angles droits.
*Exemple :* $\overline{AD}\!/\!/\overline{BC}$ et m ∠ A = m ∠ B = 90°

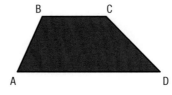

**triangle** nom masculin
 ♦ Polygone à trois côtés.

• **Classification des triangles**

| Caractéristiques selon la mesure des côtés | Nom | Représentation |
|---|---|---|
| Aucun côté isométrique | Scalène | 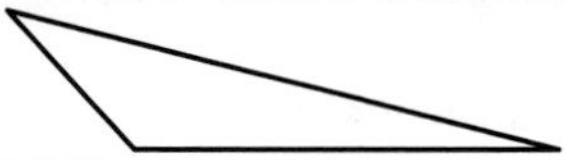 |
| Deux côtés isométriques | Isocèle | 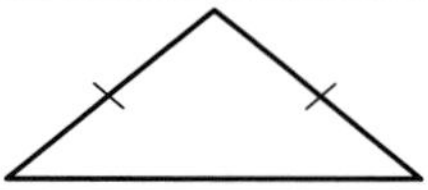 |
| Tous les côtés isométriques | Équilatéral | 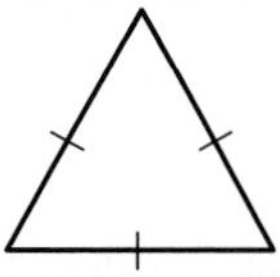 |

| Caractéristiques selon la mesure des angles | Nom | Représentation |
|---|---|---|
| Trois angles aigus | Acutangle | 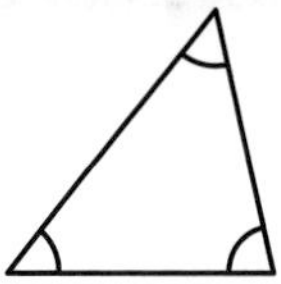 |
| Un angle obtus | Obtusangle | 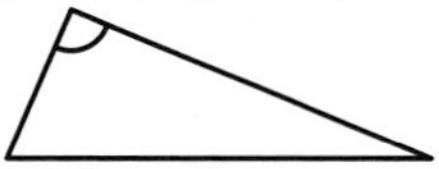 |
| Un angle droit | Rectangle | 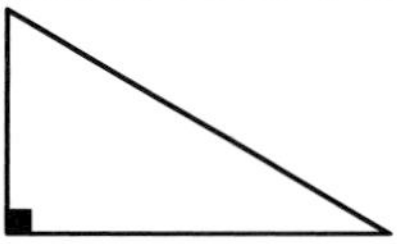 |
| Deux angles isométriques | Isoangle | 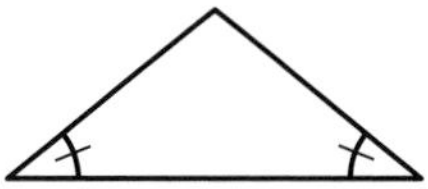 |
| Tous les angles isométriques | Équiangle | 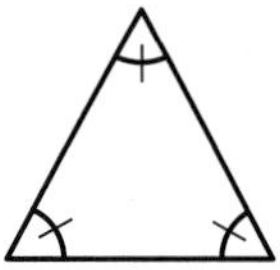 |

• **Remarques à propos des triangles**

1. La somme des mesures des angles intérieurs d'un triangle est 180°.
2. Dans un triangle, des côtés isométriques sont toujours opposés à des angles isométriques, et vice versa. Par conséquent, un triangle est isocèle si et seulement s'il est isoangle, et il est équilatéral si et seulement s'il est équiangle.

# triangle

### triangle acutangle

♦ Triangle ayant trois angles aigus.

*Exemple:*
m ∠ A = 50° < 90°
m ∠ B = 53° < 90°
m ∠ C = 77° < 90°

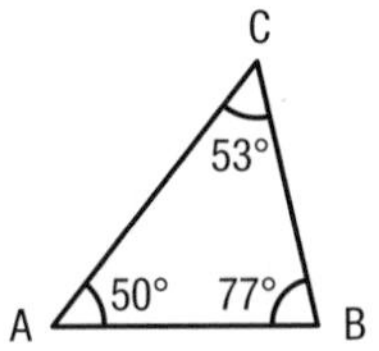

### triangle de Pascal

Aussi appelée *triangle arithmétique,* disposition de nombres où:
- la première ligne au sommet du triangle est 1;
- la deuxième ligne est 1 et 1;
- chaque ligne suivante débute toujours par 1 et se termine par 1;
- chaque autre nombre est déterminé en additionnant les deux nombres directement au-dessus de lui.

> Propriété du triangle de Pascal:
>
> La somme des éléments de la $n^e$ ligne est égale à $2^{n-1}$.
>
> *Exemple:* Le nombre 10 de la 6e ligne est obtenu en additionnant 4 et 6.
>
> La somme des éléments de la 6e ligne est
> $1 + 5 + 10 + 10 + 5 + 1 = 32 = 2^{6-1} = 2^5$.

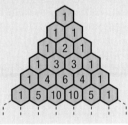

### triangle équiangle

♦ Triangle dont tous les angles sont isométriques et mesurent 60°.

*Exemple:*

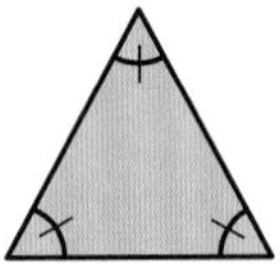

### triangle équilatéral

♦ Triangle dont tous les côtés sont isométriques.

*Exemple:*

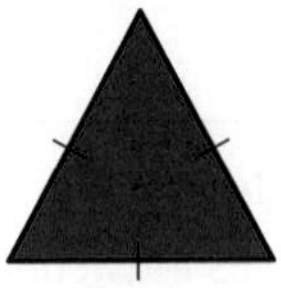

### triangle isoangle

♦ Triangle ayant deux angles isométriques.

*Exemple:*

**triangle isocèle**

♦ Triangle ayant deux côtés isométriques.

*Exemple :*

**triangle obtusangle**

♦ Triangle ayant un angle obtus.

*Exemple :*
m ∠ B = 115°
et 90° < 115° < 180°

**triangle rectangle**

♦ Triangle ayant un angle droit.

*Exemple :*

**triangle scalène**

♦ Triangle dont les trois côtés sont d'inégales longueurs.

*Exemple :*

3,9 cm
1,9 cm
2,9 cm

**triangles isométriques**

♦ Triangles dont les angles et les côtés homologues sont isométriques.

➤ Voir **conditions minimales des triangles isométriques.**

*Exemple :* Δ ABC ≅ Δ A'B'C'

**triangles semblables**

♦ Triangles dont les angles homologues sont isométriques, et les mesures des côtés homologues, proportionnelles.

➤ Voir **conditions minimales des triangles semblables.**

*Exemple :* Δ ABC ∼ Δ A'B'C'

1 cm   1,7 cm   1,4 cm   2,38 cm
1,5 cm   2,1 cm

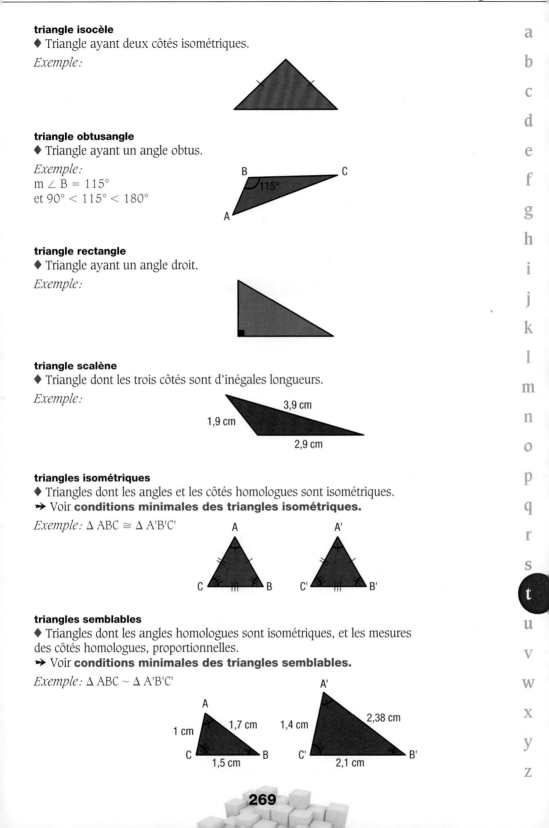

**trigonométrie** nom féminin
- ♦ Branche des mathématiques étudiant les relations entre la mesure des angles et celle des côtés d'un triangle.

**trimestre** nom masculin
- ♦ Période de temps d'une durée de trois mois. Il y a quatre trimestres dans une année.

**trinôme** nom masculin
- ♦ **Polynôme** ayant trois termes.

*Exemple:* Le polynôme $x^2 + 2xy + 9$ est un trinôme.

### trinôme carré parfait

♦ TS et SN Trinôme de la forme $ax^2 + bx + c$, où a et c sont des nombres positifs non nuls et où $b = \pm 2 \times \sqrt{a} \times \sqrt{c}$. Ce trinôme peut aussi être exprimé sous la forme $(\sqrt{a}x \pm \sqrt{c})^2$.

Ce type de polynôme peut être factorisé de la façon suivante.

*Exemple:* Factoriser l'expression $4x^2 + 20x + 25$.

| Méthode | Exemple |
|---|---|
| 1. Vérifier si le trinôme possède les caractéristiques d'un carré parfait. | On a: a = 4, b = 20 et c = 25. On constate que: $4 > 0$; $25 > 0$ et $20 = 2 \times \sqrt{4} \times \sqrt{25}$. |
| 2. Déterminer si les facteurs sont des sommes ou des différences selon le signe du coefficient du terme médian. | Puisque le coefficient du terme médian est positif, chaque facteur correspond à une somme. $4x^2 + 20x + 25 = (\ldots + \ldots)^2$ |
| 3. Déterminer les facteurs. | • $4x^2$ est le carré de $2x$. • 25 est le carré de 5. Les facteurs sont donc $(2x + 5)$ et $(2x + 5)$. $4x^2 + 20x + 25 = (2x + 5)^2$ |

**triplet** nom masculin
Ensemble ordonné de trois éléments.

*Exemple:* (2, 4, 6) est un triplet.

### triplet pythagoricien

♦ Triplet de trois nombres naturels non nuls (a, b, c) vérifiant l'égalité de Pythagore $a^2 + b^2 = c^2$.

*Exemples:* 1) (9, 12, 15) est un triplet pythagoricien, car $9^2 + 12^2 = 15^2$.
2) (4, 5, 6) n'est pas un triplet pythagoricien, car $4^2 + 5^2 \neq 6^2$.

🖝 Voir **Pythagore**.

**trivial, triviale** adjectif
Qui est évident.

Un énoncé est trivial s'il est évident.

**tronquer** verbe transitif
- ♦ Éliminer volontairement des chiffres moins significatifs sans changer le dernier chiffre que l'on souhaite conserver.

*Exemple:* On peut tronquer le nombre $\pi = 3,141\,592\,654\ldots$ à $3,1415$.
Cependant, on peut arrondir le nombre $\pi = 3,141\,592\,654\ldots$ à $3,1416$.

**union** [U] nom féminin
➜ Voir **réunion.**

**unité** nom féminin
❶ ◆ Le plus petit élément entier dans la base de numération choisie. L'unité est la quantité qui permet de compter par 1 dans le système de numération en base dix.
❷ ◆ Dans la notation décimale d'un nombre, position située immédiatement à gauche de la virgule.
*Exemple :* Dans l'expression numérique décimale 546,32, le chiffre 6 occupe la position des unités.

### unité carrée [u²]
◆ Plus petit élément entier de la mesure d'une surface (aire). Une unité carrée équivaut à l'aire d'un carré dont la mesure d'un côté est de 1 unité.
*Exemple :* Aire = 1 unité × 1 unité = 1 unité carrée.

1 unité
1 unité

### unité cube [u³]
◆ Plus petit élément entier de la mesure d'un volume. Une unité cube équivaut au volume d'un cube dont la mesure d'un côté est de 1 unité.
*Exemple :* Volume = 1 unité × 1 unité × 1 unité = 1 unité cube.

1 unité
1 unité
1 unité

### unité d'aire
◆ Unité de mesure d'une aire. Le mètre carré est l'unité d'aire de base du **système international d'unités (SI).**

$\div 100 \quad \div 100 \quad \div 100 \quad \div 100 \quad \div 100 \quad \div 100$

km² hm² dam² m² dm² cm² mm²

$\times 100 \quad \times 100 \quad \times 100 \quad \times 100 \quad \times 100 \quad \times 100$

a
b
c
d
e
f
g
h
i
j
k
l
m
n
o
p
q
r
s
t
**u**
v
w
x
y
z

**unité de capacité**

♦ Unité de mesure d'un volume utilisée pour des liquides. Dans le système métrique, le litre est l'unité de capacité de base.

$$\div 10 \quad \div 10 \quad \div 10 \quad \div 10 \quad \div 10 \quad \div 10$$

kl   hl   dal   l   dl   cl   ml

$$\times 10 \quad \times 10 \quad \times 10 \quad \times 10 \quad \times 10 \quad \times 10$$

**unité de longueur**

♦ Unité de mesure d'une grandeur géométrique à une dimension. Le mètre est l'unité de longueur de base du **système international d'unités (SI)**.

$$\div 10 \quad \div 10 \quad \div 10 \quad \div 10 \quad \div 10 \quad \div 10$$

km   hm   dam   m   dm   cm   mm

$$\times 10 \quad \times 10 \quad \times 10 \quad \times 10 \quad \times 10 \quad \times 10$$

**unité de mesure**

♦ Grandeur de référence servant à mesurer d'autres grandeurs de même nature.

> Il existe, entre autres, des unités de mesure pour la longueur, le volume, la masse, l'aire, la capacité, la température, etc.

👁 Voir Annexe 4.

**unité de mille**

♦ Groupe de 1 000 unités ou 10 groupes de 100 unités. Dans la notation décimale d'un nombre, l'unité de mille est la quatrième position située immédiatement à gauche de la virgule.

*Exemple :* Dans l'expression numérique décimale 12 845,65, le chiffre 2 occupe la position des unités de mille et il y a 12 unités de mille.

**unité de volume**

♦ Unité de mesure d'un volume. Le mètre cube est l'unité de volume de base du **système international d'unités (SI)**.

$$\div 1000 \quad \div 1000 \quad \div 1000 \quad \div 1000 \quad \div 1000 \quad \div 1000$$

$km^3$   $hm^3$   $dam^3$   $m^3$   $dm^3$   $cm^3$   $mm^3$

$$\times 1000 \quad \times 1000 \quad \times 1000 \quad \times 1000 \quad \times 1000 \quad \times 1000$$

**univers des possibles** [Ω] nom masculin

♦ Ensemble de tous les résultats possibles d'une expérience aléatoire.

*Exemple :* Lors du lancer d'une pièce de monnaie, l'univers des possibles est $\Omega = \{$pile, face$\}$.

# V v

## valeur nom féminin

❶ ◆ Nombre représentant une grandeur ou une variable.

❷ ◆ En statistique, forme des données à **caractère quantitatif.**

*Exemple:* Si l'on s'intéresse au nombre d'enfants dans les familles, les valeurs possibles sont 0, 1, 2, 3, 4, ...

## valeur absolue [|x|]

◆ Valeur positive d'un nombre.

- Par définition, on a:
  1. $|x| = x$, si $x \geq 0$
  2. $|x| = -x$, si $x < 0$

  *Exemples:*

  1) $|5| = 5$      2) $|{-12}| = 12$      3) $|{-3{,}32}| = 3{,}32$

- Les propriétés des valeurs absolues facilitent souvent des calculs ou des raisonnements.

| Propriété | Exemple |
|---|---|
| $\|a\| \geq 0$ | $\|{-8{,}4}\| = 8{,}4 \geq 0$ |
| $\|a\| = \|{-a}\|$ | $\|14\| = \|{-14}\| = 14$ |
| $\|a \times b\| = \|a\| \times \|b\|$ | $\|3 \times {-5}\| = \|3\| \times \|{-5}\| = 3 \times 5 = 15$ |
| $\left\|\dfrac{a}{b}\right\| = \dfrac{\|a\|}{\|b\|}$, où $b \neq 0$ | $\left\|\dfrac{-28}{7}\right\| = \dfrac{\|{-28}\|}{\|7\|} = \dfrac{28}{7} = 4$ |
| $\|x + y\| \leq \|x\| + \|y\|$ | $\|5 + {-3}\| \leq \|5\| + \|{-3}\|$ <br> $2 \leq 8$ |

## valeur critique

◆ Dans la représentation graphique d'une **fonction en escalier,** valeur prise par la variable indépendante lorsqu'elle correspond à une des extrémités d'une marche (rond plein ou rond vide).

*Exemple:* La fonction partie entière
$f(x) = -2[0{,}5(x + 1)] + 2$ peut être représentée graphiquement de la façon ci-contre:

Les valeurs critiques de cette fonction sont
..., $^-5$, $^-3$, $^-1$, 1, 3, 5, 7, ...

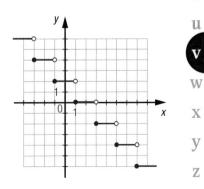

### valeur de position

◆ Valeur d'un chiffre en fonction de sa position dans l'écriture d'un nombre.

Dans le système de numération en base dix, chaque position possède une valeur 10 fois plus élevée que celle de la position immédiatement à sa droite.

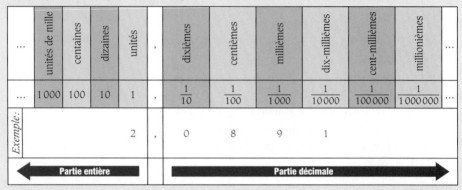

| Valeur | Position |
|---|---|
| $10 \times 100\,000\,000 = 1\,000\,000\,000$ | unités de milliards |
| $10 \times 10\,000\,000 = 100\,000\,000$ | centaines de millions |
| $10 \times 1\,000\,000 = 10\,000\,000$ | dizaines de millions |
| $10 \times 100\,000 = 1\,000\,000$ | unités de millions |
| $10 \times 10\,000 = 100\,000$ | centaines de mille |
| $10 \times 1\,000 = 10\,000$ | dizaines de mille |
| $10 \times 100 = 1\,000$ | unités de mille |
| $10 \times 10 = 100$ | centaines |
| $10 \times 1 = 10$ | dizaines |
| $1$ | unités |

### valeur d'un chemin

◆ CST Dans un **graphe orienté et valué,** somme des valeurs des **arcs** formant ce chemin.

*Exemple:* Dans le graphe ci-contre,
la valeur du chemin E-D-C-A est $2 + 1 + 6 = 9$.

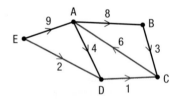

### valeur d'une chaîne

◆ CST Dans un **graphe valué,** somme des valeurs des **arêtes** formant cette chaîne.

*Exemple:* Dans le graphe ci-contre,
la valeur de la chaîne A-B-C-F est $4 + 1 + 7 = 12$.

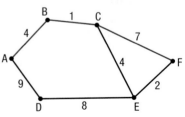

### valeur initiale

♦ Pour une fonction, valeur de la variable dépendante lorsque celle de la variable indépendante est zéro. Graphiquement, la valeur initiale est l'ordonnée à l'origine, c'est-à-dire l'ordonnée du point d'intersection de la courbe avec l'axe des ordonnées.

*Exemple:*

Pour la fonction $y = 2x + 3$, la valeur initiale est 3.

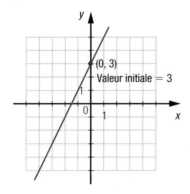

## validation nom féminin

♦ Vérification d'une démarche destinée à vérifier la validité d'un résultat.

## variable nom féminin

♦ Terme ayant habituellement la forme d'une simple lettre, auquel on peut attribuer des valeurs appartenant à un ensemble de référence donné.

*Exemple:* Dans la fonction $f(x) = 2 + x$, $x$ est une variable.

### variable aléatoire continue

♦ Variable susceptible de prendre n'importe quelle valeur d'un intervalle de nombres réels donné.

*Exemple:* 50 élèves donnent le temps qu'ils consacrent aux activités physiques dans une semaine. Ici, la variable aléatoire continue est le temps.

### variable aléatoire discrète

♦ Variable ne pouvant prendre que les valeurs entières d'un intervalle de nombres réels.

*Exemple:* 50 élèves disent combien ils ont de frères ou de sœurs. Ici, la variable aléatoire discrète est le nombre de frères ou de sœurs.

### variable dépendante

♦ Dans une relation entre deux variables, celle dont la variation réagit à la variation de l'autre.

*Exemple:* Dans la relation entre le temps requis pour déneiger une ville et le nombre de déneigeuses disponibles, la variable dépendante est le temps, car il dépend du nombre de déneigeuses.

a
b
c
d
e
f
g
h
i
j
k
l
m
n
o
p
q
r
s
t
u
v
w
x
y
z

**variable indépendante**
♦ Dans une relation entre deux variables, celle dont la variation entraîne la variation de l'autre.

*Exemple:* Dans la relation entre la distance parcourue par une voiture roulant à vitesse constante et le temps durant lequel elle se déplace, la variable indépendante est le temps de déplacement. Plus le temps augmente, plus la distance parcourue augmente.

**variable statistique**
♦ En statistique, caractéristique mesurée ou observée de la population étudiée.

**variation** nom féminin
❶ ♦ Écart entre deux valeurs d'une variable.

- Deux variables varient dans le même sens si, pour une variation positive (ou négative) des valeurs de l'une, la variation des valeurs de l'autre est également positive (ou négative).
- Deux variables varient en sens contraire si, pour une variation positive (ou négative) des valeurs de l'une, la variation des valeurs de l'autre est négative (ou positive).

❷ ♦ Pour une fonction, accroissement (positif, nul ou négatif) de la variable dépendante sur un intervalle donné de la variable indépendante.

Sur un intervalle du domaine, une fonction est:
- croissante lorsqu'une variation positive de la variable indépendante entraîne une variation positive de la variable dépendante;
- décroissante lorsqu'une variation positive de la variable indépendante entraîne une variation négative de la variable dépendante;
- constante lorsqu'une variation de la variable indépendante n'entraîne aucune variation de la variable dépendante.

*Exemple:* La fonction représentée ci-dessous est croissante sur l'intervalle [0, 4], constante sur l'intervalle [2, 4] et décroissante sur l'intervalle [2, 8].

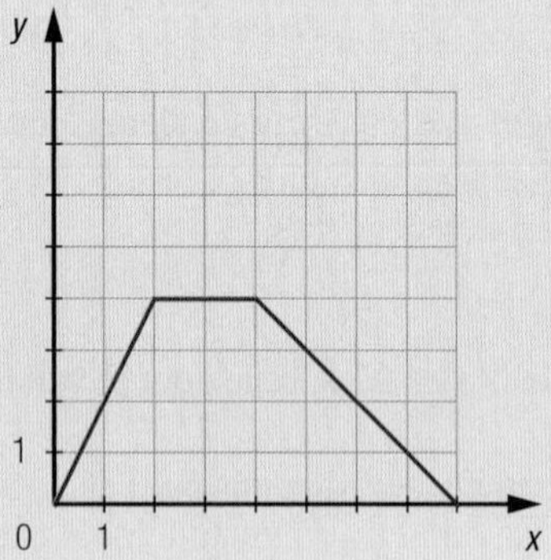

**vecteur** nom masculin

◆ TS et SN Objet mathématique permettant de spécifier simultanément une grandeur, une direction et un sens. La direction et le sens du vecteur constituent son orientation. Il peut être représenté graphiquement par un segment orienté ayant une origine et une extrémité.

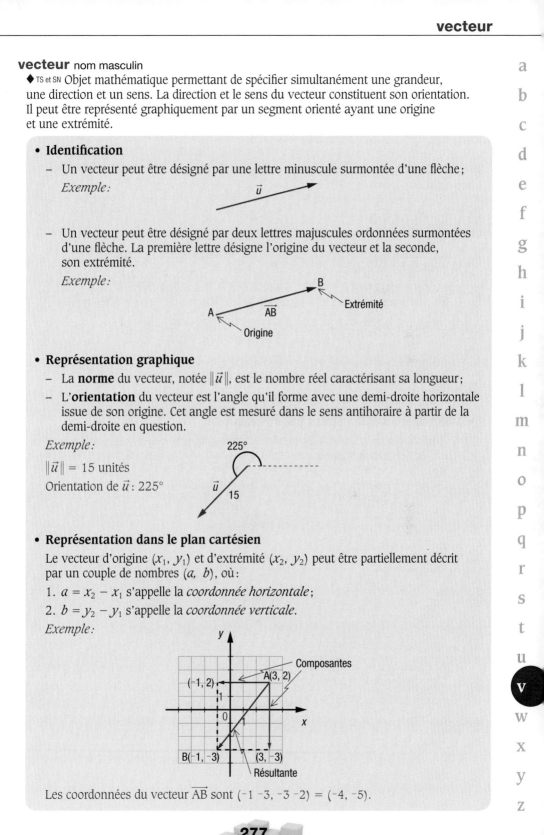

- **Identification**
  - Un vecteur peut être désigné par une lettre minuscule surmontée d'une flèche ;
    *Exemple :*

    $\vec{u}$

  - Un vecteur peut être désigné par deux lettres majuscules ordonnées surmontées d'une flèche. La première lettre désigne l'origine du vecteur et la seconde, son extrémité.
    *Exemple :*

    B
    Extrémité
    A  $\overrightarrow{AB}$
    Origine

- **Représentation graphique**
  - La **norme** du vecteur, notée $\|\vec{u}\|$, est le nombre réel caractérisant sa longueur ;
  - L'**orientation** du vecteur est l'angle qu'il forme avec une demi-droite horizontale issue de son origine. Cet angle est mesuré dans le sens antihoraire à partir de la demi-droite en question.

    *Exemple :*
    $\|\vec{u}\|$ = 15 unités
    Orientation de $\vec{u}$ : 225°

    225°

    $\vec{u}$  15

- **Représentation dans le plan cartésien**

  Le vecteur d'origine $(x_1, y_1)$ et d'extrémité $(x_2, y_2)$ peut être partiellement décrit par un couple de nombres $(a, b)$, où :

  1. $a = x_2 - x_1$ s'appelle la *coordonnée horizontale* ;
  2. $b = y_2 - y_1$ s'appelle la *coordonnée verticale*.

  *Exemple :*

  Composantes
  (⁻1, 2)  A(3, 2)
  B(⁻1, ⁻3)  (3, ⁻3)
  Résultante

  Les coordonnées du vecteur $\overrightarrow{AB}$ sont (⁻1 ⁻3, ⁻3 ⁻2) = (⁻4, ⁻5).

- **Addition et soustraction de vecteurs**
  - Soustraire un vecteur revient à additionner le vecteur opposé.
  - Par la **relation de Chasles,** si A, B et C sont trois points du plan, alors :
    $\overrightarrow{AB} + \overrightarrow{BC} = \overrightarrow{AC}$.

    *Exemple :*

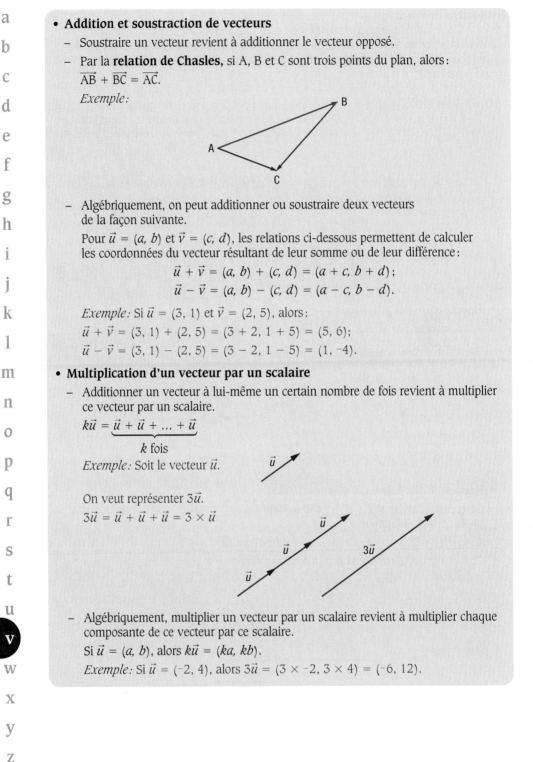

  - Algébriquement, on peut additionner ou soustraire deux vecteurs de la façon suivante.
    Pour $\vec{u} = (a, b)$ et $\vec{v} = (c, d)$, les relations ci-dessous permettent de calculer les coordonnées du vecteur résultant de leur somme ou de leur différence :
    $$\vec{u} + \vec{v} = (a, b) + (c, d) = (a + c, b + d) ;$$
    $$\vec{u} - \vec{v} = (a, b) - (c, d) = (a - c, b - d).$$

    *Exemple :* Si $\vec{u} = (3, 1)$ et $\vec{v} = (2, 5)$, alors :
    $$\vec{u} + \vec{v} = (3, 1) + (2, 5) = (3 + 2, 1 + 5) = (5, 6);$$
    $$\vec{u} - \vec{v} = (3, 1) - (2, 5) = (3 - 2, 1 - 5) = (1, {}^-4).$$

- **Multiplication d'un vecteur par un scalaire**
  - Additionner un vecteur à lui-même un certain nombre de fois revient à multiplier ce vecteur par un scalaire.
    $$k\vec{u} = \underbrace{\vec{u} + \vec{u} + ... + \vec{u}}_{k \text{ fois}}$$

    *Exemple :* Soit le vecteur $\vec{u}$.

    On veut représenter $3\vec{u}$.
    $$3\vec{u} = \vec{u} + \vec{u} + \vec{u} = 3 \times \vec{u}$$

  - Algébriquement, multiplier un vecteur par un scalaire revient à multiplier chaque composante de ce vecteur par ce scalaire.
    Si $\vec{u} = (a, b)$, alors $k\vec{u} = (ka, kb)$.
    *Exemple :* Si $\vec{u} = ({}^-2, 4)$, alors $3\vec{u} = (3 \times {}^-2, 3 \times 4) = ({}^-6, 12)$.

• **Produit scalaire de deux vecteurs**

– Le produit scalaire est une opération qui associe un scalaire à tout couple de vecteurs. Le produit scalaire des vecteurs $\vec{u}$ et $\vec{v}$ se note $\vec{u} \cdot \vec{v}$ et se lit « $\vec{u}$ produit scalaire $\vec{v}$ ».

– Géométriquement, $\vec{u} \cdot \vec{v} = \|\vec{u}\| \times \|\vec{v}\| \times \cos\theta$, où $\theta$ est l'angle formé par les deux vecteurs.

*Exemple :*

$\vec{u} \cdot \vec{v} = 2 \times 3 \times \cos 35° \approx 4{,}91$

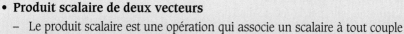

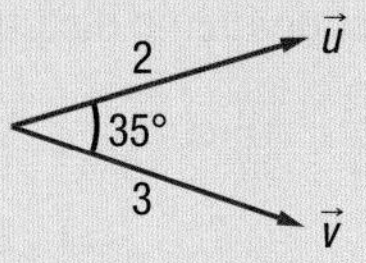

– Algébriquement, soit $\vec{u} = (a, b)$ et $\vec{v} = (c, d)$, alors $\vec{u} \cdot \vec{v} = ac + bd$.

*Exemple :* Si $\vec{u} = (3, 1)$ et $\vec{v} = (2, 5)$, alors $\vec{u} \cdot \vec{v} = 3 \times 2 + 1 \times 5 = 11$.

### vecteur nul [$\vec{0}$]

♦ TS et SN Vecteur dont la **norme** est 0. Le vecteur nul est noté $\vec{0}$.

### vecteurs colinéaires

♦ TS et SN Vecteurs de même direction.

*Exemple :* Les vecteurs $\vec{u}$, $\vec{v}$ et $\vec{w}$ ci-contre sont colinéaires.

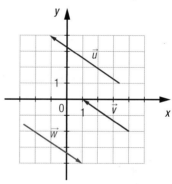

### vecteurs équipollents

♦ TS et SN Vecteurs ayant la même **norme** et la même **orientation,** autrement dit, les mêmes coordonnées.

*Exemple :* Les vecteurs $\vec{u}$, $\vec{v}$ et $\vec{w}$ ci-contre sont équipollents.

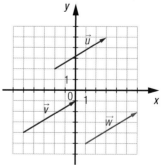

### vecteurs linéairement dépendants

♦ TS et SN Vecteurs ayant la même direction.

*Exemple :* $\vec{u}$ et $\vec{v}$ sont des vecteurs linéairement dépendants.

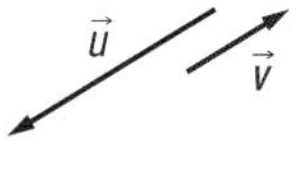

a
b
c
d
e
f
g
h
i
j
k
l
m
n
o
p
q
r
s
t
u
**v**
w
x
y
z

### vecteurs linéairement indépendants

◆ TS et SN Vecteurs n'ayant pas la même direction.

*Exemple :* $\vec{u}$ et $\vec{v}$ sont des vecteurs linéairement indépendants.

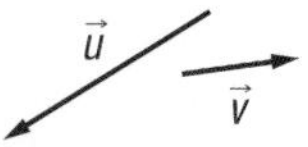

### vecteurs opposés

◆ TS et SN Vecteurs de même **norme,** de même direction, mais de sens contraire.

> Le vecteur opposé à $\overrightarrow{AB}$ est noté $-\overrightarrow{AB}$ et on a $-\overrightarrow{AB} = \overrightarrow{BA}$.

*Exemple :* Les vecteurs $\vec{u}$ et $\vec{v}$ ci-contre sont des vecteurs opposés.

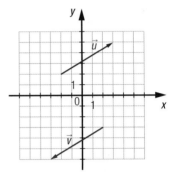

### vecteurs orthogonaux

◆ TS et SN Vecteurs perpendiculaires. Le produit scalaire de deux vecteurs orthogonaux est toujours nul.

*Exemple :* Les vecteurs $\vec{u}$ et $\vec{v}$ ci-contre sont orthogonaux.

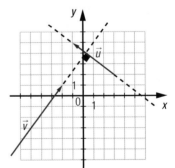

### vecteur unitaire

◆ TS et SN Vecteur dont la **norme** est égale à 1.

*Exemple :* Les vecteurs ci-contre sont unitaires.

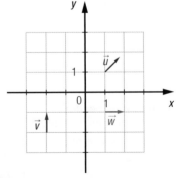

**vérifier** verbe transitif
S'assurer de la conformité, de la valeur ou de l'exactitude d'un résultat.
👁 Voir Annexe 3.

**volume** [v] [u³] nom masculin
♦ Mesure de la portion de l'espace à trois dimensions occupée par un solide. On exprime le volume d'un solide en unités cubes.

- Le mètre cube (m³), le décimètre cube (dm³) et le centimètre cube (cm³) sont des unités de mesure métriques utilisées pour mesurer cette portion de l'espace.

  *Exemple :* Le volume de ce cube est de 64 unités³.

- ♦ Formules de calcul du volume des principaux solides

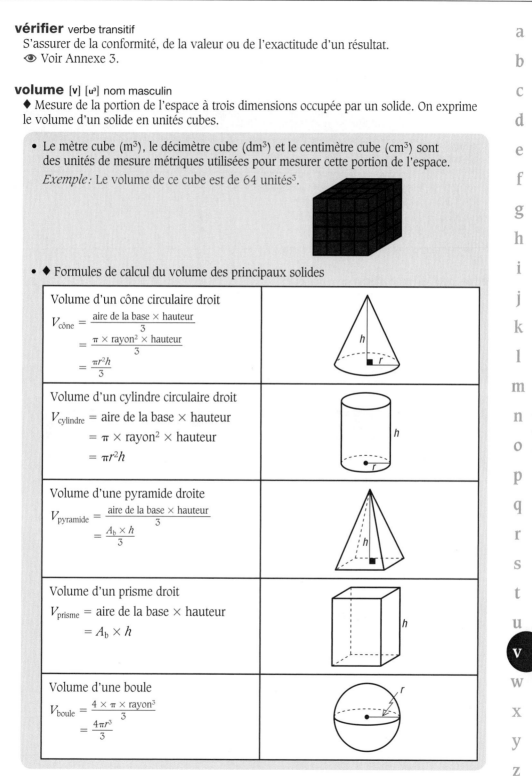

| | |
|---|---|
| Volume d'un cône circulaire droit<br><br>$V_{\text{cône}} = \dfrac{\text{aire de la base} \times \text{hauteur}}{3}$<br>$\phantom{V_{\text{cône}}} = \dfrac{\pi \times \text{rayon}^2 \times \text{hauteur}}{3}$<br>$\phantom{V_{\text{cône}}} = \dfrac{\pi r^2 h}{3}$ | |
| Volume d'un cylindre circulaire droit<br><br>$V_{\text{cylindre}} = \text{aire de la base} \times \text{hauteur}$<br>$\phantom{V_{\text{cylindre}}} = \pi \times \text{rayon}^2 \times \text{hauteur}$<br>$\phantom{V_{\text{cylindre}}} = \pi r^2 h$ | |
| Volume d'une pyramide droite<br><br>$V_{\text{pyramide}} = \dfrac{\text{aire de la base} \times \text{hauteur}}{3}$<br>$\phantom{V_{\text{pyramide}}} = \dfrac{A_b \times h}{3}$ | |
| Volume d'un prisme droit<br><br>$V_{\text{prisme}} = \text{aire de la base} \times \text{hauteur}$<br>$\phantom{V_{\text{prisme}}} = A_b \times h$ | |
| Volume d'une boule<br><br>$V_{\text{boule}} = \dfrac{4 \times \pi \times \text{rayon}^3}{3}$<br>$\phantom{V_{\text{boule}}} = \dfrac{4\pi r^3}{3}$ | |

a
b
c
d
e
f
g
h
i
j
k
l
m
n
o
p
q
r
s
t
u
**v**
w
x
y
z

## vote par assentiment nom masculin

◆ csт Procédure d'élection où chaque électeur ou électrice vote pour autant de candidats qu'il ou elle le désire. La personne qui obtient le plus grand nombre de voix est élue.

*Exemple :* Résultats d'une élection où A, B et C sont les candidats.

**Choix possibles**

|  | A seulement | B seulement | C seulement | A et B seulement | A et C seulement | B et C seulement | A, B et C |
|---|---|---|---|---|---|---|---|
| Nombre d'électeurs | 81 | 90 | 73 | 171 | 203 | 228 | 154 |

Nombre de votes obtenus par les candidats :
- A : 81 + 171 + 203 + 154 = 609 ;
- B : 90 + 171 + 228 + 154 = 643 ;
- C : 73 + 203 + 228 + 154 = 658.

Le candidat ou la candidate C l'emporte.

## vote par élimination nom masculin

◆ csт Procédure d'élection où chaque électeur ou électrice classe les candidats par ordre de préférence. On compte les votes de $1^{er}$ choix pour chaque candidat ou candidate. On élimine celui ou celle qui a reçu le moins de votes de $1^{er}$ choix et on attribue ses votes aux candidats qui constituent le choix suivant de ces électeurs. Si un candidat ou une candidate obtient ainsi la majorité, il ou elle remporte l'élection. Sinon, on recommence.

*Exemple :*

**Résultats d'une élection**

| Nombre d'électeurs ayant ordonné les candidats de cette façon | 0 | 53 | 37 | 30 | 45 | 0 |
|---|---|---|---|---|---|---|
| $1^{er}$ choix | A | A | B | B | C | C |
| $2^e$ choix | B | C | A | C | A | B |
| $3^e$ choix | C | B | C | A | B | A |

- A obtient 53 votes de $1^{er}$ choix, B, 37 + 30 = 67 et C, 45. On élimine donc C.
- Les 45 votes de $1^{er}$ choix de C sont alors transférés à A, qui constitue le choix suivant de ces 45 électeurs.
- Ayant maintenant 53 + 45 = 98 votes de $1^{er}$ choix, A obtient la majorité et l'emporte.

**vue** nom féminin

♦ Figure plane observée selon une position donnée par rapport à un objet donné. Il est possible d'observer, de décrire ou de représenter un objet selon différentes vues. Les vues sont obtenues en effectuant des projections orthogonales des faces de l'objet sur des plans.

*Exemple :*

Vue arrière
Vue de dessus
Vue de gauche
Vue de droite
Vue de face
Vue de dessous

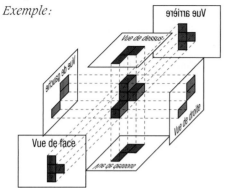

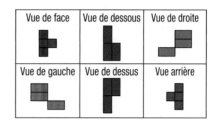

Vue de face
Vue de dessous
Vue de droite
Vue de gauche
Vue de dessus
Vue arrière

# Zz

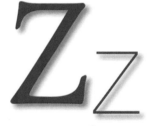

**zéro** nom masculin

❶ ♦ Nombre naturel pair dont la valeur est nulle. Sur la droite numérique, il correspond à la frontière entre les nombres positifs et les nombres négatifs.

*Exemple :*

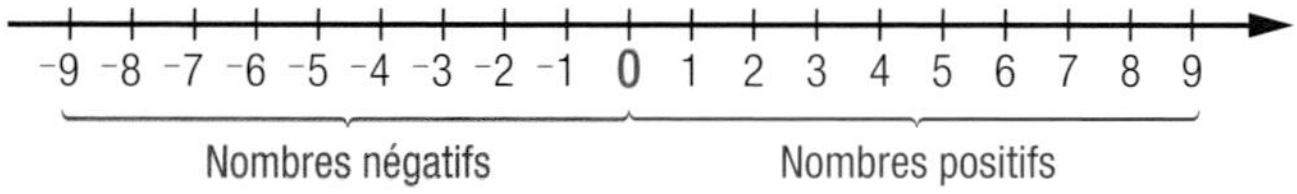

⁻9 ⁻8 ⁻7 ⁻6 ⁻5 ⁻4 ⁻3 ⁻2 ⁻1 0 1 2 3 4 5 6 7 8 9
Nombres négatifs
Nombres positifs

- Le nombre zéro est l'**élément neutre** pour l'addition.
  *Exemples :* 1) $2 + 0 = 2$
  2) $0 + {}^-7 = {}^-7$
- Le nombre zéro est l'**élément absorbant** pour la multiplication.
  *Exemples :* 1) $12 \times 0 = 0$
  2) $0 \times {}^-21 = 0$
- La puissance de tout nombre non nul affecté de l'exposant 0 est 1.
  *Exemples :* 1) $1\,568\,453^0 = 1$
  2) $({}^-32)^0 = 1$

- Le quotient du nombre zéro par n'importe quel nombre réel non nul est égal à zéro.

  *Exemples:* 1) $0 \div 157 = 0$
  
  2) $0 \div {}^-4{,}37 = 0$

- La division de tout nombre réel par le nombre zéro n'est pas défini.

  *Exemple:* $65 \div 0 \rightarrow$ Division non définie.

- On utilise l'astérisque, placé en exposant, pour signifier que le nombre zéro est exclu d'un ensemble de nombres.

  *Exemple:* $\mathbb{N}^*$ signifie l'ensemble des nombres naturels excluant le nombre zéro.

❷ ♦ Valeur de la variable indépendante lorsque celle de la variable dépendante est égale à zéro. Graphiquement, un zéro correspond à une abscisse à l'origine, c'est-à-dire l'abscisse d'un point d'intersection de la courbe avec l'axe des abscisses.

- Les zéros d'une fonction $y = f(x)$ sont les racines ou les solutions de l'équation $f(x) = 0$

- Pour déterminer le où les zéros d'une **fonction quadratique,** s'il ou s'ils existent, on résout l'équation $a(x - h)^2 + k = 0$, $ax^2 + bx + c = 0$, ou $a(x - x_1)(x - x_2) = 0$, selon la forme de la fonction, à l'aide de la **complétion du carré,** de la **formule quadratique** ou de la décomposition en facteurs.

*Exemple:* Soit la fonction $y = (x - 2)^2 - 1$.

$(x - 2)^2 - 1 = 0$
$(x - 2)^2 = 1$
$x - 2 = \pm 1$
$x = \pm 1 + 2$
donc $x = 1$ ou $x = 3$

Les zéros sont donc 1 et 3.

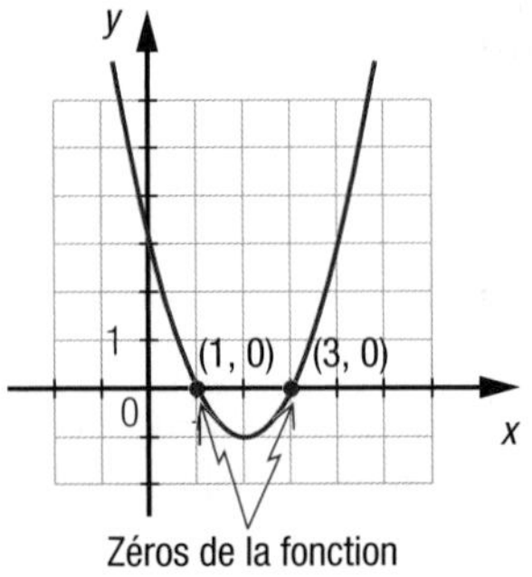

Zéros de la fonction

# Noms
## propres

# A

## Al-Kashi (vers 1380 – vers 1450)

Mathématicien et astronome perse, né à Kachan et mort à Samarkand. Il a rédigé
plusieurs ouvrages sur l'astronomie et aurait réussi à calculer les 16 premières décimales
du nombre $\pi$. On lui doit une généralisation de la **relation de Pythagore.** Aussi, ce que
l'on nommait alors *loi d'Al-Kashi* s'appelle aujourd'hui *loi des cosinus.*

➜ Voir **Pi** et **loi des cosinus.**

## Al-Khawarizmi, Muhamed Ibn Mussa (vers 783 – vers 850)

Mathématicien arabe, originaire de Khiva et mort à Bagdad,
il est le premier et le plus célèbre mathématicien de cette
période. Il est l'auteur d'un ouvrage intitulé *Kitab al-jabr wa'l
muqabala* (*La science de la transposition et de la réduction*).
Le mot *al-jabr* est à l'origine de ce que nous appelons
aujourd'hui *algèbre.*

Al-Khawarizmi a élaboré la notion d'équation : il désigne
une quantité inconnue par un symbole utilisé ensuite dans
des opérations. Il a étudié des équations de degrés 0, 1 et 2.

➜ Voir **algèbre.**

## Anaximandre de Milet (610 av. J.-C. – vers 546 av. J.-C.)

Philosophe et savant grec, né et sans doute mort à Milet.
Il fut l'élève de **Thalès** et, plus tard, enseigna à **Pythagore.**
Son intérêt pour la cosmologie en fait l'un des pères de
l'astronomie et l'amène à introduire le gnomon (aiguille
de cadran solaire) en Grèce. Anaximandre a fait construire
des gnomons à Lacédémone (Sparte) pour y indiquer
les solstices et les équinoxes.

L'ombre qui correspond au segment AD se forme
à midi, heure solaire, lors du solstice d'été,
normalement le 21 juin. L'ombre correspondant
au segment AC est formée par le gnomon
à midi, heure solaire, lors du solstice d'hiver,
normalement le 21 décembre.

➜ Voir **triangles semblables.**

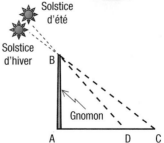

Solstice
d'été

Solstice
d'hiver

Gnomon

### Archimède (287 av. J.-C. – 212 av. J.-C.)

Mathématicien, ingénieur et physicien grec, né et mort à Syracuse. Il est probablement le plus grand mathématicien de l'Antiquité. Il a étudié à la grande bibliothèque d'Alexandrie en Égypte. Véritable touche-à-tout, on lui doit d'importantes découvertes en physique, notamment la fameuse *poussée d'Archimède* qui explique la flottaison.

En mathématiques, sa contribution est remarquable par son étendue et sa diversité, notamment par ses travaux sur les bases et les hauteurs des triangles. Archimède prouva que les trois hauteurs d'un triangle se rencontrent toujours en un seul point, appelé **orthocentre**. Il fut le premier à appliquer un raisonnement rigoureux pour obtenir une approximation du nombre $\pi$, en prouvant qu'il se situe entre $3\frac{10}{71}$ et $3\frac{1}{7}$. Grâce à des méthodes nouvelles et ingénieuses, il a résolu des problèmes sur lesquels tous ses prédécesseurs avaient buté : par exemple, il a calculé le volume d'une boule à partir de son diamètre et a répondu à diverses questions sur la numération, les solides semi-réguliers (aussi appelés *solides d'Archimède*), la quadrature des **paraboles,** etc. Certains de ses travaux portèrent sur le **périmètre,** l'**aire** et le **volume.**

# B

### Bellavitis, Giusto (1803 – 1880)

Professeur de géométrie italien, né à Bassano et mort à Tezze. Il travailla sur l'équipollence de segments en utilisant des couples de points, appelés *bipoints,* dont le premier est nommé *origine*. Selon cette approche :

- le bipoint (A, B) est l'opposé du bipoint (B, A) ;
- les bipoints (A, B) et (C, D) sont équipollents si et seulement si ABDC est un parallélogramme ;
- deux bipoints équipollents représentent un même vecteur.

Les bipoints sont une préfiguration des vecteurs.

➜ Voir **bipoint.**

### Bernoulli, Jean (1667 – 1748)

Mathématicien et physicien suisse, né et mort à Bâle. Il publia en 1718 un article traitant des variations, dans lequel il définit la fonction d'une variable $y$ comme une quantité exprimée à l'aide de la variable $x$ et de constantes. Il correspondit avec le mathématicien Leibniz pour discuter de la notation la mieux adaptée à l'écriture de la règle d'une fonction. Plus tard, il proposa $\varphi x$ pour désigner une fonction $\varphi$ dont la variable indépendante est $x$.

➜ Voir **variable dépendante** et **variable indépendante.**

### Bhaskara I (vers 600 – vers 680)

Mathématicien, astronome et philosophe indien du $7^e$ siècle, vraisemblablement né à Saurashtra et mort à Ashmaka. Il inventa la formule ci-dessous pour calculer approximativement le sinus d'un angle aigu sans recourir aux tables de sinus.

$\sin x \approx \frac{16x(\pi - x)}{5\pi^2 - 4x(\pi - x)}$ , où $0 \leq x \leq \frac{\pi}{2}$

➜ Voir **sinus.**

### Borda, Jean-Charles (1733 – 1799)

Mathématicien, physicien, politicologue et marin français né à Dax et mort à Paris. Il a débattu avec son contemporain **Nicolas de Condorcet** des mérites et des inconvénients de certaines procédures de vote ainsi que de leurs solutions de rechange. Tous deux étaient membres de l'Académie royale des sciences.

➜ Voir **méthode de Borda** et **procédure de vote.**

### Brahmagupta (vers 598 – vers 668)

Mathématicien et astronome indien, né dans la cité de Bhinmal. Dans ses calculs financiers, il utilisait des **nombres négatifs** pour indiquer les pertes et les dettes, et des **nombres positifs** pour inscrire les profits. Il réalisa de nombreux travaux en astronomie et en mathématiques, particulièrement en trigonométrie. Dans l'un de ses nombreux ouvrages, il établit que :

$$1 - \sin^2 x = \cos^2 x = \sin^2 \left(\frac{\pi}{2} - x\right).$$

➜ Voir **identité trigonométrique.**

### Buffon, Georges Louis Leclerc, comte de (1707 – 1788)

Naturaliste, biologiste, mathématicien, cosmologiste et écrivain français, né à Montbard et mort à Paris. Nommé comte par le roi Louis XV, il fut surtout connu pour ses expérimentations mathématiques avec ce que l'on nomme l'*aiguille de Buffon,* une expérience de probabilité permettant de déterminer la valeur du nombre $\pi$. Cette expérience consiste à lancer à plusieurs reprises une aiguille sur un plancher en lattes de bois parfaitement parallèles. L'aiguille, dont la longueur est égale à la moitié de la distance entre deux lattes, peut tomber entièrement sur une latte ou en chevaucher deux. En étudiant la probabilité que l'aiguille chevauche deux lattes, Buffon remarque que l'inverse de cette probabilité s'approche du nombre $\pi$.

➜ Voir **pi** et **probabilité.**

### Bürgi, Jost (1552 – 1632)

Astronome suisse, né à Lichtensteig et mort à Cassel.
Dès 1558, il aurait mis au point des tables de **logarithmes**
pour faciliter certains calculs nécessaires à ses travaux.
Six ans avant la publication de ses tables, **John Napier** publia
les siennes en 1614. Ainsi, Bürgi a perdu sa priorité historique
sur la paternité des logarithmes, attribuée à Napier.

# C

### Cantor, Georg (1845 – 1918)

Mathématicien allemand, né à Saint-Pétersbourg et décédé
à Halle. Il est connu pour avoir créé la théorie des **ensembles.**
Il montra l'importance de la bijection entre les ensembles,
il définit les ensembles infinis et les ensembles bien ordonnés,
les nombres cardinaux et les nombres ordinaux.

### Chasles, Michel (1793 – 1880)

Mathématicien français, né à Épernon et décédé à Paris.
Il fut un spécialiste de la géométrie des transformations.
Dans ses travaux, il utilisa régulièrement une transformation
géométrique qu'il nomma **homothétie.** Il publia en 1852
son œuvre la plus importante, *Traité de géométrie
supérieure.* On lui attribue la relation qui permet d'additionner
des **bipoints** et, par extension, des **vecteurs.** Cette
relation stipule que pour trois points A, B et C du plan,
(A, B) + (B, C) = (A, C).

➜ Voir **relation de Chasles.**

**Condorcet,** Marie Jean Antoine Nicolas de Caritat, marquis de (1743 – 1794)

Philosophe, politologue et mathématicien français, né à Ribemont et décédé à Bourg-la-Reine. Dès l'âge de 16 ans, le mathématicien Jean Le Rond d'Alembert remarqua ses habiletés particulières en mathématiques. De 1765 à 1774, Condorcet publia des travaux sur le calcul des **probabilités** et l'arithmétique politique.

Condorcet a contribué à l'essor de l'arithmétique politique, entre autres par l'analyse des **procédures de vote** et par la création de sa propre méthode, nommée *principe de Condorcet* et détaillée dans son *Essai sur l'application de l'analyse à la probabilité des décisions rendues à la pluralité des voix.*

➜ Voir **principe de Condorcet.**

# D

**Dandelin,** Germinal Pierre (1794 – 1847)

Mathématicien belge, né au Bourget et mort à Bruxelles. Il poursuivit une carrière militaire comme ingénieur et comme professeur. Il a principalement travaillé en géométrie. Ses connaissances sur les coniques l'amenèrent à démontrer plusieurs de leurs propriétés.

En 1822, Dandelin définit les coniques à l'aide de sphères, appelées aujourd'hui *sphères de Dandelin,* tangentes à la fois à une surface conique et à un plan, son approche consistant à définir les coniques à l'aide de leurs **foyers** et de leur **directrice.** En 1825, malgré son jeune âge, il fut élu à l'Académie royale des sciences de Bruxelles.

➜ Voir **conique.**

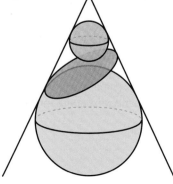

Sphères de Dandelin

**Dantzig,** George Bernard (1914 – 2005)

Mathématicien américain, né à Portland et mort à Palo Alto. Selon la légende, Dantzig, arrivé en retard à un cours, trouva deux problèmes au tableau. Croyant qu'il s'agissait d'un devoir, il en remit la solution à son professeur. Étonné, ce dernier lui apprit que ces deux problèmes statistiques étaient restés jusqu'alors irrésolus.

La Deuxième Guerre mondiale força Dantzig à interrompre ses études de doctorat – obtenu en 1946 –, le temps de servir au Bureau du contrôle statistique de l'aviation américaine. Là, Dantzig développa une méthode, nommée *méthode du simplexe,* qui, à l'aide de **matrices,** permet de résoudre des problèmes affectés d'un très grand nombre de contraintes et de variables, mais pouvant se traduire par un système d'**inéquations du premier degré.** Aujourd'hui, Dantzig est considéré comme le père de la programmation linéaire, c'est-à-dire l'optimisation faisant intervenir des inéquations et des **équations du premier degré.**

➡ Voir **optimisation.**

**Descartes,** René (1596 – 1650)

Philosophe, mathématicien et physicien français, né à La Haye (localité de Touraine rebaptisée *Descartes* par la suite) et mort à Stockholm. Il utilisa des équations pour définir des relations entre des variables, en particulier des nombres, des opérations et les lettres $x$ et $y$ pour décrire comment obtenir la valeur de l'une selon la valeur de l'autre. Cette façon de faire décrit algébriquement la relation entre deux variables à l'aide d'une règle et met en relief l'idée de dépendance propre à la notion de **fonction.**

On doit aussi à Descartes la **notation exponentielle,** l'utilisation des exposants pour exprimer des puissances appliquées à des inconnues (par exemple : $y^3$ plutôt que $yyy$) et une bonne partie de la notation algébrique actuelle.

Pour Descartes, tous les phénomènes pouvaient s'expliquer à l'aide des mathématiques. Dans l'un de ses ouvrages intitulé *Discours de la méthode,* il établit une correspondance entre des opérations arithmétiques et algébriques et des constructions géométriques.

C'est ainsi que Descartes mit l'algèbre au service de la géométrie. Lors de certains travaux, il exprima l'équation de certaines droites à l'aide d'un repère. La légende veut que l'idée du plan cartésien lui soit venue en observant une mouche qui se déplaçait sur les carreaux d'une fenêtre. Se rendant compte qu'il pouvait définir sa position à l'aide des carreaux, il venait de donner naissance aux coordonnées.

➡ Voir **plan cartésien.**

### Diophante d'Alexandrie (3e ou 4e siècle)

Mathématicien grec considéré comme le père de l'**algèbre,** vraisemblablement né et mort à Alexandrie. Il aurait été l'un des premiers à introduire des abréviations, des syllabes et même des lettres pour désigner des inconnues. On ne connaît les dates ni de sa naissance, ni de sa mort, mais une épitaphe sur son tombeau préciserait son âge à sa mort. En effet, selon certains écrits, la solution de l'équation tirée de cette épitaphe indiquerait son âge.

*Son enfance dura $\frac{1}{6}$ de sa vie; sa barbe poussa $\frac{1}{12}$ de sa vie plus tard; après $\frac{1}{7}$ de celle-ci, il se maria; 5 ans plus tard, il eut un fils qui vécut la moitié de la vie de son père et mourut 4 ans avant lui.*

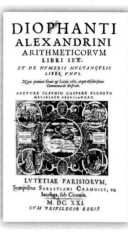

Page couverture d'une traduction datant de 1621 d'un livre de Diophante.

Les travaux de Diophante portaient essentiellement sur l'**arithmétique** et l'**algèbre.** Il serait l'auteur de trois ouvrages, dont le plus important, intitulé *Arithmetica,* traite des équations et de leur résolution et comprend plus d'une centaine de problèmes. Un autre ouvrage traite des nombres polygonaux, soit des nombres représentés à l'aide de points disposés en forme de polygones réguliers.

➤ Voir **nombre polygonal.**

### Dirichlet, Johann Peter Gustav Lejeune- (1805 – 1859)

Mathématicien allemand, né à Düren et mort à Göttingen. La définition de fonction qu'il proposa en 1837 est toujours actuelle : Soit une variable $y$ reliée à une variable $x.$ Quand on attribue une valeur numérique à $x,$ il y a une règle de correspondance qui détermine une valeur unique à $y.$ On peut ainsi dire que $y$ est une fonction de la variable indépendante $x.$

➤ Voir **fonction.**

# E

### Érastosthène (vers 284 av. J.-C. – vers 192 av. J.-C.)

Mathématicien, astronome, géographe et philosophe grec, né à Cyrène et mort à Alexandrie. Il dirigea la grande bibliothèque d'Alexandrie, créa la première carte géographique de la Grèce et inventa une méthode pour trouver tous les **nombres premiers,** nommée *crible d'Érastosthène.* Sa plus célèbre réalisation est d'avoir déterminé la circonférence de la Terre. À cette époque, plusieurs philosophes grecs étaient déjà convaincus de la rotondité de la Terre, et c'est seulement 1 500 ans plus tard que cette idée fut acceptée en Europe.

➤ Voir **circonférence.**

### Euclide (vers 325 av. J.-C. – vers 265 av. J.-C.)

Mathématicien grec. Il est principalement connu pour son ouvrage en 13 volumes, intitulé *Éléments,* qui synthétise les connaissances mathématiques de l'époque. Traduit dans presque toutes les langues, c'est certainement l'un des ouvrages scientifiques les plus lus, étudiés et commentés. Les premiers volumes portent sur la géométrie plane et contiennent presque la totalité de la géométrie enseignée de nos jours au secondaire. Ces volumes sont des travaux mathématiques importants contenant plusieurs propositions démontrées. Le livre III traite principalement des propriétés du cercle et présente de nombreuses démonstrations.

Euclide fut le premier à proposer une structure logique fondée sur des énoncés préalables permettant de démontrer des énoncés plus complexes. Son premier volume débutait par cinq **postulats,** des énoncés qu'Euclide demande de considérer comme vrais et sur lesquels il fonde le reste de son enseignement. La géométrie dite *euclidienne* est basée sur ces cinq postulats :

1. Soit deux points A et B. Il existe une et une seule droite passant par A et B.

2. Tout segment AB peut être prolongé en une droite passant par A et B.

3. Pour tout point A et tout point B distinct de A, on peut décrire un cercle de centre A passant par B.

4. Tous les angles droits sont isométriques entre eux.

5. Par un point extérieur à une droite, on peut tracer une et une seule parallèle à cette droite.

➜ Voir **géométrie.**

### Euler, Leonhard (1707 – 1783)

Mathématicien, physicien, ingénieur et philosophe suisse, né à Bâle et mort à Saint-Pétersbourg. Il fut l'un des plus grands mathématiciens du 18e siècle. Il obtint sa maîtrise à l'âge de 16 ans ! Euler étudia les solides géométriques et découvrit qu'il pouvait déterminer le nombre de sommets d'un polyèdre à partir du nombre de faces et d'arêtes.

Soit $S$ le nombre de sommets, $A$ le nombre d'arêtes et $F$ le nombre de faces d'un polyèdre :

$$S - A + F = 2$$

En 1734, Euler définit une fonction algébrique en utilisant pour la première fois la notation $f(x)$ encore utilisée de nos jours, où $f$ désigne le nom de la fonction et $x,$ la variable indépendante.

➜ Voir **relation d'Euler.**

# F

### Fermat, Pierre de (1601 – 1665)

Juriste et mathématicien français, né à Beaumont-de-Lomagne
et mort à Castres. Il développa la théorie des **probabilités**
avec **Blaise Pascal.** Il s'est aussi intéressé aux sciences
physiques, et on lui doit un principe servant de fondement
à l'optique géométrique appelé *principe de Fermat.*

### Fibonacci, Leonardo (vers 1175 – vers 1240)

Mathématicien italien, né et mort à Pise. Il s'est fait connaître
surtout pour les applications de l'arithmétique au calcul
commercial. Dans son ouvrage intitulé *Liber abaci* (*Le livre
des calculs*) publié en 1202, il montrait comment effectuer
certaines opérations arithmétiques de base et y présentait
de nombreux problèmes. Il est encore connu aujourd'hui
pour la suite d'entiers dite *suite de Fibonacci,* dans laquelle
chaque terme est la somme des deux termes précédents
et dont les premiers termes sont :
0, 1, 1, 2, 3, 5, 8, 13, 21, 34, 55, 89, ...

➔ Voir **nombre d'or.**

# G

### Galton, sir Francis (1822 – 1911)

Anthropologue, explorateur, géographe, météorologue
et statisticien anglais, né à Birmingham et mort à Haslemere.
Il est connu comme un génie multidisciplinaire, auquel on
doit notamment la découverte des concepts de **corrélation**
et de **régression.** Inventeur de la carte météorologique,
Galton est le premier à avoir postulé l'existence
d'anticyclones. Fondateur de la psychométrie, il a travaillé
sur la classification des empreintes digitales. On lui
prête même l'invention du sac de couchage ! Cousin
de Charles Darwin, le père de la théorie de l'évolution,
Galton a publié plus de 340 ouvrages.

### Gauss, Carl Friedrich (1777 – 1855)

Mathématicien, astronome et physicien allemand, né à Brunswick et mort à Göttingen. On le surnomme « le prince des mathématiciens ». Considéré comme l'un des plus grands mathématiciens de tous les temps, il a également apporté de très importantes contributions à l'astronomie et à la physique.

### Germain, Sophie (1776 – 1831)

Mathématicienne française des plus illustres, née et morte à Paris. Elle étudia surtout les surfaces élastiques en vibration et la théorie des nombres. En l'honneur de ses travaux, on appelle *suite de Sophie Germain* la suite formée de nombres premiers $n$ tels que $2n + 1$ est aussi un nombre premier. En 1794, on refusa à Sophie Germain l'entrée à l'École polytechnique, alors réservée aux hommes. Pendant plusieurs années, elle utilisa un pseudonyme masculin, M. Le Blanc, pour communiquer avec d'autres mathématiciens tels que **Gauss** et Lagrange.

➜ Voir **nombre premier.**

### Girard, Albert (1595 – 1632)

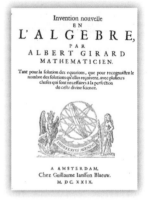

Mathématicien d'origine française, né à Saint-Mihiel et mort aux Pays-Bas, où il a mené toute sa carrière. Des différentes œuvres d'Albert Girard, on retient les premières notations de la **fonction sinus.** Il proposa aussi une interprétation géométrique des **nombres négatifs** : selon lui, le signe « – » correspondait à reculer et le signe « + », à avancer.

### Grassmann, Hermann Günther (1809 – 1877)

Mathématicien allemand, né et mort à Stettin. Il définit le produit scalaire et le produit vectoriel grâce à ses travaux en algèbre. Toutefois, c'est l'Irlandais sir William Rowan Hamilton (1805-1865) qui introduisit le terme *vecteur* et qui en développa l'aspect algébrique moderne.

➜ Voir **produit scalaire.**

# H

**Harriot,** Thomas (1560 – 1621)

Astronome et mathématicien anglais, né à Oxford et mort
à Londres, il imagina les symboles d'inégalité $<$ et $>$.
On les découvrit dans l'un de ses ouvrages paru en 1631,
soit dix ans après sa mort.

➜ Voir **inégalité.**

### Héron d'Alexandrie (vers le 1er siècle)

Ingénieur, mécanicien et mathématicien grec, né à Alexandrie.
Il a découvert une façon particulière de calculer l'aire $A$ d'un
triangle en énonçant la formule suivante.

$$A = \sqrt{p(p - a)(p - b)(p - c)},$$

où $p$ représente le demi-périmètre du triangle,
et $a$, $b$ et $c$ sont les mesures des trois côtés.

➜ Voir **formule de Héron.**

**Hipparque de Nicée** (190 av. J.-C. – 120 av. J.-C.)

Reconnu pour être le plus grand astronome de son époque,
probablement né à Nicée et mort en Grèce. Il aurait été
le premier à quantifier et à modéliser les mouvements du Soleil
et de la Lune. Hipparque est également célèbre pour ses
travaux de géométrie.

Considéré comme le père de la trigonométrie, il a été le premier
à élaborer une table de valeurs mettant en relation la mesure
d'un **angle au centre** et la mesure de la corde de l'**arc** intercepté
par cet angle. Puis, il a utilisé cette table pour faire des calculs
en astronomie. Grâce à la trigonométrie et en se basant sur
des observations astronomiques durant une éclipse totale
de Lune, Hipparque a réussi l'exploit de calculer la distance
séparant la Terre de son satellite en chronométrant simplement
le temps mis par la Lune pour traverser le cône d'ombre projeté
par la Terre, puis en comparant ce temps avec la période
de révolution de la Lune.

➜ Voir **trigonométrie.**

# K

### Kepler, Johannes (1571 – 1630)

Astronome allemand, né à Weil der Stadt et mort à Ratisbonne. Il publia une explication du fonctionnement des tables de **logarithmes** qui favorisa leur adoption par la communauté scientifique. Cette dernière y vit un puissant outil facilitant les calculs astronomiques, à une époque où ils étaient effectués manuellement.

# L

### Laplace, Pierre Simon, marquis de (1749 – 1827)

Mathématicien et physicien français, né à Beaumont-en-Auge et mort à Paris. À 16 ans, il entra à l'Université de Caen où il étudia le calcul intégral, la cosmologie, l'astronomie mathématique, la causalité et la théorie des jeux et du hasard. À la fin de ses études, il devint professeur de mathématiques à l'École militaire, à Paris.

Laplace contribua à plusieurs domaines scientifiques, dont l'astronomie, la physique et les mathématiques, plus particulièrement les études probabilistes. Membre de la Commission des poids et mesures, il participa à la création du système métrique.

Il publia deux importants ouvrages : *Exposition du système du monde,* où il traite du mouvement des corps célestes et tente de réduire la part du hasard dans l'observation de phénomènes naturels, et *Théorie analytique des probabilités,* où il utilise le raisonnement de logique par induction.

### Leibniz, Gottfried Wilhelm (1646 – 1716)

Philosophe, scientifique, mathématicien, logicien, diplomate, juriste, bibliothécaire et philologue allemand, né à Leipzig et mort à Hanovre. Il a écrit en latin, en français et en allemand. Le terme **fonction** apparut pour la première fois en 1673 dans un texte de Leibniz qui établit un lien entre les couples de valeurs d'une fonction et les coordonnées des points d'une courbe. Il est aussi à l'origine des termes **coordonnée, variable** et **constante.**

# M

**Monge,** Gaspard, comte de Péluse (1746 – 1818)

Mathématicien français, né à Beaune et mort à Paris. Il étudia la géométrie descriptive, l'analyse infinitésimale et la **géométrie analytique.** Inventeur de la géométrie descriptive, il fit partie des scientifiques français ayant instauré le système de poids et mesures fondé sur le système décimal (aujourd'hui connu sous le nom de *système international*).

➜ Voir **système international d'unités (SI).**

# N

**Napier** ou Neper, John, baron de Merchiston (1550 – 1617)

Mathématicien, astronome, physicien et théologien protestant, né et mort à Merchiston. Cet Écossais est plus connu sous le nom de Neper. Pour lui, les mathématiques n'étaient qu'un passe-temps. Pourtant, il a fait de nombreuses découvertes qui ont révolutionné le monde des mathématiques. Il a popularisé la notion de point pour séparer la partie dite *entière* de la partie dite *fractionnaire* d'un nombre en écriture décimale.

Neper fut le premier à utiliser la notion de logarithme afin de simplifier les calculs trigonométriques utilisés en astronomie, et ce, en remplaçant les multiplications et les divisions par des additions et des soustractions. Neper a publié ses recherches dans *Mirifici logarithmorum canonis descriptio* (*Description de la règle magnifique des logarithmes*).

➜ Voir **logarithme.**

**Nasir al-Din al-Tusi** (1201 – 1274)

Astronome, mathématicien et médecin perse, né à Tus. Il a écrit plusieurs ouvrages sur la biologie, l'astronomie et les mathématiques. Il a, entre autres, travaillé sur la conservation de la matière, la théorie de l'évolution, les tables de positionnement des planètes et la **trigonométrie.** Sa plus grande contribution aux mathématiques est la loi des sinus.

➜ Voir **loi des sinus.**

**Neper,** John

➜ Voir **Napier.**

**Nightingale,** Florence (1820 – 1910)

Statisticienne britannique, née à Florence et morte à Londres. Elle est surtout connue comme infirmière et fondatrice de plusieurs hôpitaux. Les données statistiques présentées dans des tableaux et des diagrammes étaient pour elle de puissants arguments en faveur d'une réforme médicale. Elle créa un diagramme circulaire qui avait la forme ci-contre.

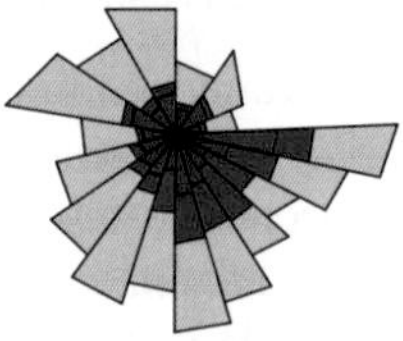

➜ Voir **diagramme circulaire.**

O

**Oresme,** Nicole ou Nicolas (vers 1320 – 1382)

Économiste, mathématicien, physicien, astronome, philosophe, psychologue, musicologue, théologien et traducteur français, né et mort en Normandie. Il commença ses études au Collège de Navarre, établissement subventionné par le roi, où il resta pendant 13 ans. Ayant obtenu son doctorat, il publie des œuvres sur l'astrologie, la théologie, les mathématiques et la physique. Son traité des monnaies attire l'attention du roi qui en fait son secrétaire, aumônier et conseiller.

Sa contribution la plus importante est un traité sur les **variables** et le mouvement, qui expose une méthode de représentation graphique de la température du corps selon la distance à laquelle elle est prise par rapport au sommet de la tête. Précurseur de **Descartes,** il utilisa un système de repérage avec des **coordonnées** et deux axes perpendiculaires, et des représentations graphiques, notamment pour étudier la vitesse d'un mobile en fonction du temps. Il remarqua que l'aire sous la courbe d'un intervalle donné est proportionnelle à la distance parcourue par le mobile pendant cet intervalle de temps.

Il est aujourd'hui considéré comme l'un des principaux fondateurs des sciences modernes et comme l'un des plus grands penseurs du 14ᵉ siècle.

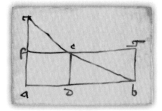

Représentation graphique tirée
d'un manuscrit d'Oresme

# P

### Pascal, Blaise (1623 – 1662)

Mathématicien, physicien et philosophe français, né à Clermont-Ferrand et mort à Paris. Enfant prodige, il participa dès l'âge de 14 ans à des discussions avec les plus grands scientifiques de son pays. À 16 ans, il publia *Essai sur les coniques,* où il présentait ses découvertes en géométrie. Trois ans plus tard, pour aider son père, percepteur, il inventa la première machine à calculer : la Pascaline. En vieillissant, il s'intéressa plus à la philosophie et à la religion, sans jamais cesser d'étudier les mathématiques, notamment les propriétés du triangle arithmétique, nommé en son honneur *triangle de Pascal,* décrit dans son *Traité du triangle arithmétique* paru en 1654.

➔ Voir **triangle de Pascal.**

### Peano, Giuseppe (1858 – 1932)

Logicien et mathématicien italien, né à Cuneo et mort à Turin. Il proposa les symboles $\mathbb{N}$ et $\mathbb{Q}$ pour désigner des ensembles de nombres.

➔ Voir **nombre naturel** et **nombre rationnel.**

### Pick, Georg Alexander (1859 – vers 1942)

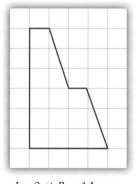

Mathématicien autrichien, né à Vienne et mort au camp de concentration de Theresienstadt. Il a conçu une formule, que l'on nomme *théorème de Pick,* pour calculer l'**aire** d'un polygone tracé sur un plan quadrillé : $A = B \div 2 + I - 1$, où $A$ est l'aire du polygone, $B$ est le nombre de points d'intersection du quadrillage et de la ligne polygonale, et $I$ est le nombre de points d'intersection à l'intérieur du polygone.

$I = 9$ et $B = 14$
$A = 14 \div 2 + 9 - 1$
$A = 15 \ \text{u}^2$

**Platon** (vers 427 av. J.-C. – vers 348 av. J.-C.)

Philosophe grec, né et mort à Athènes. D'origine aristocratique, il a pu suivre une formation littéraire et artistique. Sa rencontre avec Socrate changea le cours de sa vie : il devint son disciple et se consacra à la philosophie.

À la mort de Socrate, en 399 av. J.-C., il entreprit un voyage d'une douzaine d'années au cours duquel il rencontra Théodore de Cyrène qui l'initia aux mathématiques. Parvenu en Italie, il approfondit ses connaissances auprès des pythagoriciens.

De retour à Athènes, Platon fonda vers −387 l'Académie, une école de philosophie et de sciences dans la tradition des sociétés pythagoriciennes, où il enseigna jusqu'à sa mort. Selon la légende, le fronton de l'Académie portait cette inscription : « Que nul n'entre ici s'il n'est géomètre. » L'Académie a vu se développer la géométrie et elle continua d'exister jusqu'en 529 apr. J.-C.

Selon Platon, le monde était composé de cinq éléments essentiels : le feu, l'air, l'eau, la terre et l'Univers, ce qui était suffisant pour expliquer l'existence de seulement cinq polyèdres réguliers, le tétraèdre, l'hexaèdre, l'octaèdre, le dodécaèdre et l'icosaèdre, chacun représentant un des éléments. Euclide démontrera mathématiquement qu'il n'existe bel et bien que cinq polyèdres réguliers qu'on appelle depuis *solides de Platon*.

Le tétraèdre symbolisant le feu.

L'octaèdre symbolisant l'air.

L'icosaèdre symbolisant l'eau.

L'hexaèdre symbolisant la terre.

Le dodécaèdre symbolisant l'Univers.

**Playfair,** William (1759 – 1823)

Ingénieur et économiste écossais, né à Dundee et mort à Londres. Il devint l'un des grands mathématiciens de Grande-Bretagne où il enseigna à l'Université d'Édimbourg.

Sa contribution aux mathématiques, plus particulièrement aux **statistiques,** consiste à présenter des tableaux de données sous forme de graphiques. Il inventa le diagramme à bandes et le diagramme circulaire. Il montra qu'une bonne représentation graphique des données aide à se rappeler de l'information, mais aussi à repérer rapidement les anomalies et les tendances dans les données. En 1786, William Playfair publia *The Commercial and Political Atlas* où figure le premier diagramme à bandes connu, puis, en 1801, *The Statistical Breviary,* illustré de plusieurs diagrammes circulaires.

➜ Voir **diagramme à bandes** et **diagramme circulaire.**

**Pythagore** (vers 580 av. J.-C. – vers 500 av. J.-C.)

Philosophe et mathématicien grec, vraisemblablement
né à Samos. Il fut à l'origine de nombreuses découvertes
dans plusieurs domaines comme les mathématiques,
l'astronomie et la musique. Il fonda en Italie l'École
pythagoricienne, une institution philosophique et religieuse
qui attira de nombreux disciples.

On lui attribue, sans aucune preuve, la paternité de ce que
l'on nomme le *théorème de Pythagore* : « Dans un triangle
rectangle, le carré de la mesure de l'hypoténuse est égal
à la somme des carrés des mesures des deux autres côtés. »
Pourtant, des écrits montrent que, bien longtemps auparavant,
les Babyloniens connaissaient ce théorème et la relation
appelée *triplet pythagoricien.*

Pythagore démontra de nombreux théorèmes, dont celui affirmant que la somme des
mesures des angles intérieurs d'un triangle est égale à 180 degrés. Il décrivit une figure,
dite *escargot de Pythagore,* constituée d'une suite de triangles rectangles juxtaposés
où l'une des cathètes mesure 1 unité et l'autre cathète est égale à l'hypoténuse du triangle
rectangle précédent, comme le montre l'illustration ci-dessous.

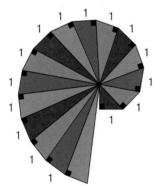

Escargot de Pythagore

Pythagore a mis en évidence les liens étroits
unissant la musique et les nombres, notamment
la relation entre la longueur d'une corde
et la hauteur de la note émise, et le calcul
des intervalles musicaux, c'est-à-dire l'écart
entre deux notes.

➤ Voir **relation de Pythagore.**

# R

**Recorde,** Robert (1510 – 1558)

Mathématicien et physicien gallois, né à Tenby et mort à Londres. Il inventa le symbole
« = » et nomma *règle des proportions* la méthode consistant à déterminer le terme
manquant d'une **proportion** dont on connaît les trois autres termes.

# S

## **Stevin,** Simon (1548 – 1620)

Mathématicien et physicien flamand, né à Bruges et mort à La Haye. Il se préoccupa de l'aspect pratique de ses recherches. Il exerça plusieurs professions et publia 11 ouvrages portant sur des sujets aussi différents que la **trigonométrie,** l'**arithmétique,** l'**algèbre,** la mécanique, l'architecture, la musique, la géographie, les fortifications et la navigation.

En 1585, il publia *La Disme,* qui signifie « Le dixième », où il introduisait en 29 pages les nombres décimaux – connus des Arabes et des Chinois, mais ignorés en Europe – et leurs avantages sur les fractions dans les calculs.

Ainsi, il proposa de traduire $86\frac{579}{1\,000}$ par 8 6 ⓪ 5 ① 7 ② 9 ③.

Le chiffre entouré indique la position du chiffre placé immédiatement à sa gauche. De nos jours, ce nombre s'écrit tout simplement 86,579. La notation des nombres décimaux évoluera : en 1608, le Néerlandais Willebrord Snellius proposera la virgule pour séparer la **partie entière** de la **partie décimale** d'un nombre.

➜ Voir **nombre décimal.**

## **Stifel,** Michael (vers 1486 – 1567)

Mathématicien allemand, né à Esslingen et mort à Iéna. Il a contribué à l'évolution de l'algèbre en popularisant le symbole de l'addition « + », qui remplace la lettre P (plus), et le symbole de la soustraction « – », qui remplace la lettre M (moins).

➜ Voir **signe d'opération.**

## **Sylvester,** James Joseph (1814 – 1897)

Mathématicien et géomètre anglais, né à Londres et mort à Mayfair. Il travailla sur les formes algébriques, particulièrement quadratiques. En 1850, il introduisit de nombreuses notations mathématiques, dont le terme *matrice.*

➜ Voir **matrice.**

# T

### **Tartaglia,** Niccolo Fontana, dit (1499 – 1557)

Mathématicien italien, né à Brescia et mort à Venise.
Il s'intéressa aux sciences et aux mathématiques.
À la Renaissance, l'intensification des échanges commerciaux
entre villes et pays se heurtait au problème de l'échange
des monnaies. À cette époque, pratiquement chaque ville avait
sa propre devise, et le commerce nécessitait leur conversion.
C'est dans ce contexte que le mathématicien Tartaglia rédigea
un traité sur les opérations numériques à l'usage du commerce.

### **Thalès de Milet** (vers 625 avant J.-C. – vers 547 avant J.-C.)

Philosophe, physicien, astronome et probablement premier
mathématicien grec, né et mort à Milet. En observant l'ombre
de la Terre sur la Lune, Thalès en déduisit la rotondité de
la Terre et il montra que la Terre était inclinée par rapport
à son orbite autour du Soleil. Il est considéré comme le père
de la géométrie déductive. Il aurait, entre autres, calculé la
hauteur des pyramides d'Égypte en prenant comme repères
son corps, son ombre et l'ombre de la pyramide. On lui attribue
plusieurs énoncés géométriques.

Thalès est aussi connu pour le théorème qui porte son nom. Les différentes configurations
de ce théorème permettent d'établir des rapports de longueurs et de trouver certaines mesures
manquantes à l'aide de **proportions.** Voici deux configurations possibles de ce théorème.

Configuration 1                      Configuration 2

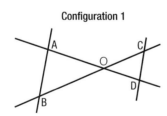
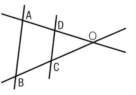

Si les droites AB et CD sont parallèles, alors $\frac{m\,\overline{AO}}{m\,\overline{DO}} = \frac{m\,\overline{BO}}{m\,\overline{CO}}$.

➤ Voir **triangles semblables.**

**Tukey,** John Wilder (1915 – 2000)

Un des plus importants statisticiens américains, né à New-Bedford et mort à New-Brunswick. Il entra à l'Université Brown afin d'y étudier la chimie où il obtint une maîtrise en 1937. Puis il obtint un doctorat en mathématiques à l'Université Princeton en 1939.

Il a consacré une partie de sa vie à l'étude de la statistique, et ses travaux ont significativement contribué à l'essor de cette discipline. En 1977, il introduisit le diagramme de quartiles qui permet de visualiser la concentration ou la dispersion des données d'une distribution.

➜ Voir **diagramme de quartiles.**

# V

**Venn,** John (1834 – 1923)

Mathématicien anglais né à Hull et mort à Cambridge. En 1881, il proposa une façon de représenter des ensembles à l'aide de lignes courbes fermées. On appelle aujourd'hui ces représentations *diagrammes de Venn* et on les utilise, entre autres, en calcul de probabilités et en logique.

➜ Voir **diagramme de Venn.**

**Viète,** François (1540 – 1603)

Mathématicien français, né à Fontenay-le-Comte et mort à Paris. Considéré comme le père de l'algèbre moderne, il est reconnu pour avoir proposé des règles d'écriture algébrique qui seront par la suite adoptées et popularisées par **Descartes.** En 1591, il publia un ouvrage traitant de symboles algébriques. Il introduisit des lettres dans les calculs : des consonnes pour les quantités connues et des voyelles pour les quantités inconnues. Viète relevait souvent des défis mathématiques, par exemple la **résolution d'une équation** comprenant un terme de degré 45 !

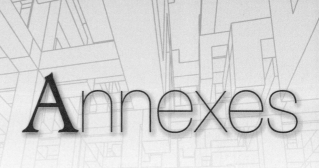

# Annexes

# Les ensembles de nombres

| Ensemble de nombres | Symbole | Description | Exemples |
|---|---|---|---|
| Nombres naturels | $\mathbb{N}$ | Nombres appartenant à l'ensemble {0, 1, 2, 3, …} | 5, 17, 105 et 2 688 |
| Nombres entiers | $\mathbb{Z}$ | Nombres appartenant à l'ensemble {…, −2, −1, 0, 1, 2, …} | −12, −9, 7 et 916 |
| Nombres rationnels | $\mathbb{Q}$ | Nombres pouvant être écrits sous la forme $\frac{a}{b}$, où $a$ et $b$ sont des nombres entiers, et $b$ est différent de 0. Sous la forme décimale, le développement est fini ou infini et périodique. | $-3,\overline{2}$, $\frac{-11}{7}$, $-2$, $\frac{1}{3}$, 3 et 4,5 |
| Nombres irrationnels | $\mathbb{Q}'$ | Nombres ne pouvant pas s'exprimer comme un quotient d'entiers et dont le développement décimal est toujours infini et non périodique. | $\sqrt{2}$, $\sqrt{5}$ et $\pi$ |
| Nombres réels | $\mathbb{R}$ | Nombres appartennant à l'ensemble des nombres rationnels ou à l'ensemble des nombres irrationnels. | $-19$, $\frac{4}{5}$, 3, $\sqrt{11}$, et $26,\overline{3}$ |

Le schéma ci-dessous illustre les relations entre ces différents ensembles de nombres.

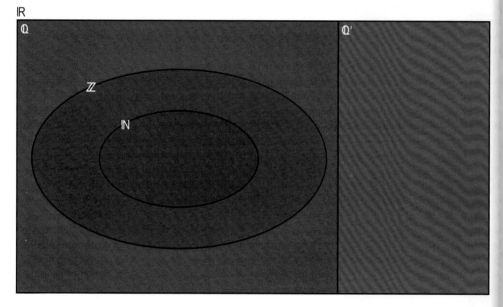

# Les principaux énoncés, lemmes et théorèmes mathématiques

**Géométrie**

| | | | |
|---|---|---|---|
| **1.** | Si deux droites sont parallèles à une troisième, alors elles sont parallèles entre elles. | Si $d_1 \,/\!/\, d_2$ et $d_2 \,/\!/\, d_3$, alors $d_1 \,/\!/\, d_3$. | |
| **2.** | Si deux droites sont perpendiculaires à une troisième, alors celles-ci sont parallèles. | Si $d_1 \perp d_3$ et $d_2 \perp d_3$, alors $d_1 \,/\!/\, d_2$. | |
| **3.** | Si deux droites sont parallèles, toute perpendiculaire à l'une est perpendiculaire à l'autre. | Si $d_1 \,/\!/\, d_2$ et $d_3 \perp d_2$, alors $d_3 \perp d_1$. | |
| **4.** | Des angles adjacents dont les côtés extérieurs sont alignés sont supplémentaires. | Les points A, B et D sont alignés. Les $\angle$ ABC et $\angle$ CBD sont adjacents. m $\angle$ ABC + m $\angle$ CBD = 180° | |
| **5.** | Les angles opposés par le sommet sont isométriques. | $\angle 1 \cong \angle 3$ $\angle 2 \cong \angle 4$ | |
| **6.** | Si une droite coupe deux droites parallèles, alors les angles alternes-internes, alternes-externes et correspondants sont respectivement isométriques. | Si $d_1 \,/\!/\, d_2$, alors les angles 1, 3, 5 et 7 sont isométriques, et les angles 2, 4, 6 et 8 sont isométriques. | |
| **7.** | Dans le cas d'une droite coupant deux droites, si deux angles correspondants (ou alternes-internes ou encore alternes-externes) sont isométriques, alors ils sont formés par l'intersection de deux droites parallèles et d'une sécante. | Si les angles 1, 3, 5 et 7 sont isométriques et les angles 2, 4, 6 et 8 sont isométriques, alors $d_1 \,/\!/\, d_2$. | |
| **8.** | Si une droite coupe deux droites parallèles, alors les paires d'angles internes situées du même côté de la sécante sont supplémentaires. | Si $d_1 \,/\!/\, d_2$, alors m $\angle$ 1 + m $\angle$ 2 = 180° et m $\angle$ 3 + m $\angle$ 4 = 180°. | |
| **9.** | Des sécantes coupées par des parallèles sont partagées en segments de longueurs proportionnelles. | Si $d_1 \,/\!/\, d_2 \,/\!/\, d_3$, alors, $$\frac{m\,\overline{AB}}{m\,\overline{FE}} = \frac{m\,\overline{BC}}{m\,\overline{ED}}$$ | |
| **10.** | Dans tout triangle isocèle, les angles opposés aux côtés isométriques sont isométriques. | Dans un triangle isocèle ABC : $\overline{AB} \cong \overline{AC}$ $\angle$ C $\cong \angle$ B | |

| | | |
|---|---|---|
| **11.** | L'axe de symétrie d'un triangle isocèle est également une médiane, une médiatrice, une bissectrice et une hauteur de ce triangle. | Axe de symétrie du triangle ABC : $\overline{AD}$<br>Médiane issue du sommet A : $\overline{AD}$<br>Médiatrice du côté BC : $\overline{AD}$<br>Bissectrice de l'angle A : $\overline{AD}$<br>Hauteur issue du sommet A : $\overline{AD}$ |
| **12.** | La somme des mesures des angles intérieurs d'un triangle est 180°. | m ∠ A + m ∠ B + m ∠ C = 180° |
| **13.** | La mesure d'un angle extérieur à un triangle isométrique est égale à la somme des mesures des angles intérieurs non adjacents. | m ∠ ABC = m ∠ BCD + m ∠ CDB |
| **14.** | Les éléments homologues de figures planes isométriques ou de solides isométriques ont la même mesure. | |
| **15.** | Les angles homologues des figures planes semblables ou des solides semblables sont isométriques et les mesures des côtés homologues sont proportionnelles. | Le triangle ABC est semblable au triangle A'B'C' :<br>∠ A ≅ ∠ A'<br>∠ B ≅ ∠ B'<br>∠ C ≅ ∠ C'<br>$\dfrac{\text{m } \overline{A'B'}}{\text{m } \overline{AB}} = \dfrac{\text{m } \overline{B'C'}}{\text{m } \overline{BC}} = \dfrac{\text{m } \overline{A'C'}}{\text{m } \overline{AC}}$ |
| **16.** | Dans des figures planes semblables, le rapport entre les aires est égal au carré du rapport de similitude. | $k = \dfrac{\text{m } \overline{A'B'}}{\text{m } \overline{AB}} = \dfrac{\text{m } \overline{A'C'}}{\text{m } \overline{AC}} = \dfrac{\text{m } \overline{B'C'}}{\text{m } \overline{BC}}$<br>$\dfrac{\text{Aire } \triangle A'B'C'}{\text{Aire } \triangle ABC} = k^2$ |
| **17.** | Dans un triangle, au plus grand angle est opposé le plus grand côté. | Dans le triangle ABC, le plus grand angle est A, donc le plus grand côté est BC. |
| **18.** | Dans un triangle, au plus petit angle est opposé le plus petit côté. | Dans le triangle ABC, le plus petit angle est B, donc le plus petit côté est AC. |
| **19.** | La somme des mesures de deux côtés d'un triangle est toujours supérieure à la mesure du troisième côté. | 2 + 5 > 4<br>2 + 4 > 5<br>4 + 5 > 2 |
| **20.** | La médiane d'un triangle le partage en deux triangles de même aire. | La médiane BD partage le triangle ACD en deux triangles ABD et DBC de même aire. |
| **21.** | Le milieu de l'hypoténuse d'un triangle rectangle est équidistant des trois sommets. | Si B est le point milieu de $\overline{AC}$, alors m $\overline{AB}$ = m $\overline{BC}$ = m $\overline{BD}$. |

| | | |
|---|---|---|
| **22.** | Dans un triangle rectangle, le carré de la mesure de l'hypoténuse est égal à la somme des carrés des mesures des cathètes. (Relation de Pythagore) | $(m\,\overline{AB})^2 = (m\,\overline{AC})^2 + (m\,\overline{BC})^2$ |
| **23.** | Dans un triangle rectangle, la mesure du côté opposé à un angle de 30° est égale à la moitié de celle de l'hypoténuse. | $m\,\overline{AC} = \frac{m\,\overline{AB}}{2}$ |
| **24.** | Dans un triangle rectangle, la mesure de chaque côté de l'angle droit est moyenne proportionnelle entre la mesure de sa projection sur l'hypoténuse et celle de l'hypoténuse entière. | $\frac{m\,\overline{AD}}{m\,\overline{AB}} = \frac{m\,\overline{AB}}{m\,\overline{AC}}$ ou $(m\,\overline{AB})^2 = m\,\overline{AD} \times m\,\overline{AC}$<br><br>$\frac{m\,\overline{CD}}{m\,\overline{BC}} = \frac{m\,\overline{BC}}{m\,\overline{AC}}$ ou $(m\,\overline{BC})^2 = m\,\overline{CD} \times m\,\overline{AC}$ |
| **25.** | Dans un triangle rectangle, la mesure de la hauteur issue du sommet de l'angle droit est moyenne proportionnelle entre les mesures des deux segments qu'elle détermine sur l'hypoténuse. | $\frac{m\,\overline{AD}}{m\,\overline{BD}} = \frac{m\,\overline{BD}}{m\,\overline{CD}}$ ou $(m\,\overline{BD})^2 = m\,\overline{AD} \times m\,\overline{CD}$ |
| **26.** | Dans un triangle rectangle, le produit des mesures de l'hypoténuse et de la hauteur correspondante est égal au produit des mesures des côtés de l'angle droit. | $m\,\overline{AC} \times m\,\overline{BD} = m\,\overline{AB} \times m\,\overline{BC}$ |
| **27.** | Les médianes d'un triangle déterminent six triangles équivalents. | |
| **28.** | Deux triangles ayant leurs côtés homologues isométriques sont isométriques (CCC). | $\overline{AB} \cong \overline{DE}, \overline{BC} \cong \overline{EF}, \overline{AC} \cong \overline{DF}$<br>Donc $\triangle ABC \cong \triangle DEF$. |
| **29.** | Deux triangles ayant un angle isométrique compris entre des côtés homologues isométriques sont isométriques (CAC). | $\overline{AB} \cong \overline{DE}, \angle A \cong \angle D, \overline{AC} \cong \overline{DF}$<br>Donc $\triangle ABC \cong \triangle DEF$. |
| **30.** | Deux triangles ayant un côté isométrique compris entre des angles homologues isométriques sont isométriques (ACA). | $\angle A \cong \angle D, \overline{AB} \cong \overline{DE}, \angle B \cong \angle E$<br>Donc $\triangle ABC \cong \triangle DEF$. |

| | | |
|---|---|---|
| **31.** | Toute droite sécante à deux côtés d'un triangle et parallèle au troisième côté forme un petit triangle semblable au grand. | Si $\overline{EF}$ // $\overline{BC}$, alors $\triangle AEF \sim \triangle ABC$. |
| **32.** | Le segment de droite qui joint le milieu de deux côtés d'un triangle est parallèle au troisième côté, et sa mesure correspond à la moitié du troisième côté. | E est le milieu de $\overline{AC}$<br>F est le milieu de $\overline{AB}$<br>Alors $\overline{EF}$ // $\overline{BC}$ et m $\overline{EF} = \frac{m\,\overline{BC}}{2}$. |
| **33.** | Deux triangles ayant deux angles homologues isométriques sont semblables (AA). | $\angle A \cong \angle D$, $\angle B \cong \angle E$<br>Donc $\triangle ABC \sim \triangle DEF$. |
| **34.** | Deux triangles dont les mesures des côtés homologues sont proportionnelles sont semblables (CCC). | $\frac{m\,\overline{AB}}{m\,\overline{DE}} = \frac{m\,\overline{AC}}{m\,\overline{DF}} = \frac{m\,\overline{BC}}{m\,\overline{EF}}$<br>Donc $\triangle ABC \sim \triangle DEF$. |
| **35.** | Deux triangles possédant un angle isométrique compris entre des côtés homologues de longueurs proportionnelles sont semblables (CAC). | $\frac{m\,\overline{AB}}{m\,\overline{DE}} = \frac{m\,\overline{AC}}{m\,\overline{DF}}$ et $\angle A \cong \angle D$<br>Donc $\triangle ABC \sim \triangle DEF$. |
| **36.** | Les mesures des côtés d'un triangle quelconque ABC étant proportionnelles au sinus des angles opposés à ces côtés, on a $\frac{a}{\sin A} = \frac{b}{\sin B} = \frac{c}{\sin C}$.<br>(Loi des sinus) | $\frac{a}{\sin A} = \frac{b}{\sin B} = \frac{c}{\sin C}$ |
| **37.** | Le carré de la longueur d'un côté d'un triangle quelconque est égal à la somme des carrés des longueurs des autres côtés, moins le double du produit des longueurs des autres côtés par le cosinus de l'angle compris entre ces deux côtés.<br>(Loi des cosinus) | $a^2 = b^2 + c^2 - 2bc\cos A$ |
| **38.** | L'aire $S$ d'un triangle dont les côtés ont pour mesures $a$, $b$ et $c$, est $S = \sqrt{p(p-a)(p-b)(p-c)}$, où $p$ est le demi-périmètre du triangle.<br>(Formule de Héron) | |
| **39.** | Les côtés opposés d'un parallélogramme sont isométriques. | Dans un parallélogramme ABCD :<br>$\overline{AB} \cong \overline{CD}$ et $\overline{AD} \cong \overline{BC}$ |
| **40.** | Les diagonales d'un parallélogramme se coupent en leur milieu. | Dans un parallélogramme ABCD :<br>$\overline{AE} \cong \overline{EC}$ et $\overline{DE} \cong \overline{EB}$ |
| **41.** | Les angles opposés d'un parallélogramme sont isométriques. | Dans un parallélogramme ABCD :<br>$\angle A \cong \angle C$ et $\angle B \cong \angle D$ |
| **42.** | Les diagonales d'un rectangle sont isométriques. | Dans un rectangle ABCD :<br>$\overline{AC} \cong \overline{BD}$ |

| | | |
|---|---|---|
| **43.** | Les diagonales d'un losange sont perpendiculaires. | Dans un losange ABCD : $\overline{AC} \perp \overline{BD}$ |
| **44.** | Les milieux des côtés de tout quadrilatère sont les sommets d'un parallélogramme. | E est le milieu de $\overline{AB}$<br>F est le milieu de $\overline{BC}$<br>G est le milieu de $\overline{CD}$<br>H est le milieu de $\overline{AD}$<br>Le quadrilatère EFGH est un parallélogramme. |
| **45.** | Le segment joignant les milieux des côtés non parallèles d'un trapèze est parallèle aux bases, et sa mesure est égale à la demi-somme des mesures des bases. | E est le milieu de $\overline{AD}$<br>F est le milieu de $\overline{BC}$<br>m $\overline{EF} = \dfrac{m\,\overline{AB} + m\,\overline{CD}}{2}$ |
| **46.** | La somme des mesures des angles intérieurs d'un quadrilatère est 360°. | $m\angle 1 + m\angle 2 + m\angle 3 + m\angle 4 = 360°$ |
| **47.** | La somme des mesures des angles intérieurs d'un polygone à $n$ côtés est $n \times 180° - 360°$ ou $(n - 2) \times 180°$. | $S = n \times 180° - 360°$<br>ou $S = (n - 2) \times 180°$<br>Ici, $S = (6 - 2) \times 180°$<br>$S = 720°$ |
| **48.** | La somme des mesures des angles extérieurs d'un polygone convexe est 360°. | $m\angle 1 + m\angle 2 + m\angle 3 +$<br>$m\angle 4 + m\angle 5 + m\angle 6 = 360°$ |
| **49.** | Dans tout polyèdre simple, la somme du nombre de sommets et du nombre de faces est égale au nombre d'arêtes plus 2.<br>(Relation d'Euler) | $S + F = A + 2$<br>$8 + 6 = 12 + 2$ |
| **50.** | De tous les polygones équivalents à $n$ côtés, le polygone régulier a le plus petit périmètre. | |
| **51.** | De deux polygones convexes équivalents, le polygone ayant le plus de côtés a le plus petit périmètre. (À la limite, c'est le cercle équivalent qui a le plus petit périmètre.) | |
| **52.** | De tous les prismes rectangulaires de même aire totale, le cube a le plus grand volume. | |
| **53.** | De tous les solides de même aire totale, la boule a le plus grand volume. | |
| **54.** | De tous les prismes rectangulaires de même volume, le cube a la plus petite aire totale. | |
| **55.** | De tous les solides de même volume, la boule a la plus petite aire totale. | |
| **56.** | Trois points non alignés déterminent un cercle et un seul. | Il existe un seul cercle passant par les points A, B et C. |
| **57.** | Dans un cercle, le rapport de la circonférence au diamètre est une constante notée $\pi$. | $\dfrac{c}{d} = \pi$ |
| **58.** | Toutes les médiatrices des cordes d'un cercle se rencontrent au centre de ce cercle. | $d_1$ et $d_2$ sont respectivement les médiatrices des cordes AB et CD.<br>Le point d'intersection M de ces médiatrices correspond au centre du cercle. |

| | | | |
|---|---|---|---|
| **59.** | Tous les diamètres d'un cercle sont isométriques. | $\overline{AD}$, $\overline{BE}$ et $\overline{CF}$ sont des diamètres du cercle de centre O. $\overline{AD} \cong \overline{BE} \cong \overline{CF}$ | |
| **60.** | Dans un cercle, la mesure d'un rayon est égale à la demi-mesure du diamètre. | $\overline{AB}$ est un diamètre et $\overline{OA}$ est un rayon du cercle de centre O. $m\,\overline{OA} = \frac{1}{2}\,m\,\overline{AB}$ | |
| **61.** | Dans un cercle, l'angle au centre a la même mesure en degrés que celle de l'arc compris entre ses côtés. | Dans le cercle de centre O, $m \angle AOB = m\,\widehat{AB}$ exprimées en degrés. | |
| **62.** | Dans un disque, le rapport des aires de deux secteurs est égal au rapport des mesures des angles au centre. | $\dfrac{\text{aire du secteur AOB}}{\text{aire du secteur COD}} = \dfrac{m \angle AOB}{m \angle COD}$ | |
| **63.** | Dans un cercle, le rapport des mesures de deux angles au centre est égal au rapport des mesures des arcs interceptés entre leurs côtés. | $\dfrac{m \angle AOB}{m \angle COD} = \dfrac{m\,\widehat{AB}}{m\,\widehat{CD}}$ | |
| **64.** | Dans un même cercle ou dans deux cercles isométriques, deux cordes isométriques sont à la même distance du centre, et réciproquement. | Dans le cercle de centre O : <br>• si $\overline{AD} \cong \overline{BC}$, alors $m\,\overline{EO} = m\,\overline{FO}$ ; <br>• si $m\,\overline{EO} = m\,\overline{FO}$, alors $\overline{AD} \cong \overline{BC}$. | |
| **65.** | Tout diamètre perpendiculaire à une corde partage cette corde et chaque arc qu'elle sous-tend en deux parties isométriques. | Dans le cercle de centre O, si $\overline{DB} \perp \overline{AC}$, alors $\overline{AE} \cong \overline{CE}$, $\widehat{AB} \cong \widehat{BC}$ et $\widehat{AD} \cong \widehat{CD}$. | |
| **66.** | Un angle inscrit a pour mesure la moitié de celle de l'arc compris entre ses côtés. | $m \angle ABC = \dfrac{m\,\widehat{AC}}{2}$ | |
| **67.** | Toute perpendiculaire à l'extrémité d'un rayon est tangente au cercle, et réciproquement. | Dans le cercle de centre O : <br>• si la droite $d$ est perpendiculaire au rayon OP en son extrémité, alors elle est tangente au cercle en P ; <br>• si la droite $d$ est tangente au cercle en P, alors elle est perpendiculaire au rayon OP en son extrémité. | |

| | | | |
|---|---|---|---|
| **68.** | Deux parallèles sécantes ou tangentes à un cercle interceptent sur le cercle deux arcs isométriques. | Dans le cercle de centre O : <br> • si $d_1 // d_2$, alors $\widehat{AB} \cong \widehat{CD}$ ; <br> • si $d_2 // d_3$, alors $\widehat{BE} \cong \widehat{CE}$. | |
| **69.** | Si, d'un point P extérieur à un cercle de centre O, on mène deux tangentes aux points A et B du cercle, <u>alors OP est la bissectrice</u> de l'angle APB et $\overline{PA} \cong \overline{PB}$. | Dans le cercle de centre O, la droite qui passe par les points P et O <u>est la bissectrice</u> de l'angle APB et $\overline{PA} \cong \overline{PB}$. | |
| **70.** | L'angle dont le sommet est entre le cercle et le centre a pour mesure la demi-somme des mesures des arcs compris entre ses côtés prolongés. | $m \angle AEB = \frac{m \widehat{AB} + m \widehat{CD}}{2}$ | |
| **71.** | L'angle dont le sommet est à l'extérieur du cercle a pour mesure la demi-différence des mesures des arcs compris entre ses côtés. | $m \angle AEB = \frac{m \widehat{AB} - m \widehat{CD}}{2}$ | |
| **72.** | Lorsque deux cordes se coupent dans un cercle, le produit des mesures des segments de l'une est égal au produit des mesures des segments de l'autre. | $m \overline{AE} \times m \overline{CE} = m \overline{BE} \times m \overline{DE}$ | |
| **73.** | Si, d'un point P extérieur à un cercle, on mène deux sécantes PB et PD, alors $m \overline{PA} \times m \overline{PB} = m \overline{PC} \times m \overline{PD}$. | $m \overline{PA} \times m \overline{PB} = m \overline{PC} \times m \overline{PD}$ | |
| **74.** | Si, d'un point P extérieur à un cercle, on mène une sécante PB et une tangente PC, alors $m \overline{PA} \times m \overline{PB} = (m \overline{PC})^2$. | $m \overline{PA} \times m \overline{PB} = (m \overline{PC})^2$ | |
| **75.** | Deux droites non parallèles à l'axe des ordonnées sont parallèles si et seulement si leurs pentes sont égales. | Soit : <br> $d_1 : y = ax + b$ <br> $d_2 : y = cx + d$ <br> $d_1 // d_2 \Leftrightarrow a = c$ | |
| **76.** | Deux droites non parallèles à l'axe des ordonnées sont perpendiculaires si et seulement si leurs pentes sont inverses et de signes contraires. | Soit : <br> $d_1 : y = ax + b$ <br> $d_2 : y = cx + d$ <br> $d_1 \perp d_2 \Leftrightarrow a = \frac{-1}{c}$ | |

# Les principales stratégies mathématiques

| Stratégie | Définition | Domaine ou contexte d'utilisation |
|---|---|---|
| Analyse | Ensemble des étapes de l'étude détaillée d'un problème, correspondant au choix de la méthode de résolution appropriée et du résultat attendu. | L'analyse précède généralement la résolution d'un problème afin de déterminer les données connues et de comprendre le problème. Elle permet d'orienter le choix de la démarche de résolution et de décider de la méthode à utiliser pour résoudre le problème. |
| Anticipation | Formulation d'une hypothèse subjective d'un résultat attendu. | L'anticipation sert à prédire le résultat, pour orienter la démarche de résolution en fonction du résultat attendu. *Exemple :* Au hockey, le gardien de but anticipe le jeu d'un joueur adverse et se déplace en fonction de cette anticipation dans le but d'effectuer l'arrêt. |
| Contre-exemple | Exemple prouvant qu'une proposition est fausse. | Pour démontrer qu'une affirmation n'est pas toujours vraie, un seul contre-exemple est suffisant. *Exemple :* Affirmation : Tous les nombres premiers sont impairs. Contre-exemple : 2 est un nombre premier (les diviseurs de 2 sont 1 et 2) et 2 est un nombre pair. L'affirmation est donc fausse. |
| Déduction | Conclusion découlant d'un raisonnement. | La déduction sert à trouver des informations non explicites dans un problème et à donner une réponse définitive à la suite de manipulations. *Exemple :* À partir des affirmations suivantes, on peut déduire que les carrés sont des losanges. • Les losanges sont des parallélogrammes ayant 4 côtés isométriques. • Les carrés possèdent 4 côtés isométriques et 4 angles isométriques. |
| Démonstration | Suite d'arguments logiquement liés permettant d'établir des affirmations irréfutables à partir de propriétés précédemment démontrées ou admises. | Une démonstration est généralement une suite d'affirmations mathématiques qui prouvent un raisonnement ou un résultat. *Exemple :* On peut démontrer que les triangles ci-dessous sont semblables de la façon suivante. 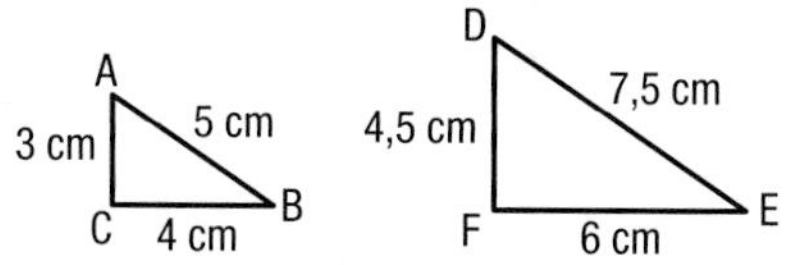 $\dfrac{m\,\overline{AB}}{m\,\overline{DE}} = \dfrac{m\,\overline{BC}}{m\,\overline{EF}} = \dfrac{m\,\overline{AC}}{m\,\overline{DF}} = \dfrac{2}{3}$ Les mesures des côtés homologues sont proportionnelles, donc $\triangle ABC \sim \triangle DEF$. |
| Description | Énumération des caractéristiques d'une figure, d'un objet, d'une situation ou d'une fonction. | La description précise certains éléments des figures, des formes, des solides, des situations, etc. *Exemple :* Pour décrire un disque, on peut dire que son diamètre est 4 cm. |

| Stratégie | Définition | Domaine ou contexte d'utilisation |
|---|---|---|
| Essais-erreurs | Processus consistant à éprouver un résultat jusqu'à découvrir le bon. | Ce procédé aide à découvrir une méthode algébrique pour résoudre un problème.<br><br>*Exemple:*<br>Pour résoudre l'équation $2x + 3 = 7$:<br>on essaie $x = 1$<br>$\quad 2(1) + 3 = 5$;<br>on essaie $x = 3$<br>$\quad 2(3) + 3 = 9$;<br>on essaie $x = 2$<br>$\quad 2(2) + 3 = 7$.<br>La solution est donc $x = 2$. |
| Induction | Généralisation des observations effectuées sur un échantillon. | *Exemple:* Après avoir lancé une pièce de monnaie 40 fois, on obtient le résultat face 20 fois.<br>En conclusion, on généralise en affirmant que la probabilité fréquentielle d'obtenir face est 50 %. |
| Justification | Explications démontrant la validité d'un résultat. | À chaque étape de la résolution d'un problème, la justification explique la démarche conduisant au résultat.<br><br>*Exemple:* Dans un triangle ABC, on sait que m $\angle$ A = 30° et que m $\angle$ B = 50°. Quelle est la mesure de l'angle C?<br><br>Réponse: m $\angle$ C = 180° − 30° − 50° = 100°.<br>Justification: La mesure de l'angle C est 100°, car la somme des mesures des angles intérieurs d'un triangle est égale à 180°. |
| Preuve | Raisonnement ou argumentation destinés à établir la véracité d'un énoncé ou servant à valider un calcul. | La preuve s'utilise lorsqu'il faut établir la véracité d'une affirmation.<br>Elle peut aussi être nécessaire en cours de problème pour justifier la suite de la démarche de résolution.<br><br>*Exemple:*<br>Affirmation: $2n$ est un nombre pair pour tout nombre entier $n$.<br><br>Preuve:<br>1) On sait qu'un nombre pair est un nombre entier divisible par deux.<br>2) $\frac{2n}{2} = n$ et $n$ est un nombre entier.<br><br>Donc, $2n$ est un nombre pair pour tout nombre entier $n$. |
| Preuve par l'absurde | Preuve résultant d'une démonstration par l'absurde ou contraire à la raison. | La démonstration de la véracité d'une affirmation est souvent complexe. En prouvant hors de tout doute que le contraire d'une affirmation est faux, on montre hors de tout doute que cette affirmation est vraie. |
| Vérification | Examen d'un résultat afin de s'assurer de sa conformité, de sa valeur ou de son exactitude. | À la dernière étape de la résolution d'un problème, la vérification permet de s'assurer que l'on répond bien à la question et que la réponse est exacte.<br><br>*Exemple:* Comme solution de l'équation $3x - 5 = 16$, on a obtenu $x = 7$.<br><br>Vérification: $3(7) - 5$ est bien égal à 16. |

# Les unités de mesure

| Mesure | Unité | Symbole |
|---|---|---|
| Aire ou superficie | mètre carré | m² |
| | hectare | ha |
| Angle | degré | ° |
| | radian | rad |
| Capacité ou volume | mètre cube | m³ |
| | litre | l |
| Courant électrique | ampère* | A |
| Énergie, travail | joule | J |
| | wattheure | Wh |
| | calorie | cal |
| | grande calorie ou Calorie | kcal ou Cal |
| Force | newton | N |
| Fréquence | hertz | H |
| Intensité lumineuse | candela* | cd |
| Longueur | mètre* | m |
| Masse | kilogramme* | kg |
| | tonne | t |
| Pression | pascal | Pa |
| | millimètre de mercure | mm Hg |
| | atmosphère | atm |
| Puissance | watt | W |
| Quantité de matière | mole* | mol |
| Résistance électrique | ohm | Ω |
| Température | kelvin* | K |
| | degré Celsius | °C |
| | degré Fahrenheit | °F |
| Temps, durée | seconde* | s |
| | minute | min |
| | heure | h |
| | jour | d |
| Tension électrique | volt | V |
| Vitesse | mètre par seconde | m/s |
| | kilomètre par heure | km/h |

\* Unité de base du SI

## Équivalence entre le système métrique et le système impérial

| | |
|---|---|
| **1 mètre** | ≈ 3,2808 pieds |
| **1 centimètre** | ≈ 0,3937 pouce |
| **1 kilomètre** | ≈ 0,6214 mille |
| **1 kilogramme** | ≈ 2,2046 livres |
| **1 Calorie** | ≈ 4,1868 joules |
| $T_{°C} = \frac{5}{9}(T_{°F} - 32)$ | |

| | |
|---|---|
| **1 pied** | ≈ 0,3048 mètre |
| **1 pouce** | ≈ 2,54 centimètres |
| **1 mille** | ≈ 1,6093 kilomètre |
| **1 livre** | ≈ 0,4536 kilogramme |
| $T_{°F} = \frac{9}{5}T_{°C} + 32$ | |

## Autres équivalences

| | |
|---|---|
| **1 tonne métrique** | 1 000 kg |
| **1 millilitre** | 1 cm³ |
| **1 litre** | 1 dm³ |

## Symboles des unités de mesure:

**1) de longueur**

| Unité | Symbole |
|---|---|
| kilomètre | km |
| hectomètre | hm |
| décamètre | dam |
| mètre | m |
| décimètre | dm |
| centimètre | cm |
| millimètre | mm |

**2) de masse**

| Unité | Symbole |
|---|---|
| kilogramme | kg |
| hectogramme | hg |
| décagramme | dag |
| gramme | g |
| décigramme | dg |
| centigramme | cg |
| milligramme | mg |

**3) de capacité**

| Unité | Symbole |
|---|---|
| kilolitre | kl |
| hectolitre | hl |
| décalitre | dal |
| litre | l ou L |
| décilitre | dl |
| centilitre | cl |
| millilitre | ml |

## Valeur des préfixes

| Facteur par lequel l'unité est multipliée | Nombre | Nom du préfixe | Symbole |
|---|---|---|---|
| $10^{12}$ | 1 000 000 000 000 | téra | T |
| $10^9$ | 1 000 000 000 | giga | G |
| $10^6$ | 1 000 000 | méga | M |
| $10^3$ | 1 000 | kilo | k |
| $10^2$ | 100 | hecto | h |
| 10 | 10 | déca | da |
| $10^{-1}$ | 0,1 | déci | d |
| $10^{-2}$ | 0,01 | centi | c |
| $10^{-3}$ | 0,001 | milli | m |
| $10^{-6}$ | 0,000001 | micro | µ |
| $10^{-9}$ | 0,000 000 001 | nano | n |
| $10^{-12}$ | 0,000 000 000 001 | pico | p |
| $10^{-15}$ | 0,000 000 000 000 001 | femto | f |
| $10^{-18}$ | 0,000 000 000 000 000 001 | atto | a |

## Nomenclature des grands nombres

| Nombre | Nom |
|---|---|
| $10^0$ | unité |
| $10^1$ | dizaine |
| $10^2$ | centaine |
| $10^3$ | mille |
| $10^4$ | dix-mille |
| $10^5$ | cent-mille |
| $10^6$ | million |
| $10^9$ | milliard |
| $10^{12}$ | billion |
| $10^{15}$ | billiard |
| $10^{18}$ | trillion |
| $10^{21}$ | triliard |
| $10^{24}$ | quadrillion |

| Nombre | Nom |
|---|---|
| $10^{27}$ | quadrilliard |
| $10^{30}$ | quintillion |
| $10^{33}$ | quintilliard |
| $10^{36}$ | sextillion |
| $10^{39}$ | sextilliard |
| $10^{42}$ | septillion |
| $10^{45}$ | septilliard |
| $10^{48}$ | octillion |
| $10^{51}$ | octilliard |
| $10^{54}$ | nonillion |
| $10^{57}$ | nonilliard |
| $10^{60}$ | décillion |
| $10^{100}$ | googol |

# Les notations et symboles mathématiques

| Notation et symbole | Signification |
|---|---|
| $\mathbb{N}$ | Ensemble des nombres naturels |
| $\mathbb{Z}$ | Ensemble des nombres entiers |
| $\mathbb{Q}$ | Ensemble des nombres rationnels |
| $\mathbb{Q}'$ | Ensemble des nombres irrationnels |
| $\mathbb{R}$ | Ensemble des nombres réels |
| $\cup$ | Union ou réunion d'ensembles |
| $\cap$ | Intersection ou réunion d'ensembles |
| $\Omega$ | L'univers des résultats possibles d'une expérience aléatoire. Se lit « oméga ». |
| $\varnothing$ ou $\{\ \}$ | Ensemble vide |
| $=$ | … est égal à… |
| $\neq$ | … n'est pas égal à… ou … est différent de… |
| $\approx$ | … est approximativement égal à… ou … est à peu près égal à… |
| $<$ | … est inférieur à… |
| $>$ | … est supérieur à… |
| $\leq$ | … est inférieur ou égal à… |
| $\geq$ | … est supérieur ou égal à… |
| $[a, b]$ | Intervalle incluant $a$ et $b$ |
| $[a, b[$ | Intervalle incluant $a$ et excluant $b$ |
| $]a, b]$ | Intervalle excluant $a$ et incluant $b$ |
| $]a, b[$ | Intervalle excluant $a$ et $b$ |
| $\infty$ | Infini |
| $f(x)$ | $f$ de $x$ ou image de $x$ par la fonction $f$ |
| $f^{-1}$ | Réciproque de la fonction $f$ |
| $f \circ g$ | Composée de la fonction $g$ suivie de la fonction $f$. Se lit « $f$ rond $g$ ». |
| $-a$ | Opposé du nombre $a$ |
| $\mathbb{N}^*$ | Ensemble des nombres naturels non nuls. (Peut s'appliquer aux ensembles $\mathbb{Z}$, $\mathbb{Q}$, $\mathbb{Q}'$ et $\mathbb{R}$.) |
| $\mathbb{Z}_+$ | Ensemble des nombres entiers positifs. (Peut s'appliquer aux ensembles $\mathbb{Q}$, $\mathbb{Q}'$ et $\mathbb{R}$.) |
| $\mathbb{Z}_-$ | Ensemble des nombres entiers négatifs. (Peut s'appliquer aux ensembles $\mathbb{Q}$, $\mathbb{Q}'$ et $\mathbb{R}$.) |
| $\mathbb{R} \backslash \{a\}$ | Ensemble des nombres réels à l'exception du nombre $a$ |
| $\frac{1}{a}$ ou $a^{-1}$ | Inverse de $a$ |
| $a^2$ | La deuxième puissance de $a$ ou $a$ au carré |
| $a^3$ | La troisième puissance de $a$ ou $a$ au cube |
| $\sqrt{a}$ | Radical $a$ ou racine carrée de $a$ |
| $\sqrt[3]{a}$ | Racine cubique de $a$ |
| $|a|$ | Valeur absolue de $a$ |
| $\%$ | Pourcentage |
| $a : b$ | Rapport de $a$ à $b$ |
| $\pi$ | $\pi \approx 3,1416$. Se lit « pi ». |
| $\overline{AB}$ | Segment AB |
| $m\,\overline{AB}$ | Mesure du segment AB |

| Notation et symbole | Signification |
|---|---|
| $\angle$ | Angle |
| $m \angle$ | Mesure d'un angle |
| $\overset{\frown}{AB}$ | Arc de cercle AB |
| $m \overset{\frown}{AB}$ | Mesure de l'arc de cercle AB |
| $//$ | ... est parallèle à... |
| $\perp$ | ... est perpendiculaire à... |
| $\llcorner$ | Désigne un angle droit dans une figure géométrique plane. |
| $\Delta$ | Triangle |
| $\cong$ | ... est isométrique à... |
| $\sim$ | ... est semblable à... |
| $\triangleq$ | ... correspond à... |
| $P(E)$ | Probabilité de l'événement E |
| $P(A \mid B)$ | Probabilité que l'événement B se produise sachant que l'événement A s'est déjà produit. |
| $A'$ | Événement complémentaire à l'événement A. Se lit « A complément ». |
| $Q_1, Q_2, Q_3$ | Premier quartile, deuxième quartile et troisième quartile d'une distribution |
| $\Delta x$ ou $\Delta y$ | Variation ou accroissement en $x$ ou variation ou accroissement en $y$. Se lit « delta $x$ ou delta $y$ ». |
| $d(A, B)$ | Distance entre les points A et B |
| $\degree$ | Degré |
| rad | Radian |
| $\sin A$ | Sinus de l'angle A |
| $\cos A$ | Cosinus de l'angle A |
| $\tan A$ | Tangente de l'angle A |
| $\arcsin x$ (ou $\sin^{-1} x$) | Arc sinus de $x$ |
| $\arccos x$ (ou $\cos^{-1} x$) | Arc cosinus de $x$ |
| $\arctan x$ (ou $\tan^{-1} x$) | Arc tangente de $x$ |
| $\sec A$ | Sécante de l'angle A |
| $\operatorname{cosec} A$ | Cosécante de l'angle A |
| $\cot A$ | Cotangente de l'angle A |
| $[a]$ | Partie entière de $a$ |
| $\log_c a$ | Logarithme de $a$ dans la base $c$ |
| $\log a$ | Logarithme de $a$ dans la base 10 |
| $\ln a$ | Logarithme de $a$ dans la base e |
| $a!$ | Factorielle de $a$ |
| $\vec{a}$ | Vecteur $a$ |
| $\lVert \vec{a} \rVert$ | Norme du vecteur $a$ |
| $\vec{a} \cdot \vec{b}$ | Produit scalaire du vecteur $a$ et du vecteur $b$ |
| $\Sigma$ | Sommation |
| $\in$ | ... est élément de... ou ... appartient à... |
| $\notin$ | ... n'est pas élément de... ou ... n'appartient pas à... |
| $\subseteq$ | ... est un sous-ensemble de... ou ... est inclus dans... |
| $\nsubseteq$ | ... n'est pas un sous-ensemble de... ou ... n'est pas inclus dans... |

# Les constructions géométriques

## Construction d'un angle

Pour construire un angle d'une mesure donnée, on peut utiliser un rapporteur.

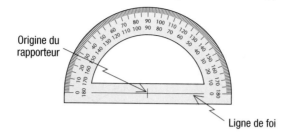

Origine du rapporteur

Ligne de foi

*Exemple :* Construction d'un angle de 120°

1) On trace une demi-droite pour représenter un côté de l'angle.

2) On place le rapporteur comme ci-dessous.

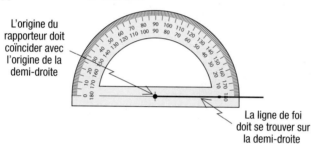

L'origine du rapporteur doit coïncider avec l'origine de la demi-droite

La ligne de foi doit se trouver sur la demi-droite

3) On fait un trait vis-à-vis de la mesure de l'angle désiré.

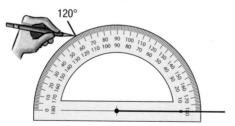

120°

4) On relie le trait à l'origine de la demi-droite.

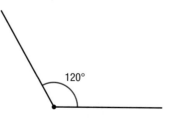

120°

**323**

**Rotation**

Pour tracer l'image d'une figure par une rotation avec des instruments de géométrie :

**1.** Du centre de rotation, on trace des cercles passant par chaque sommet de la figure.

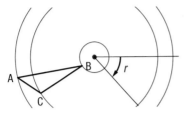

**2.** Pour chaque cercle, on donne au compas une ouverture correspondant à l'arc intercepté par l'angle de rotation.

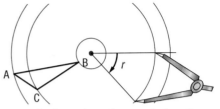

**3.** On reporte cet arc à partir du sommet de la figure, dans le sens indiqué par la flèche de rotation. On repère ainsi l'image de chaque sommet.

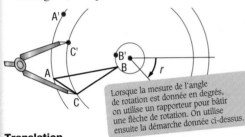

Lorsque la mesure de l'angle de rotation est donnée en degrés, on utilise un rapporteur pour bâtir une flèche de rotation. On utilise ensuite la démarche donnée ci-dessus.

**4.** On relie les points obtenus de la même façon que les points de la figure initiale.

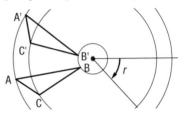

**Translation**

Pour tracer l'image d'une figure par une translation avec des instruments de géométrie :

**1.** On trace des droites parallèles à la flèche de translation passant par chaque sommet de la figure.

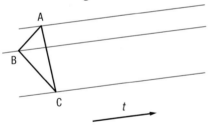

**2.** On prend la longueur de la flèche de translation avec un compas.

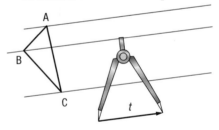

**3.** À l'aide du compas, et dans le sens de la flèche de translation, on reporte sur chaque droite parallèle une distance égale à la longueur de la flèche de translation. On repère ainsi l'image de chaque sommet.

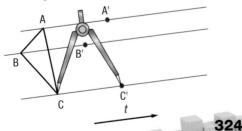

**4.** On relie les points obtenus de la même façon que les points de la figure initiale.

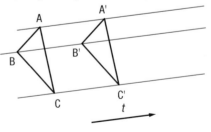

**324**

## Réflexion

Pour tracer l'image d'une figure par une réflexion avec des instruments de géométrie :

**1.** On trace des droites perpendiculaires à l'axe de réflexion passant par chaque sommet de la figure.

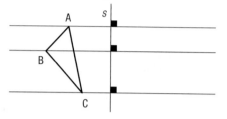

**2.** Pour chaque droite perpendiculaire, on prend la longueur du segment joignant le sommet de la figure initiale à l'axe de réflexion.

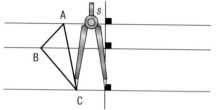

**3.** On reporte sur chaque droite perpendiculaire la longueur de l'autre côté de l'axe. On repère ainsi l'image de chaque sommet.

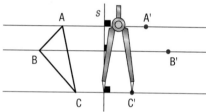

**4.** On relie les points obtenus de la même façon que les points de la figure initiale.

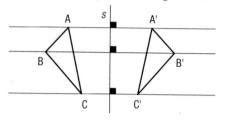

## Homothétie

Pour tracer l'image d'une figure par une homothétie avec des instruments de géométrie :

**1.** Du centre d'homothétie, on trace des droites passant par chaque sommet de la figure.

**2.** À l'aide d'une règle, on mesure la distance du centre d'homothétie à chacun des sommets.

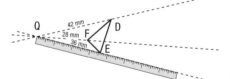

**3.** Pour déterminer la distance de chacun des sommets images au centre d'homothétie, on multiplie chacune des mesures par le rapport d'homothétie $k$, par exemple 2.

$\text{m } \overline{QD'} = \text{m } \overline{QD} \times 2 = 42 \times 2 = 84 \text{ mm}$

$\text{m } \overline{QF'} = \text{m } \overline{QF} \times 2 = 28 \times 2 = 56 \text{ mm}$

$\text{m } \overline{QE'} = \text{m } \overline{QE} \times 2 = 36 \times 2 = 72 \text{ mm}$

**4.** À l'aide d'une règle, on reporte sur chaque droite la mesure qui correspond à la distance entre le centre d'homothétie et le sommet image à partir du sommet Q.

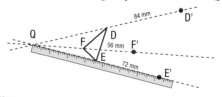

**5.** On relie les points obtenus de la même façon que les points de la figure initiale.

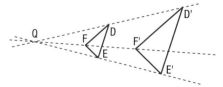

Note :
– Si $k > 0$, la figure image et la figure initiale seront situées du même côté par rapport au centre d'homothétie.
– Si $k < 0$, la figure image et la figure initiale seront situées de part et d'autre du centre d'homothétie.

**Construction de triangles**

On peut construire un triangle seulement si:
- la somme des mesures de deux côtés est supérieure à la mesure du troisième côté;
- la somme des mesures des angles intérieurs est 180°.

On peut construire un triangle unique si l'on connaît certaines mesures.

**Construction d'un triangle lorsque les mesures des trois côtés (C-C-C) sont connues.**

*Exemple:* Construction d'un triangle ABC dont les côtés mesurent 4 cm, 5 cm et 6 cm.

1. À l'aide de la règle, on trace l'un ou l'autre des trois côtés.

2. À l'aide du compas, on trace un cercle de centre A et dont le rayon mesure 4 cm.

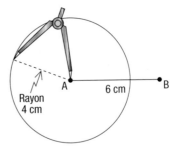

3. À l'aide du compas, on trace un cercle de centre B et dont le rayon mesure 5 cm.

4. On relie les points A et B à l'un des points d'intersection des deux cercles.

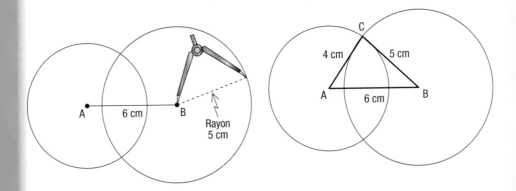

**Construction d'un triangle lorsque la mesure d'un angle et celle des côtés formant cet angle (C-A-C) sont connues.**

*Exemple :* Construction d'un triangle ABC dans lequel m $\overline{AB}$ = 3 cm, m $\overline{CB}$ = 4 cm et m ∠ B = 50°.

**1.** À l'aide de la règle, on trace le segment AB de 3 cm.

**2.** À l'aide du rapporteur, on trace l'angle B de 50° dont l'un des côtés est le segment AB.

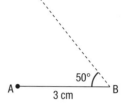

**3.** À l'aide de la règle, on trace le segment BC de 4 cm.

**4.** On complète le triangle en joignant le sommet C au sommet A.

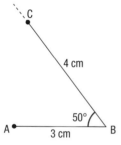

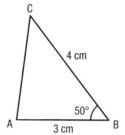

**Construction d'un triangle lorsque les mesures de deux angles et celle du côté compris entre ces angles (A-C-A) sont connues.**

*Exemple :* Construction d'un triangle ABC dans lequel m ∠ B = 40°, m $\overline{BC}$ = 2 cm et m ∠ C = 60°.

**1.** À l'aide de la règle, on trace le segment BC de 2 cm.

**2.** À l'aide du rapporteur, on trace l'angle B de 40° dont l'un des côtés est le segment BC.

**3.** À l'aide du rapporteur, on trace l'angle C de 60° dont l'un des côtés est le segment BC.

**4.** On indique le sommet A à l'endroit où les demi-droites issues des sommets B et C se croisent afin de compléter le triangle.

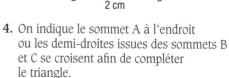

# Index